Normalmente, você precisa ir a diferentes seções da livraria para encontrar bons livros sobre teologia bíblica, teologia sistemática, ministério, igreja e vida cristã. No mínimo, a relação entre teoria e prática parece tensa. Contudo, este livro resolve essas preocupações. Michael Lawrence acredita que bons pastores são teólogos e bons teólogos são pastores. Para todos que acreditam que a teologia precisa da igreja e a igreja precisa de teologia, este será um recurso bem-vindo. Para aqueles que desejam refletir sobre esta ideia, será um recurso atraente.
— Michael Horton, Professor de Teologia Sistemática e Apologética, Westminster Seminary California

Sou grato por este livro ter sido escrito. É um livro ambicioso — amplo em escopo e simultaneamente rico em percepção. Suas teologias bíblica, sistemática e pastoral são apresentadas de maneira lúcida e acessível, seus estudos de caso são pastoralmente úteis, e suas polêmicas são provocantes e penetrantes.

Michael nos fez um grande favor, ancorando seu material na luta diária do ministério pastoral ordinário e, ao mesmo tempo, estimulando-nos intelectualmente. Seu compromisso inabalável com a revelação proposicional, a centralidade da Bíblia no ministério da igreja e sua inflexível crença de que Deus opera por meio de sua Palavra são um grande contraste com muita teologia na moda na igreja hoje.

Este livro é um sino batendo no nevoeiro do cristianismo americano — com seus extremos de teologia da prosperidade, teologia emergente e consumismo — que nós, nos confins da terra na África do Sul, infelizmente, não escapamos. Ele nos chama de volta às antigas, experimentadas e testadas práticas de exegese, hermenêutica e pregação que alimentaram a igreja cristã por séculos. Que Deus o use para nutrir sua igreja, que muitas vezes parece desnutrida tanto na África subsaariana quanto em outros lugares.
— Grant J. Retief, reitor, Christ Church, Umhlanga, Durban, África do Sul

Segundo o apóstolo Paulo, uma das obras centrais do ministério pastoral é manejar bem a palavra da verdade (2Tm 2.15), e é preciso estudo diligente para ser capaz de fazê-lo. De acordo com Michael Lawrence, também é vital aplicar corretamente a Palavra da verdade à vida de uma congregação e ter certeza de que a aplicação é fiel à história unida de toda a Escritura. Em seu livro *Teologia bíblica na prática*, Lawrence habilmente guia seus leitores na construção de uma teologia bíblica, "a história toda da Bíblia toda", e os ensina como extrair lições dessa história. Mas a batida do coração de Lawrence é a aplicação correta da história e essas lições para os cenários da vida diária que todo ministro enfrenta. Este trabalho é um manual sucinto e legível sobre a aplicação correta do enredo de toda a Bíblia às questões comuns da vida cotidiana que os pastores inevitavelmente enfrentarão ao ministrarem no século XXI. É uma adição valiosa para a biblioteca de qualquer pastor que anseia ver a Palavra de Deus dar frutos para a eternidade.

— Andrew Davis, pastor sênior, First Baptist Church,
Durham, Carolina do Norte

Com o analfabetismo bíblico na igreja em alta, pregação banal e sem fé parecendo ser a norma e líderes cristãos mais impressionados por histórias de sucesso no mercado do que pela história bíblica de redenção, *Teologia bíblica na prática* surge como uma correção muito necessária. Michael Lawrence certamente tem razão: é preciso entender a grande história das Escrituras para interpretar corretamente suas partes constituintes. Quando a história é mal-entendida ou ignorada, a pregação e o ministério cristão inevitavelmente sofrerão. Por meio de definição, explicação e exemplo, Lawrence produziu um guia completo e prático para corrigir a interpretação bíblica, a exposição capacitada pelo Espírito e o ministério fiel.

— Todd l. Miles, professor assistente de teologia,
Western Seminary, Portland, Oregon

Todo pregador ou professor consciente da Bíblia, mais cedo ou mais tarde, enfrenta questões sobre a natureza da teologia bíblica, sua relação com a doutrina (teologia sistemática) e a aplicação prática de ambas ao ministério que edifica a igreja. Seguindo os passos de Geerhardus Vos e Edmund Clowney, Michael Lawrence nos fornece um estudo magistral que relaciona a teologia bíblica à sistemática, e depois aplica ambas ao ministério da igreja. Esta abordagem integrativa habilmente executada abre novos caminhos na aplicação prática da teologia bíblica. Sua meticulosidade, sem ser excessivamente técnica, torna-o acessível a qualquer um que queira ser um pregador ou um melhor professor da Bíblia.
— Graeme Goldsworthy, Professor visitante em Hermenêutica, Moore Theological College, Sydney, Austrália.

Estudos sobre a relação entre teologia e ministério parecem ser bastante raros. De fato, alguns livros chamados de "guias para o ministério" frequentemente trazem suspeitas e hostilidade em relação ao empreendimento teológico. Por outro lado, alguns teólogos acham que tais guias não merecem atenção séria. O que é desesperadamente necessário é um trabalho que reconheça o significado do trabalho da teologia para o ministério, reconhecendo simultaneamente a importância de se fazer teologia para a igreja. Michael Lawrence atendeu brilhantemente a essa necessidade neste volume escrito de maneira clara e convincente, que vislumbra novamente o trabalho dos pastores-teólogos. Acredito que *Teologia bíblica na prática* certamente será um dos livros mais importantes para pastores e teólogos lerem este ano.
— David S. Dockery, Presidente, Union University

A teologia bíblica é a ferramenta que falta para muitos pastores — ainda assim, é uma ferramenta essencial para lidar corretamente com a Palavra de Deus. Michael Lawrence nos guia passo a passo desde os fundamentos teológicos até as aplicações da teologia bíblica na vida real. Em outras palavras, ele nos mostra como ler e usar a Bíblia corretamente em seus próprios termos. Ele habilmente combina visão acadêmica com consciência pastoral realista e cobre uma enorme quantidade de terreno no processo. Este é um ótimo exemplo de pensamento teológico para o trabalho do ministério. Você pode não concordar com todas as conclusões às quais ele chega, mas não deixará de se beneficiar da interação com o pensamento dele.

— Graham Beynon, Ministro, Avenue Community Church, Leicester, Reino Unido

Sou profundamente grato por este importante livro e oro para que seja amplamente lido e muito influente! Não há necessidade maior na igreja do que o discernimento teológico biblicamente fundamentado que informa a vida cotidiana. A perspectiva e os métodos de "fazer teologia" fornecidos por Michael Lawrence são cruciais para desenvolver essa visão distintamente cristã da vida. Os métodos e os focos do ministério hoje em dia são frequentemente determinados pelo pragmatismo, pelo consumismo, pelas tendências e pelas últimas pesquisas de opinião, em vez da compreensão holística da Bíblia. *Teologia bíblica na prática* aponta o caminho para sair dessa abordagem centrada no homem e ajuda a preparar os líderes para um ministério que honra a Deus e faz o evangelho avançar. Lawrence escreve com a profundidade de um teólogo cuidadoso e com o coração e a experiência de um pastor amoroso. Aqui, ele modela o que ele está querendo produzir com este livro — teólogos-pastores que entendem todo o conselho da Palavra de Deus, e são capazes de traduzi-lo nas vidas do povo de Deus para a glória de Deus.

— Erik Thoennes, professor associado de estudos bíblicos e teologia, Biola University; Pastor, Grace Evangelical Free Church, La Mirada, Califórnia

IX | 9Marcas

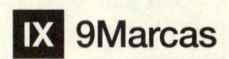

UM GUIA PARA A VIDA DA IGREJA

TEOLOGIA BÍBLICA NA PRÁTICA

MICHAEL LAWRENCE

PREFÁCIO DE THOMAS SCHREINER

FIEL
Editora

L422t   Lawrence, Michael, 1966-
        Teologia bíblica na prática : um guia para a vida da igreja / Michael Lawrence ; prefácio de Thomas Schreiner ; [tradução: João Paulo Aragão da Guia Oliveira]. – São José dos Campos, SP: Fiel, 2020.

        Tradução de: Biblical theology in the life of the church : a guide for ministry.
        Inclui referências bibliográficas.
        ISBN 9786557230053 (brochura)
            9786557230046 (epub)

        1. Bíblia – Teologia. 2. Teologia – Metodologia. 3. Teologia pastoral. I. Título.
                                                    CDD: 230.041

Catalogação na publicação: Mariana C. de Melo Pedrosa – CRB07/6477

TEOLOGIA BÍBLICA NA PRÁTICA
Um guia para a vida da igreja
Traduzido do original em inglês
Biblical Theology in the Life of the Church:
A Guide for Ministry

Copyright © 2010 por Michael Lawrence

•

Originalmente publicado em inglês por Crossway, um ministério de publicação da Good News Publishers
Wheaton, Illinois 60187, USA

•

Copyright © 2019 Editora Fiel
Primeira edição em português: 2020
Os textos das referências bíblicas foram extraídos da versão Almeida Revista e Atualizada, 2ª ed. (Sociedade Bíblica do Brasil), salvo indicação específica.

Todos os direitos em língua portuguesa reservados por Editora Fiel da Missão Evangélica Literária
PROIBIDA A REPRODUÇÃO DESTE LIVRO POR QUAISQUER MEIOS, SEM A PERMISSÃO ESCRITA DOS EDITORES, SALVO EM BREVES CITAÇÕES, COM INDICAÇÃO DA FONTE.

•

Diretor: Tiago J. Santos Filho
Editor-chefe: Tiago J. Santos Filho
Editor: Vinicius Musselman Pimentel
Coordenação Editorial: Gisele Lemes
Tradução: João Paulo Aragão da Guia Oliveira
Revisão: Wendell Lessa Vilela Xavier
Diagramação: Rubner Durais
Capa: Rubner Durais
E-book: Rubner Durais

ISBN brochura: 978-65-5723-005-3
ISBN e-book: 978-65-5723-004-6

Caixa Postal, 1601
CEP 12230-971
São José dos Campos-SP
PABX.: (12) 3919-9999
www.editorafiel.com.br

Em memória de Meredith Kline (1922–2007)

E dedicado a
Scott Hafemann, Gordon Hugenberger,
Rick Lints e David Wells, meus professores, que me ensinaram
não apenas a amar a teologia, mas também a amar a igreja.

SUMÁRIO

Prefácio 11

Apresentação 15

Agradecimentos 25

Introdução: o texto a ser examinado 27

SEÇÃO 1: AS FERRAMENTAS NECESSÁRIAS

1. Ferramentas exegéticas: método histórico-gramatical 45

2. Ferramentas de teologia bíblica 1: alianças, eras, cânon 69

3. Ferramentas de teologia bíblica 2: profecia, tipologia, continuidade 91

4. Teologia bíblica e sistemática: precisamos realmente de ambas? 113

5. Ferramentas de teologia sistemática:
   como e por que pensar teologicamente 131

SEÇÃO 2: AS HISTÓRIAS A SEREM CONTADAS

6. A história da criação 153

7. A história da queda 173

8. A história do amor 191

9. A história do sacrifício 209

10. A história da promessa 227

SEÇÃO 3: ORGANIZANDO TUDO PARA A IGREJA

11. Pregação e ensino (estudos de caso) 245

12. Teologia bíblica e a igreja local 273

Epílogo 293

Para mais leituras 297

PREFÁCIO

Eu não sei nada sobre como consertar carros. Algumas vezes, quando era mais jovem e financeiramente limitado, tentei consertar meu carro sozinho. Pedi alguns conselhos e fui trabalhar. Sem surpresa, os resultados foram desastrosos. Algo imprevisto sempre dava errado e eu ficava preso. O problema era meu conhecimento limitado sobre carros. Eu não tinha a perspectiva mais ampla necessária para consertá-los.

Muitas vezes, como pastores, podemos ter o mesmo problema que eu tive ao tentar consertar meu carro. Desejamos ajudar as pessoas com seus problemas, mas nos falta o arcabouço mais amplo de que precisamos para realmente ajudá-las. Nosso ministério pode acabar fazendo mais mal do que bem se não entendermos as Escrituras. Nosso chamado fundamental como pastores é apascentar os que estão sob nossos cuidados, mas como podemos cumprir nosso chamado se nos falta um mapa de toda a Bíblia, se não sabemos como considerar a Bíblia como um todo? Como podemos dar conselhos espirituais sábios se ignoramos todo o conselho de Deus (At 20.27)?

Em 1 Coríntios 1–4, descobrimos que a igreja de Corinto estava dividida entre Paulo, Apolo, Pedro e até mesmo Cristo. Aparentemente, eles mediam a eficácia de Paulo e Apolo por suas habilidades no falar. Alguns exaltavam Apolo sobre Paulo porque acreditavam que ele era retoricamente mais eficaz. Talvez eles argumentassem que o Espírito Santo estava trabalhando mais poderosamente em Apolo. O que você diria aos coríntios se fosse o pastor deles? Suspeito que muitos de nós simplesmente diriam: "Parem de provocar divisões. Mostrem seu amor como cristãos e tornem-se unidos no evangelho. É tolice criar divisões sobre qual orador é retoricamente mais eficaz". Quando Paulo confronta o problema, no entanto, ele cava mais fundo e reflete sobre o assunto teologicamente. Ele argumenta que as suas divisões refletem uma incompreensão fundamental sobre a cruz de Cristo. Se eles realmente compreendessem a mensagem de Cristo crucificado, não seriam presas de tal cosmovisão secular. Ao se deixar levar pela capacidade de falar de Paulo e Apolo e se vangloriar neles, eles estavam negando a verdade fundamental da cruz, a saber, que Deus salva pecadores. Seu orgulho em Paulo e Apolo era uma máscara para seu próprio orgulho. Poderíamos continuar refletindo sobre a resposta de Paulo aos coríntios, mas meu ponto em abordar tal assunto é simplesmente este: quantos de nós, quando confrontados com um problema assim, pensariam teologicamente e veriam um fracasso em entender a cruz?

Todos nós precisamos de instruções sobre como pensar teologicamente. Que alegria, portanto, ler este livro de Michael Lawrence. O Dr. Lawrence é um pastor veterano, e sua sabedoria pastoral brilha através dessas páginas. A melhor teologia na história da igreja sempre foi escrita por pastores. Pense em Agostinho, Lutero, Calvino, Edwards, Spurgeon e Lloyd-Jones. O pastor Lawrence oferece uma introdução maravilhosamente clara e útil à teologia bíblica, para que possamos ver a importância das alianças e do cânone, da profecia e da tipologia, da continuidade e descontinuidade. Além disso, somos brindados com um esboço esclarecedor da teologia bíblica desde a criação até a consumação, no qual algumas das principais artérias do enredo das Escrituras são explicadas. Este livro não é longo, mas está cheio de sabedoria, e tem sempre em vista a utilidade da teologia bíblica para a igreja e para o ministério pastoral. Os dois últimos capítulos sobre teologia bíblica e pregação e ensino, e teologia bíblica e a igreja local sozinhos já valem o preço do livro. Fui instruído e encorajado ao ler este livro. Lembro-me das palavras que Agostinho ouviu quando estava no jardim antes de sua conversão: "Pegue e leia!".

— **Thomas R. Schreiner**
Professor James Buchanan Harrison de Interpretação do Novo Testamento, The Southern Baptist Theological Seminary; Pastor pregador, Clifton Baptist Church

APRESENTAÇÃO

Este é um livro para pessoas que são apaixonadas pelo ministério na igreja local. Não é um livro para teólogos e acadêmicos (embora eu espere que ambos o leiam e apreciem). É um livro para pastores e líderes de igrejas que nem se lembram da última vez que discutiram usando palavras como "compatibilismo" ou "teodiceia", mas que toda semana têm que ajudar alguém a entender "por que precisamos orar se Deus já sabe tudo", ou "por que Deus não permitiu que eles concebessem um filho ou encontrassem um emprego". Em outras palavras, é um livro para pessoas como eu.

É para pessoas como um presbítero colega meu que estava recentemente almoçando em uma lanchonete com um amigo. Esse homem perdera o emprego na última crise econômica e seu carro havia quebrado poucos dias antes. E agora ele olhava uma conta de poupança que estava sendo reduzida a nada.

No entanto, ele estava ouvindo pregadores na televisão. E eles prometeram que Deus proveria bênçãos materiais hoje, se ele tão somente tivesse fé hoje. O amigo brincou: "Você sabe, como em Deuteronômio, onde Deus diz que nos abençoará em nossos lares e em nossos campos se apenas o seguirmos".

Como meu colega deveria ter respondido? Deuteronômio promete aos cristãos que Deus nos abençoará na cidade, nos abençoará no campo, nos abençoará quando entrarmos e nos abençoará quando sairmos? Se você tem uma Bíblia por perto, veja os primeiros versículos de Deuteronômio 28. Você verá que ele certamente promete tais bênçãos aos israelitas. E a promessa de bênçãos ali não significa sensações espirituais quentinhas. As bênçãos prometidas por Deus significam celeiros cheios e úteros frutíferos, o louvor das nações e o respeito dos inimigos. Isso significa sua melhor vida hoje!

Contudo, essas promessas são verdadeiras para os cristãos? Pode o cristão desempregado esperar que Deus providencie rapidamente um emprego, se ele apenas reunir fé suficiente? E quanto ao casal estéril que anseia por filhos? Devemos dizer-lhes: "Você só precisa *acreditar*, e Deus lhe dará o filho que deseja"? Ou as bênçãos que Deus prometeu a Israel apenas prenunciam a herança eterna prometida aos cristãos que creem no evangelho?

A resposta a essas perguntas afeta diretamente o modo como meu colega deveria ter ministrado a seu amigo desempregado. Isso afeta como você e eu devemos ministrar às pessoas ao nosso redor.

Não vou lhe contar o que meu colega disse ao amigo (voltaremos a essa história ao final do livro). No entanto, essa história ilustra a premissa deste livro: a nossa teologia determina a forma e o caráter do nosso ministério. Teologia é como nos movemos do texto das Escrituras para como devemos viver nossas vidas hoje.

A IMPORTÂNCIA CRÍTICA DA TEOLOGIA BÍBLICA

Este é um livro sobre teologia. Mas é realmente um livro sobre ministério, porque estou convencido de que, se quisermos que nosso ministério tenha um impacto duradouro e que nossas igrejas sejam saudáveis, devemos primeiro fazer bem nossa teologia. Neste livro, vamos conversar sobre como fazer teologia que, por sua vez, nos ajudará a fazer algo prático, a saber, o ministério pastoral. Não apenas isso, espero falar sobre como fazer teologia de maneira prática, para que você saiba como *fazer* isso sozinho!

Você deve ter notado que este livro pertence à série 9Marcas. 9Marks é um ministério dedicado a capacitar igrejas locais e pastores, e seu nome vem do livro do Mark Dever: *Nove marcas de uma igreja saudável*. A segunda marca de uma igreja saudável, diz Dever, é a teologia bíblica.[1] Mas o que Dever quer dizer com "teologia bíblica" é teologia que é bíblica, ou teologia que é *sã* (ou sadia).

A palavra "sã", aponta Dever, significa confiável, exata e fiel.[2] E é a palavra "sã" que Paulo usa repetidas vezes com seus discípulos Timóteo e Tito para descrever sua doutrina e seu ensino. A sã doutrina se opõe à impiedade e ao pecado (1Tm 1.10, 11). As sãs palavras se opõem à falsa doutrina (1Tm 6.3). O ensino são é o padrão que Timóteo viu em Paulo (2Tm 1.13). A sã doutrina será rejeitada pelas igrejas que preferem ouvir aquilo que coce seus ouvidos (2Tm 4.3). E, novamente, a sã doutrina encorajará aqueles que se apegam firmemente à mensagem fiel e refutam aqueles que se opõem a ela (Tt 1.9). Repetidas vezes, Paulo diz a esses dois homens que falem "o que convém à sã doutrina" (Tt 2.1). A sã doutrina, ou teologia que é *bíblica*, é uma grande parte do que eu quero falar neste livro. Os capítulos 4 e 5 são amplamente dedicados a esse tópico, e o restante do livro tenta desenvolvê-lo na prática.

Mas não quero falar apenas de uma teologia sã. Também quero falar sobre teologia bíblica em um sentido mais estrito. Nesse sentido, a teologia bíblica trata da leitura da Bíblia, não como se fossem sessenta e seis livros separados, mas um único livro com uma única trama: a glória de Deus exibida por meio de Jesus Cristo. A teologia bíblica é, portanto, sobre descobrir a unidade da Bíblia no meio de sua diversidade. É sobre entender o que poderíamos chamar de metanarrativa da Bíblia.

---

1 Mark Dever, *Nove marcas de uma igreja saudável* (São José dos Campo, SP: Fiel, 2018), cap. 2.
2 Mark Dever, *O que é uma igreja saudável?*, 2ª ed. (São José dos Campos, SP: Fiel 2015), p. 90.

Nesse sentido, a teologia bíblica como disciplina existe há alguns séculos, de uma forma ou de outra. Ultimamente, tornou-se especialmente popular entre os evangélicos. Vou descrever como fazemos isso nos capítulos 2 e 3 e depois defini-la com mais cuidado no capítulo 4.

Mas aqui, no começo, quero deixar claro que a coisa mais prática que podemos fazer, a ferramenta mais importante de que precisamos no ministério, é a teologia bíblica. E quero dizer isso em ambos os sentidos da frase. Aprender a *fazer* teologia bíblica não é um mero exercício acadêmico. Não, isso é vital para o seu trabalho como pastor ou líder da igreja. Ela molda sua pregação, seu aconselhamento, sua evangelização, sua capacidade de se envolver de forma sábia com a cultura e muito mais. Você não será um teólogo muito bom, o que significa que você não será um pastor muito bom, se você não aprender a fazer teologia bíblica.

Ler a Bíblia significa aprender como usar as ferramentas da teologia bíblica, no sentido estrito da palavra. Aplicar a Bíblia significa aprender como usar as ferramentas da teologia sistemática. Estranhamente, as duas disciplinas de teologia bíblica e teologia sistemática são muitas vezes colocadas uma contra a outra. Mas a igreja e o pastor precisam de ambas. Então, aqui vamos considerar como fazer teologia bíblica, para que possamos ser teólogos sistemáticos melhores, para que possamos nos tornar pastores melhores.

O que tudo isso significa é que você tem em suas mãos um livro prático de "como fazer". Aprender como *fazer* teologia bíblica irá ajudá-lo a aprender a pastorear bem. Ou, se você não é um pastor, isso o ajudará a aprender a ensinar, discipular e aconselhar melhor outros cristãos. E esse é o trabalho de todo cristão. Ao longo deste livro, pensaremos juntos sobre como ler e aplicar a Bíblia para o ministério na igreja. Este livro seguirá esse esboço básico: da teologia bíblica à teologia sistemática e ao ministério pastoral. Na minha mente, essa progressão se traduz em teologia realmente útil.

Eu entendo que dizer que a teologia é útil e até mesmo necessária para o ministério é uma afirmação ousada. Eu a faço por dois motivos.

MINISTÉRIO É TEOLOGIA EM AÇÃO

Primeiro, se você é um pastor ou está envolvido no ministério, você deveria ser um teólogo. Isso não significa que você precisa escrever livros de teologia (lê-los, porém, pode ser útil). Tampouco significa que você precisa conhecer todos os lados de toda controvérsia teológica na tela do radar (embora você deva saber como detectar um falso mestre).

Antes, seu papel como teólogo significa que:

- Você ensinou a igreja sobre a bondade e a soberania de Deus, de modo que quando uma criança é diagnosticada com câncer, os pais ficarão tristes, mas não completamente desesperados.
- Você preparou os jovens de dezoito anos de idade para a faculdade com as ferramentas necessárias para enfrentar o relativismo radical de seus professores.
- Você sabe como ajudar o homem em sua igreja que está lutando para saber se Deus conhece ou não o futuro porque seu cunhado de outra igreja lhe deu um livro ruim.
- Você ajudou uma jovem esposa e mãe que luta contra o perfeccionismo e o desejo de agradar as pessoas a encontrar sua justificação e valor no evangelho.
- Você preparou o casal de noivos para os desafios do casamento por meio do aconselhamento pré-matrimonial, que se concentra no plano de Deus para nossa santidade e não apenas na felicidade instantânea.

Veja, eu disse que todo pastor *deveria* ser um teólogo. Provavelmente seria mais correto dizer que todo pastor é um teólogo, esteja consciente desse fato ou não. Falaremos mais sobre isso no capítulo 5, mas todo pastor (e todo ser humano, na verdade) confia em algum conjunto de suposições teológicas ao abordar situações como essas. A questão é: suas suposições são sadias? São bíblicas?

A teologia bíblica, então, é a disciplina que nos ajuda a sermos melhores teólogos e, portanto, melhores ministros. É como você vai de textos como Deuteronômio 28 para a teologia do evangelho. É como você viaja das palavras deste texto antigo até como encorajar um amigo cristão desempregado.

UM MODELO DE MINISTÉRIO CENTRADO NA PALAVRA

A segunda razão pela qual a teologia é útil e até mesmo necessária para o ministério é esta: a Palavra de Deus tem poder real para mudar vidas. Portanto, como pessoas no ministério, temos especial interesse em saber como entender e aplicar a Palavra corretamente.

Deus falou por meio de sua Palavra escrita. Em sua Palavra, ele revelou quem ele é, quem somos e como ele chama a humanidade em geral e seu povo especificamente para viver. Não cristãos são salvos e cristãos crescem na graça por meio da pregação, ensino, aconselhamento e do falar da Palavra de Deus, aplicada pelo Espírito de Deus. Nosso objetivo como pastores e cristãos no ministério é apresentar essa Palavra aos outros, para que a Palavra possa fazer o seu trabalho. Nós a apresentamos e dizemos: "Aqui está. Isto é o que Deus diz. Por favor, ouçam e prestem atenção". Somos chamados a lê-la, sim, e somos chamados a explicá-la para nossos ouvintes possam entendê-la (Ne 8.8).

Nem todos concordam com esta ênfase na Palavra de Deus. Recentemente, tive a oportunidade de contribuir para um livro apresentando cinco visões sobre adoração, no qual escritores diferentes contribuíram com cada uma das cinco perspectivas sobre o culto público na igreja. Então, cada um de nós teve a oportunidade de responder aos outros escritores, a fim de apontar os pontos de concordância e discordância. No capítulo que escrevi junto com Mark Dever, enfatizamos a centralidade da Palavra de Deus nas reuniões semanais da igreja. Tudo o que falamos, cantamos, oramos e praticamos em nossas reuniões na igreja, Mark e eu argumentamos, deveria vir da Bíblia.

Em resposta ao nosso capítulo, um dos outros autores sentiu que enfatizamos demais o papel da Palavra de Deus. De fato, ele disse não acreditar que "o clássico 'pregar a Palavra' é o único (ou mesmo principal) caminho pelo qual as pessoas vêm à fé e são edificadas em sua fé". O crescimento não ocorre primariamente pelos ouvidos, ele disse, mas pelos olhos — "observar os outros vivendo sua fé na ação diária é o principal veículo de transformação". A ideia de que as pessoas são transformadas por ouvir a Palavra falada ou pregada, diz ele, torna a pregação da Palavra em algo "mágico".[3]

Veja bem, confio que este irmão valoriza a Palavra de Deus e a usa em seu ministério, e certamente afirmo a importância do testemunho fiel da igreja para confirmar as palavras da igreja. No entanto, temo que ele tenha perdido o que a Bíblia diz sobre si mesma. Deus nos diz que sua palavra "fará o que me apraz e prosperará naquilo para que a designei" (Is 55.11). Sua Palavra tanto "chama à existência as coisas que não existem" (Rm 4.17), quanto sustenta "todas as coisas" (Hb 1.3). Michael Horton resumiu isso muito bem: a Palavra de Deus não apenas transmite informações; ela realmente cria vida. Ela não é apenas descritiva; é eficaz também. Deus falando *é* Deus agindo.[4]

Evangélicos têm defendido a natureza proposicional da Palavra de Deus contra os modernistas e liberais que buscam minar sua veracidade. Mas e quanto ao pragmatismo em nosso próprio quintal evangélico, que mina a suficiência da Palavra? A esta ênfase na Palavra como *proposicional*, devemos acrescentar a Palavra como *poderosa* e *eficaz*,

---

[3] Dan Wilt, "Responses to Michael Lawrence and Mark Dever", in J. Matthew Pinson (ed.): *Perspectives on Christian worship: 5 Views* (Nashville: B & H, 2009), 278.

[4] Michael S. Horton, *People and place: A covenant ecclesiology* (Louisville: Westminster John Knox Press, 2008), p. 40.

porque a Palavra de Deus é conduzida pelo Espírito de Deus a fim de executar exatamente o que ele pretende para ela. Toda a criação foi formada "pela palavra de Deus" (Hb 11.3; Sl 33.6), e nos tornamos nova criação por essa mesma palavra (Rm 10.17; 2Co 4.6). Nós fomos "regenerados [...] mediante a palavra de Deus, a qual vive e é permanente" (1Pe 1.23). É por isso que, falando às igrejas, os apóstolos se referem à "palavra em vós implantada, a qual é poderosa para salvar a vossa alma" (Tg 1.21); à Palavra que "permanece em vós", (1Jo 2.14); e à Palavra que deveria habitar ricamente em nós (Cl 3.16).[5]

Em resumo, o modelo de ministério no qual estou me apoiando neste livro começa com uma compreensão trinitária da Palavra de Deus. Na criação e na nova criação, vemos o Pai falando por meio do Filho pelo poder do Espírito. No ministério, então, nossa principal tarefa é apontar para o Filho com a Palavra do Filho, confiando no Espírito para endurecer ou amolecer como quiser (Mc 4.1-20). A igreja local, portanto, é o lugar onde a Palavra de Deus "habita" ou, mais literalmente, faz uma casa (Cl 3.16). Então nós plantamos e regamos a Palavra, plantamos e regamos a Palavra, sempre confiando em Deus para fazê-la crescer quando e como quiser (1Co 3.6).

O que tudo isso tem a ver com teologia bíblica? A teologia bíblica é como nós cumprimos a tarefa de ler a Palavra e certificar-nos de que é a Palavra de Deus, e não nossa palavra, que está moldando a vida das pessoas. A teologia bíblica é como trazemos as pessoas para a história de mudança de vida do plano redentor de Deus.

O PLANO PARA ESTE LIVRO

A Introdução começa o jogo perguntando o que é o texto bíblico. A Bíblia é um texto de tipo diferente de qualquer outro, e vamos considerar como e por quê.

---

5 Ibid., 39-40.

O capítulo 1 apresenta algumas das ferramentas básicas da exegese, ferramentas que podem já ser familiares para você.

Os capítulos 2 e 3 apresentam as ferramentas básicas da teologia bíblica. A grande questão a ser respondida aqui é como consideramos a Bíblia como um todo.

Os capítulos 4 e 5 referem-se à comparação entre teologia bíblica e teologia sistemática, bem como uma discussão sobre o que é a teologia sistemática e como pensar teologicamente.

Depois, nos capítulos 6 a 10, vou traçar cinco diferentes temas bíblico-teológicos, a fim de considerar o que eles nos ensinam para uma teologia sistemática de relevância pastoral.

Os capítulos 11 e 12 são os mais práticos de todos. O capítulo 11 apresentará vários "estudos de caso" sobre pregação. Vou começar com um texto e depois ver como é possível pregá-lo à luz de tudo que aprendemos sobre teologia bíblica e sistemática. Então, no capítulo 12, concluirei considerando a relevância da teologia bíblica para outras áreas do ministério, incluindo aconselhamento, missões e muito mais.

Como você deve ler este livro? Alguns de vocês vão achar os primeiros capítulos intimidadores. Nós vamos lidar com algumas questões técnicas de método teológico. Se isso parece ser mais do que você esperava, eu o encorajo a tratar este livro como os manuais de instrução que você obtém ao adquirir um novo computador. Há o manual grosso que diz tudo o que você gostaria de saber e mais um pouco. E há também o guia de início rápido em uma única página para aqueles que querem apenas ligar o computador e seguir em frente.

Se o que você está procurando é o guia de início rápido, vá direto para o capítulo 6 e comece a ler por lá. É onde ligamos o computador e tudo ganha vida, porque é onde você me verá realmente fazendo as coisas que os cinco primeiros capítulos estão falando. Mais tarde, quando você estiver pronto para descobrir como fazer isso sozinho, volte e veja os capítulos anteriores.

TEOLOGIA BÍBLICA PRÁTICA

Uma coisa que este livro *não* fará é contar a história de toda a Bíblia da maneira que a maioria dos textos básicos de teologia bíblica faz. Nem dará uma teologia sistemática completa. Por essa razão, este livro seria bem acompanhado por dois outros: um que traça a história em si e outro que trata da sistemática. Para uma teologia sistemática, você não encontrará nada muito melhor do que a *Teologia Sistemática* de Wayne Grudem.[6] Para o enredo da Bíblia, deixe-me recomendar três. *O evangelho e o reino* de Graeme Goldsworthy (que agora pode ser encontrado na *Trilogia*)[7] é um ótimo texto introdutório que conta a história da Bíblia como a história do povo de Deus, no lugar de Deus, sob o governo de Deus. Uma versão um pouco mais simples deste livro, que admite sua dívida com Goldsworthy desde o início, é o excelente *God's big picture*, de Vaughn Robert.[8] Finalmente, se você deseja um livro um pouco mais acadêmico, eu acredito que você se beneficiará imensamente de *Dominion and Dynasty* de Stephen Dempster.[9] Vale a pena o tempo extra que você gastará para passar por isso.

---

[6] Wayne Grudem, *Teologia sistemática: atual e exaustiva*, 2ª ed. (São Paulo: Vida Nova, 2011).
[7] Graeme Goldsworthy, *Trilogia* (São Paulo: Shedd, 2016).
[8] Vaughan Roberts, *God's big picture: A Bible Overview* (Downers Grove, IL: InterVarsity Press, 2009).
[9] Stephen Dempster, *Dominion and dynasty: A biblical theology of the Hebrew Bible* (Downers Grove, IL: InterVarsity Press, 2006).

AGRADECIMENTOS

Este livro nunca teria sido escrito se meu amigo e colega, Mark Dever, não tivesse tido a visão de desenvolver uma comunidade inteira de escritores para abordar cada uma das nove "marcas" de uma igreja saudável. Sou grato a ele por seu encorajamento em tomar a marca da teologia bíblica, torná-la minha, e depois fazer algo útil com ela para a igreja.

O primeiro passo foi uma série de sermões pregados na *Capitol Hill Baptist Church* durante o verão de 2006. O encorajamento e retorno que recebi da congregação, especialmente o pessoal da revisão dos cultos, me convenceram da utilidade do material e serviram para torná-lo melhor. Agradecimentos especiais a John Ingold e Lisa Law por transcreverem esses sermões.

Por duas vezes, no outono de 2007 e novamente em 2008, pude trabalhar com parte desse material no campo missionário. Sou grato à liderança da região da Ásia Central do IMB[10] por me dar a oportunidade e o privilégio de trabalhar com seu pessoal. Embora este livro tenha sido escrito pensando num público norte-americano, foi essa experiência que me convenceu de como a teologia bíblica é realmente prática e transcultural.

Esses sermões, expostos em todo o mundo, formam agora a seção 2 deste livro, embora de forma bastante modificada.

---

10 International Mission Board: sociedade missionária ligada à Convenção Batista do Sul dos EUA [N. E.].

TEOLOGIA BÍBLICA PRÁTICA

Mas se não fosse por Jonathan Leeman, esses úteis sermões ainda estariam acumulando poeira em meus arquivos. É por causa de Jonathan que este livro *em particular* foi escrito. Sua visão e parceria, primeiro em ajudar-me a expandir minha visão dos sermões iniciais para o livro que você está segurando, e depois em criar uma classe na *Capitol Hill* que me daria a chance de escrever o manuscrito e, finalmente, editar o produto completo, foram inestimáveis.

Steve Wellum também leu o manuscrito e forneceu críticas perspicazes que me salvaram de mais de um erro.

Josh Manley, Matt Merker, Ryan Bishop e Mark Stam, alguns dos estagiários do *Capitol Hill* na primavera de 2009, ajudaram alegremente com formatação e pesquisa.

Geoff Chang ajudou com gráficos. Também sou grato a Allan Fisher e aos editores da Crossway. Tem sido um prazer trabalhar com eles desde o primeiro estágio deste livro até o último.

Finalmente, tenho uma grande dívida para com minha esposa, Adrienne, que conseguiu manter uma casa com sete pessoas funcionando sem problemas e simultaneamente ler e comentar a maior parte do manuscrito. Nós tivemos os mesmos professores no seminário e estamos no ministério juntos há quase vinte anos. Ela continua sendo minha mais importante parceira teológica e o amor da minha vida.

Com toda essa ajuda, este livro é notadamente melhor do que teria sido. Apesar de toda essa ajuda, as falhas que permanecem são totalmente minhas. Minha esperança é que Deus o use, com suas falhas e tudo mais, para encorajar o trabalho de sua igreja e promover a glória de seu evangelho.

— **Michael Lawrence**

INTRODUÇÃO: O TEXTO A SER EXAMINADO

Como líderes da igreja, todos os dias você e eu nos deparamos com problemas e dúvidas que exigem que recorramos à Bíblia em busca de respostas, orientação e sabedoria. Junto com a oração, a Bíblia é a ferramenta mais importante e fundamental que recebemos para o trabalho do ministério pastoral. Se você atua no ministério por qualquer período de tempo, provavelmente já está familiarizado com essa ferramenta. Você sabe se orientar por seus sessenta e seis livros. Você tem passagens favoritas às quais recorre repetidamente: o Salmo 23 para visitas hospitalares, Romanos 8 para o cristão desencorajado e pressionado, João 3 para conversas evangelísticas, Neemias para lições sobre liderança, Isaías 6 para o jovem que está considerando o chamado ao ministério. Você não sonharia em entrar em uma reunião da igreja ou em um quarto de hospital sem uma Bíblia na mão.

Mas, apesar de toda a sua familiaridade com a Bíblia, quando foi a última vez que pensou sobre o que é esta poderosa ferramenta que você está segurando em sua mão? Claro, é uma coleção de sessenta e seis livros inspirados. E sim, registra para nós a história do antigo Israel, o ministério de Jesus Cristo e a fundação da igreja cristã. Mas, tomada como um todo e não em partes individuais, como você responde à pergunta: "O que é a Bíblia?"

TEOLOGIA BÍBLICA PRÁTICA

A IMPORTÂNCIA DAS DEFINIÇÕES

A resposta que realmente me interessa não é aquela que você aprendeu no seminário ou na escola dominical, mas sua resposta de trabalho. Estou perguntando como você usa a Bíblia dia após dia em seu ministério porque isso nos mostrará o que você realmente acha que é a Bíblia.[11]

Por exemplo, quando eu pego um martelo, não penso nos termos técnicos de sua construção material ou seus componentes. Eu penso nele como algo que me ajudará a fixar um prego na parede, e o uso da maneira apropriada. Por outro lado, tenho *hashis* (pauzinhos de comida japonesa) espalhados por toda a minha casa, mas nem sempre penso neles como utensílios gastronômicos. Acontece que eles são do tamanho certo para abrir as fechaduras nas portas do quarto e do banheiro quando um dos meus filhos menores acidentalmente se tranca ali dentro. Funcionalmente, esses pauzinhos se tornaram chaves, independentemente de sua definição própria.

Não é diferente com a Bíblia. Independentemente da definição correta, sua definição de trabalho determinará como você a utiliza. Às vezes isso significa que você vai usá-la como deveria, assim como eu uso um martelo. Mas às vezes significa que você vai desviá-la de seu uso, do jeito que eu uso os pauzinhos. E apesar de não haver nenhum dano real por meu uso impróprio dos pauzinhos, todos nós sabemos que pode haver dano real pelo mau uso — a má aplicação — de uma ferramenta tão poderosa quanto a Bíblia.

DUAS RESPOSTAS POSSÍVEIS

Então, o que é a Bíblia? A declaração de fé da minha própria igreja fornece uma resposta possível, que eu acho que muitos de nós tendem a usar. Em nosso primeiro artigo de fé, afirmamos que a Bíblia é "um perfeito tesouro

---

[11] Ao colocar desta maneira, não estou querendo dizer que a função determina significado ou autoridade. Os pós-liberais (por exemplo, ver George Lindbeck, *The nature of doctrine: Religion and theology in a postliberal age* [Filadélfia: Westminster, 1984]) argumentam que a Bíblia é Escritura porque *funciona* como tal na igreja. Mas em contraste com essa visão, o ponto deste livro é que, precisamente porque a Bíblia é o registro inspirado e inerrante da atividade redentora de Deus na história, revelando seus propósitos e seu caráter, deveria *funcionar* para nós como Escritura normativa e suficiente. A funcionalidade para o ministério, portanto, surge e é limitada pela ontologia, e não o contrário.

de instrução celestial", que "revela princípios pelos quais Deus nos julgará" e, portanto, é "o padrão supremo pelo qual toda conduta, credos e opiniões humanas devem ser julgados".[12] Eu penso que cada uma dessas afirmações é verdadeira, mas note suas ênfases. A Bíblia é uma coleção de instruções, princípios e padrões. Dizendo em termos mais coloquiais, a Bíblia é um "livro de respostas" para os problemas da vida ou um compêndio de princípios pelos quais viver e morrer. Mas essa definição é adequada para o ministério?

Vamos tomar essa definição da Bíblia e aplicá-la a uma questão que os presbíteros de minha igreja enfrentaram recentemente. Uma família estava considerando fazer uma grande compra de capital. No entanto, para fazer o pagamento exigido, eles teriam que alterar seu dízimo na igreja por um curto período. Eles esperavam compensar a igreja mais tarde, mas não havia garantia de que conseguiriam. Eles vieram até nós para pedir conselhos.

Se a Bíblia é fundamentalmente um livro de respostas, então esperamos encontrar um versículo ou passagem que dê a essa família o conselho de que precisam. Mas para qual passagem nos voltamos? Malaquias 3.10 — "Trazei todos os dízimos à casa do Tesouro" — parece dar uma resposta, mas então o que fazemos com 2 Coríntios 9.7? "Cada um contribua segundo tiver proposto no coração, não com tristeza ou por necessidade; porque Deus ama a quem dá com alegria". Considere também a história de Ananias e Safira em Atos 5. A história significa que deveríamos ter advertido essa família, ou é apenas uma história sobre o que aconteceu com duas pessoas em Jerusalém em um momento único da vida da igreja, sem implicações normativas para as nossas vidas? Como você pode ver, a abordagem da Bíblia como "livro de respostas" levanta uma série de perguntas antes mesmo de chegarmos à resposta que estamos procurando.

---

12 *The New Hampshire Confession*, Artigo I, "Of the Scriptures" (rev., 1853), adotada pela Capitol Hill Baptist Church, Washington, DC, em sua incorporação em 28 de Fevereiro de 1878. Para o texto completo da confissão, veja: J. Newton Brown, Confissão de Fé Batista de New Hampshire de 1833, Monergismo, acesso em 21 ago 2020, www.monergismo.com/textos/credos/new.htm.

TEOLOGIA BÍBLICA PRÁTICA

Outra resposta possível para a pergunta "O que é a Bíblia?" é que ela é uma história, uma narrativa da interação de Deus com o mundo que ele criou. Embora existam muitas pessoas nesta história, ela trata fundamentalmente do que Deus fez e fará para levar este mundo a julgamento e seu povo para a salvação. De acordo com esta definição de trabalho, a Bíblia revela o plano de salvação e como Deus realizou esse plano, primeiro por meio de Israel e, finalmente, por meio de Jesus Cristo. Essa definição é mais útil para o ministério do que a anterior?

Vamos aplicá-la à questão que acabamos de considerar. Se a Bíblia é meramente, ou principalmente, o relato das ações salvadoras de Deus na história, então além de confiar em Cristo para salvação, em vez de confiar nas riquezas do mundo, não há muito a dizer sobre a questão deles. Podemos lembrá-los de Lucas 16 e da história de Lázaro e do homem rico, ou de Hebreus 11 e do caráter da fé que aspira por "uma pátria superior, isto é, celestial". Mas no fim das contas, a menos que voltemos à abordagem do livro de respostas ou à sabedoria pragmática, essa definição da Bíblia nos deixa com muito pouco a dizer à família que quer saber se pode atrasar o dízimo para comprar propriedades. Como você pode ver, a abordagem da Bíblia como história da salvação pode ser fiel ao ponto principal, mas também parece contradizer 2 Pedro 1.3, onde nos foi garantido que recebemos "todas as coisas que conduzem à vida e à piedade, pelo conhecimento completo daquele que nos chamou para a sua própria glória e virtude".

UMA DEFINIÇÃO MELHOR

Então, o que deveríamos fazer? O que precisamos é de uma compreensão melhor do que a Bíblia é, que não a reduza a uma pequena lista de respostas da vida, mas mantenha o foco em Deus, onde deve estar. Mas também precisamos de um entendimento que não a reduza à história de como somos salvos e vamos para o céu, deixando o resto da vida ao gosto de cada um. Precisamos de uma definição de trabalho da Bíblia que permita respostas sistemáticas a quase todas as perguntas que surjam, mas que também forneçam essas respostas no contexto da história bíblica em si. Não queremos extrair versículos de seu contexto e, assim, aplicá-los de maneira inadequada, mas tampouco queremos uma história que nunca se encaixe nos detalhes das nossas vidas.

A teologia bíblica nos ajuda a estabelecer essa compreensão aprimorada sobre o que é a Bíblia. Quando falamos sobre teologia bíblica, queremos dizer uma teologia que não apenas tenta sistematicamente entender o que a Bíblia ensina, mas busca fazê-lo no contexto da própria história revelada e desenvolvida progressivamente na Bíblia. A teologia bíblica fiel tenta demonstrar o que a teologia sistemática presume: que as Escrituras não são uma coleção eclética, caótica e aparentemente contraditória de escritos religiosos, mas antes uma única história, uma narrativa unificada que transmite uma mensagem coerente e consistente. Assim, a teologia bíblica está preocupada não apenas com a moral da história, mas com a narração da história e como a própria natureza de sua narrativa, seu desdobramento, molda nossa compreensão de seu propósito.

Agora, isso não significa que a teologia bíblica é anterior à teologia sistemática, ou que é mais importante ou mais fiel à Bíblia do que a teologia sistemática. De fato, como veremos, a teologia bíblica presume e depende de uma série de aspectos demonstrados pela teologia sistemática: coisas como a infalibilidade e inerrância da revelação, como vem a nós na Escritura, a objetividade do conhecimento de Deus através da revelação e a confiabilidade da inspiração.

Tudo o que se segue destina-se a ajudá-lo a construir uma teologia bíblica fiel e sadia. Tendo isso, você terá uma definição funcional da Bíblia que permite que você fale poderosamente da Palavra de Deus para as vidas de pessoas como o casal que acabamos de considerar. Nos próximos capítulos, examinaremos as ferramentas da teologia bíblica e da sistemática e como elas funcionam juntas. Então, vamos gastar cinco capítulos realmente fazendo teologia bíblica — contando toda a história de toda a Bíblia e demonstrando como essa história toca nos detalhes de nossas vidas. Em seguida, concluiremos com dois capítulos que exploram o uso da teologia bíblica na vida da igreja, desde a pregação, passando pelo aconselhamento, discipulado e missões, até o entendimento da relação entre a igreja e nossa cultura.

O CARÁTER DA REVELAÇÃO DIVINA[13]

Dito isso, há várias características da revelação da verdade de Deus na Bíblia que quero discutir aqui. Essas características determinam como vamos estudar a Bíblia e construir uma teologia bíblica. Há quatro características principais da autorrevelação de Deus, como está registrada na Bíblia, que precisamos compreender se pretendemos entender a Bíblia e seu ensino corretamente, em vez de interpretar incorretamente e aplicar o texto de maneira errada.[14] Você notará que nesta seção falo de revelação como "atividade divina" na história, e não como o registro escriturado dessas ações divinas, o que chamamos de Bíblia.[15] As ações autorreveladoras de Deus precedem suas palavras autoexplicativas. Este livro é sobre como entender e aplicar essas palavras à vida. Mas para fazer isso, primeiro queremos entender o caráter de como Deus agiu na história para se revelar.

Primeiro, a revelação de Deus é progressiva. O Islã entende que o Alcorão foi revelado a Maomé de uma só vez, descendo milagrosamente do céu. Os textos sagrados do budismo e do confucionismo estão limitados à vida de um único homem. Mas a Bíblia não foi escrita em um momento, ou mesmo em uma única vida. A Bíblia foi escrita ao longo de dois milênios, à medida que Deus progressivamente revelava mais e mais

---

[13] Esta seção baseia-se fortemente em Geerhardus Vos, *Teologia Bíblica: Antigo e Novo Testamentos* (São Paulo: Cultura Cristã, 2010).
[14] Ibid., 16–20.
[15] Ibid., 16.

de si mesmo e sua história. Isso porque a Bíblia, como já dissemos, não é a revelação de um conjunto de princípios, mas a revelação da Redenção. E a redenção de Deus, a salvação do seu povo, ocorre tanto na história quanto pelo curso da história. Milhares de anos separam o ato de criação de Deus de seu futuro ato de nova criação. Entre eles, a humanidade cai em pecado e Deus age para salvar os pecadores e, então, para explicar esses atos salvadores. Podemos apontar para o êxodo e a conquista de Canaã; o exílio e depois o retorno de Israel; e, finalmente, a encarnação, crucificação e ressurreição de Jesus Cristo. A Bíblia é tanto o registro dos atos salvadores de Deus quanto a explicação deles e, portanto, tem necessariamente um caráter histórico progressivo.

Segundo, a revelação de Deus não é apenas progressiva; é fundamentalmente histórica em seu caráter. Assim, por exemplo, a crucificação e a ressurreição de Cristo são eventos objetivos na história que não apenas revelam algo sobre Deus e a redenção, mas eventos que realmente conquistam a redenção. A Bíblia, portanto, não é meramente uma história contada por humanos sobre a salvação que Deus lhes dá; é uma história encenada e depois explicada por Deus sobre Deus. Há um foco em Deus em tudo isso, pois Deus objetivamente e concretamente invade a história humana e age para redimir seu povo para sua própria glória. Assim, na teologia bíblica, falamos de história da redenção.

Terceiro, há uma natureza orgânica na revelação progressiva de Deus e em seu plano redentor. Ele não funciona simplesmente como um canteiro de obras, que se move progressivamente da planta para a construção acabada. Em vez disso, ele se desdobra e se desenvolve da forma de uma semente para uma árvore adulta. Na forma de semente, o mínimo e o começo da revelação salvadora são dados. Ao final, essa verdade simples revela-se complexa e rica, multifacetada e profundamente bela. É esse caráter da revelação que nos ajudará a entender o caráter tipológico da Escritura, a dinâmica de promessa e realização, e a presença de continuidade e descontinuidade na história da redenção.

TEOLOGIA BÍBLICA PRÁTICA

Quarto, a revelação de Deus na história e, portanto, a teologia bíblica, é prática. A intenção de Deus na revelação não é nos estimular intelectualmente, mas nos conduzir a um relacionamento salvífico com Deus. Portanto, não pense que a teologia bíblica é apenas para os apaixonados por história e literatura. Longe disso. Se a revelação é a história dos atos salvadores de Deus, uma história que inicia no começo e termina no final, então é uma história que contém nossas vidas e nossa era e é, portanto, extremamente prática.

O CARÁTER DA BÍBLIA

Se esse é o caráter da revelação que vai moldar nossa abordagem da teologia bíblica, o que isso significa especificamente para a Bíblia? Para que tipo de texto exatamente estamos olhando? Quero destacar cinco peculiaridades da Bíblia às quais retornaremos muitas vezes. Essas características da Escritura vão determinar como nós a estudamos. Elas também vão moldar o resultado que esperamos de nosso estudo.

1. Histórica/Humana

Primeiro, a Bíblia foi escrita por humanos que viveram em tempos particulares da história. 2 Pedro 1.19-21 nos diz:

> Temos, assim, tanto mais confirmada a palavra profética, e fazeis bem em atendê-la, como a uma candeia que brilha em lugar tenebroso, até que o dia clareie e a estrela da alva nasça em vosso coração, sabendo, primeiramente, isto: que nenhuma profecia da Escritura provém de particular elucidação; porque nunca jamais qualquer profecia foi dada por vontade humana; entretanto, homens [santos] falaram da parte de Deus, movidos pelo Espírito Santo.

Na maioria das vezes, as pessoas recorrem a esse texto para demonstrar o caráter divino da Escritura — e faremos isso logo. Mas, significativamente, ele também fala claramente do caráter histórico e humano da Bíblia. Refere-se aos profetas como homens que falaram e, por implicação, escreveram a Bíblia. Quando os homens falam, eles usam linguagem humana. Essa linguagem ao mesmo tempo cria e reflete a cultura em que eles vivem. Então, Isaías falou e escreveu em hebraico antigo, e usou imagens como "voando com asas como águias", não "subindo com asas como aviões a jato"! Além do mais, como já mencionamos, os vários autores humanos das Escrituras viveram em uma variedade de culturas ao longo de dezenas de séculos. Nem todos falavam a mesma língua, viviam no mesmo lugar sob o mesmo governo ou tinham a mesma estrutura familiar.

Na prática, isso significa que a Bíblia é um livro intensamente humano. E para entender isso, temos que entender as linguagens, culturas e contextos dos vários autores. Não podemos supor que o que nós queremos dizer com uma palavra ou imagem poética é o que elas significavam. Teremos que nos engajar em estudos gramaticais, literários e até culturais, se quisermos evitar ler na Bíblia nossas próprias ideias e cultura. Queremos fazer exegese, não eisegese. Queremos extrair do texto, não inserir no texto, e assim, no primeiro capítulo, vamos examinar mais de perto as ferramentas exegéticas da teologia bíblica.

Não se preocupe pensando que você precisa de graduações em teologia para realmente entender sua Bíblia. O caráter humano e histórico da Bíblia não implica apenas distância de nós como pessoas que vivem em um tempo e lugar diferentes. Também implica continuidade conosco, pois ela foi escrita por pessoas, não por anjos. Claro, eles podem ter falado diferentes idiomas e se alimentado de maneira diferente. Mas debaixo das diferenças culturais reais, eles, como nós, são pessoas feitas à imagem de Deus, com os mesmos medos, esperanças, problemas e capacidades. Ao longo do abismo do tempo, podemos nos relacionar com os autores humanos como pessoas, e eles conosco. Mais ainda, o que Deus fez por eles também pode se aplicar a nós.

2. Divina

A Bíblia não é apenas um livro humano, é também um livro divino. Como 2 Pedro 1.19-21 aponta, por trás dos vários autores e profetas humanos estava Deus, que por meio do seu Espírito Santo inspirou os profetas a dizer exatamente o que ele queria que dissessem. Como Paulo diz em 2 Timóteo 3.16, "toda a Escritura é inspirada por Deus".

Esta é a doutrina da inspiração, uma doutrina que não significa que Deus apagou as mentes e personalidades dos autores humanos e os usou como um teclado. Pelo contrário, é a própria descrição que a Escritura faz de si mesma, como o produto do Espírito Santo trabalhando soberanamente por meio do autor humano. Isso tem várias implicações. Para começar, significa que o que a Bíblia diz, Deus diz. Portanto, as Escrituras não são meras reflexões religiosas de algumas pessoas sobre como Deus poderia ser. Pelo contrário, a Escritura é a autorrevelação de Deus.

Em segundo lugar, significa que a Bíblia é infalível (confiável) e inerrante (sem erro) em tudo o que afirma e em tudo o que pretende dizer. Sem dúvida, há muitos assuntos sobre os quais a Bíblia sequer fala. Sem dúvida, os autores humanos eram pecadores como nós. Mas o texto que eles produziram, sob a inspiração do Espírito Santo, tem o caráter inteiramente confiável e perfeito do autor divino.

Em terceiro lugar, significa que, apesar da variedade de autores humanos, por trás do texto das Escrituras está um único autor divino, uma única mente e vontade. Por que isso importa? Isso não significa apenas que não encontraremos contradição (embora possamos encontrar mistério), significa que devemos esperar encontrar unidade e coerência na história mais ampla. Os autores humanos podem não ter sido capazes de vê-la no momento em que escreveram, mas o autor divino pôde e realmente viu a história toda, e a escreveu de maneira que tudo se encaixasse.

Aqui está a base para a compreensão do caráter tipológico e de cumprimento da promessa das Escrituras, que discutiremos mais adiante nos próximos capítulos. Assim, por exemplo, não é que os escritores do Novo Testamento, tentando explicar Jesus, tenham notado certas semelhanças com Davi e as explorado para seu próprio propósito. Na verdade, Deus criou Davi e soberanamente ordenou sua vida para que ele fosse uma figura e uma promessa de um rei maior por vir. Este é o ponto de Paulo em 1 Coríntios 10.11: "Estas coisas lhes sobrevieram [controle providencial da história] como exemplos [tipologia] e foram escritas [inspiração] para advertência nossa [aplicação], de nós outros sobre quem os fins dos séculos têm chegado [progresso da história da redenção]".

Longe de ser uma coleção eclética ou uma colcha de retalhos da experiência religiosa de outras pessoas, a Bíblia é a história de Deus sobre as ações de Deus na história para salvar os pecadores para sua própria glória. É uma história única e coerente, planejada, executada e registrada por um único Deus onipotente e onisciente.

3. Uma narrativa

Uma das implicações claras do que acabei de dizer é que a Bíblia como um todo é mais bem entendida como uma narrativa. Isso não quer dizer que a narrativa é o único gênero da Bíblia. Longe disso. A Bíblia é composta não apenas de narrativa histórica, mas também de vários gêneros, como poesia, lei, apocalipse, cartas e evangelhos. Dito isto, a Bíblia como um todo é, de fato, melhor entendida como uma única história. Uma história sobre um rei, um reino e o relacionamento do rei com seus súditos. Richard Gaffin colocou desta forma: "[A Bíblia] não é bem uma *gnose* divinamente dada para nos fornecer conhecimento sobre a natureza de Deus, o homem e o mundo, mas antes, é a interpretação divinamente inspirada da atividade de Deus ao redimir os homens para que possam adorá-lo e servi-lo no mundo".[16]

---

16 Richard B. Gaffin, Jr., "Introduction", in *Redemptive History and Biblical Interpretation: The Shorter Writings of Geerhardus Vos*, ed. Richard B. Gaffin, Jr. (Phillipsburg, NJ: P & R, 1980), xvii.

Mas essa narrativa da atividade de Deus não é simplesmente uma história. É uma história que se inicia no começo da história e termina no final da história do mundo. Isso significa que não é uma estória antiga do passado, mas uma história passada e futura que nos envolve hoje. Os estudiosos a chamam de metanarrativa: uma história que explica tudo e assim nos fornece uma visão de mundo. O que precisamos entender é que essa narrativa é projetada por Deus para nos envolver e nos redefinir. Ela nos fornece uma maneira de entender a realidade que é diferente das narrativas que nossa cultura caída fornece. Essa conexão da narrativa com a realidade é importante. A narrativa das Escrituras não é para ser meramente inspiradora, para podermos lidar com a difícil realidade de nossas vidas. Não, a narrativa das Escrituras foi inspirada para que soubéssemos o que a realidade realmente é. A teologia bíblica, surgindo da Escritura, fornece uma estrutura, um tecido de significado para nossas vidas; nos permite ver com novos olhos, e isso começa pela maneira como nos vemos. Não apenas nós interpretamos a Bíblia. A Bíblia nos interpreta, declarando quais são os principais eventos da realidade, e depois nos dizendo para nos lermos à luz dessa história.

Eu disse que esta história é a história de um rei e seu reino. Isso significa que esta história não apenas nos interpreta, mas exerce autoridade sobre nós. Não é apenas um relato descritivo da realidade. A narrativa das Escrituras tem uma função normativa, ou autoritativa, em nossas vidas e sobre nossas igrejas. Agora, a forma como exatamente determinamos essa função normativa requer que prestemos atenção ao lugar onde estamos na narrativa e como a parte que ocupamos se relaciona com outras partes. Isso requer que tenhamos em mente os temas centrais da história e a natureza progressiva dessa história. No entanto, ao fazermos essas coisas, descobrimos uma história que desafia nossas tendências a reduzir o cristianismo a um conjunto limitado de proposições doutrinárias e, em vez disso, reivindica a totalidade de nossas vidas sob o senhorio do rei.

4. Estruturada por alianças

A história de qualquer reino é, em parte, a história da relação entre um rei e seus súditos. Nas Escrituras, essa relação é definida e estruturada de acordo com alianças (ou pactos). Alianças não são apenas contratos ou promessas. Pelo contrário, alianças são relacionamentos sob autoridade, com obrigações e recompensas. Os termos e benefícios do relacionamento são descritos, bem como as consequências, se o relacionamento for rompido. Mas o que talvez seja mais significativo sobre as alianças bíblicas é que, quando Deus faz uma aliança, ele precisa condescender para iniciá-la, ele estabelece os termos, fornece os benefícios e executa o julgamento quando a aliança é quebrada.

No antigo Oriente Próximo, no segundo milênio a.C., na época de Abraão e Moisés, as relações internacionais eram regidas por tratados entre grandes reis e reis vassalos ou menores. Esses tratados tomavam a forma de alianças, nos quais o rei maior prometia sua proteção e bênção em troca da lealdade e obediência do rei vassalo. Enquanto o vassalo obedecesse, ele desfrutaria o favor do grande rei. Mas quando o vassalo quebrava os termos do pacto, o grande rei impunha um julgamento rápido e final. Além disso, o vassalo era um mediador ou representante de todo o seu povo. Assim, sua obediência ou desobediência não afetava apenas a ele, mas a todos aqueles que estavam abaixo dele e eram representados por ele.

Na providência de Deus, Moisés foi inspirado a escrever os primeiros cinco livros do Antigo Testamento, numa época em que essa estrutura de aliança era amplamente conhecida e reconhecida. Em condescendência à compreensão humana, Deus usou essa estrutura de aliança para revelar seu próprio relacionamento como o grande Rei para as pessoas que ele fez à sua própria imagem para governar a Terra como vice-regentes, reis vassalos do grande Rei do céu.

Examinaremos mais de perto as várias alianças que Deus fez e como elas ajudam a estruturar o desenrolar da história que se desdobra do plano redentor de Deus nos capítulos 2 e 3. Você já deve estar familiarizado com a maioria das alianças: a antiga aliança e a nova aliança, ou a aliança mosaica e a aliança davídica. Há outras ainda, e vamos falar sobre elas. Mas aqui quero apresentar brevemente a distinção entre dois tipos de aliança, ou pactos, na Bíblia: um pacto de obras e um pacto de graça.

Um pacto de obras é exatamente o que o nome diz. Bênçãos são oferecidas em troca de obras executadas. O fracasso em executar as obras leva às maldições da aliança. Este era o padrão de praticamente todas as alianças do antigo Oriente Próximo, e vemos esse tipo de aliança claramente demonstrado com Adão e com Moisés.[17] Faça isso e você viverá; faça aquilo e morrerá.

Mas há outro tipo de aliança na Bíblia. Nesta aliança, não é o rei vassalo que deve realizar uma obra para receber a bênção do Grande Rei. Em vez disso, o próprio Grande Rei compromete-se a assegurar a bênção para o vassalo e se sujeita às penalidades em caso de quebra da aliança. Isso é chamado de pacto da graça, e é lindamente retratado no pacto abraâmico de Gênesis 15. É também o caráter da Nova Aliança estabelecida em Jesus Cristo e proclamada no evangelho.

Ao tentarmos interpretar e aplicar as Escrituras, uma das perguntas básicas que teremos que fazer é: em que período pactual — em que época da atividade redentora de Deus — esse texto específico se encontra? Como o texto funciona nessa aliança? E qual é o meu relacionamento com essa aliança?

5. O centro: a glória de Deus na salvação por meio do julgamento[18]

A graça de Deus no evangelho por meio da morte sacrificial de Jesus Cristo não apenas descreve o clímax dos pactos, mas o clímax dos atos

---

17 Dentro da tradição reformada, a posição majoritária afirma que a aliança mosaica é um pacto de graça, porém alguns batistas reformados e John Owen consideram-no como um pacto das obras [N.E].
18 Devo a Jim Hamilton a ideia de "a glória de Deus na salvação através do julgamento" como o centro gravitacional da teologia bíblica. Ele trabalha com essa ideia em maior alcance e detalhe do que eu apresento nesta seção em James Hamilton, "The glory of God in salvation through judgement: The centre of biblical theology?" em *Tyndale Bulletin* 57 (2006): 57–84.

redentores de Deus na história. Também nos leva, finalmente, ao ponto e ao centro de gravidade da história. Uma vez que esta história é a história da redenção, é muito fácil cair no hábito de pensar que o ponto da história sou eu, ou somos nós: as pessoas sendo redimidas. Mas isso seria uma leitura errada da história. Embora nos beneficiemos imensamente desta história, o centro e o ponto da história é Deus e sua glória (Ef 1.6, 12, 14).

Isso não significa que Deus é uma espécie de pavão celestial gigante e orgulhoso, impressionado consigo mesmo em uma obsessão narcisista. De fato, a demonstração da glória de Deus nas Escrituras está cheia de ironia. Pois embora a glória de Deus seja vista em sua capacidade de salvar, essa salvação vem somente por meio do julgamento. E esse julgamento é suportado por ele mesmo, na pessoa de seu próprio Filho. É na cruz que a glória de Deus é vista, no sofrimento e sacrifício daquele que é mais digno em favor daqueles que não são dignos de forma alguma.

Eis a graça de Deus, e a glória de Deus, quando ele caminha por aqueles animais cortados em dois; quando ele provê um carneiro para o filho de Abraão, Isaque; quando ele provê um cordeiro da Páscoa para os israelitas. Tudo isso que ele proveu para o seu povo era apenas uma figura e antecipação de sua provisão culminante: seu único Filho amado, Jesus, sacrificado na cruz pelos pecadores, sofrendo o julgamento que eles mereciam, para que a glória de Deus pudesse ser demonstrada em salvação e misericórdia, ao cumprir ele mesmo as exigências da justiça.

CONCLUSÃO

Quais são, então, as dicas práticas de "como fazer" deste capítulo? Assim como um carpinteiro precisa saber em que tipo de madeira está trabalhando, começamos considerando o material que usaremos no trabalho da teologia bíblica. Na Bíblia, encontramos um texto divinamente inspirado, escrito por seres humanos em diferentes pontos da história, que, não obstante, sustenta uma única narrativa abrangente que é estruturada por alianças e cujo foco é a glória de Deus.

Quando vamos interpretar este texto e considerar sua relevância para o ministério pastoral, portanto, queremos manter essas qualidades em mente. Devemos perguntar onde, no enredo, qualquer passagem se enquadra. Devemos perguntar como ela mostra a glória de Deus. Também devemos perguntar onde a pessoa a quem estamos ministrando se enquadra no enredo. Finalmente, vamos perguntar que relevância a passagem tem para a pessoa.

Então, vamos voltar brevemente à questão do casal com que comecei este capítulo, se não há problema para Deus em adiar seu dízimo para fazer um grande negócio. Nós ainda nem vimos as ferramentas que precisaremos para responder a esta pergunta, mas você já deve sentir que as palavras sobre o dízimo em Malaquias 3.10 precisam ser entendidas no contexto do Antigo Testamento e como isso se relaciona com o contexto do nosso próprio Novo Testamento antes de aplicarmos o versículo à vida dos crentes do Novo Testamento. Ainda assim, espero que você também perceba que devemos esperar que a Bíblia tenha algo a dizer aos crentes quanto à mordomia dos recursos que Deus lhes deu. Nós não temos um simples livro de respostas diretas. Mas tampouco somos deixados à nossa própria sorte, ou aos conselhos mundanos de um planejador financeiro. O grande drama de redenção de Deus inclui as histórias humildes de nossas vidas como estrangeiros e peregrinos que seguem a Cristo para um país melhor.

SEÇÃO 1
As Ferramentas Necessarias

CAPÍTULO 1

FERRAMENTAS EXEGÉTICAS: O MÉTODO HISTÓRICO-GRAMATICAL

Comecei este livro prometendo um guia de "como fazer" para o ministério, que resultasse em teologia realmente útil. Mas até aqui, dei a você principalmente definição e fundamentos. Nós dissemos que a teologia bíblica não é apenas teologia que encontra sua fonte na Bíblia, mas uma teologia que tenta entender a Bíblia como um todo. Também dissemos que a Bíblia não é apenas uma coleção de livros religiosos inspirados escritos por vários profetas e apóstolos, mas que é uma história única, uma narrativa coerente dos atos redentores de Deus. Esta história única tem Deus como seu autor, seu ator primário e seu centro, e o clímax dessa história é a glória de Deus na salvação por meio do julgamento. E, no entanto, é uma história enfaticamente prática, uma vez que engloba as realidades humildes que definem cada uma das nossas vidas.

Mas, com este capítulo, pretendo começar a cumprir minha promessa de ajuda prática. Afinal, ao definirmos a Bíblia da maneira como fizemos, somos confrontados com um problema. Como podemos ter certeza de que estamos lendo e entendendo a história corretamente? A propósito, como podemos ter certeza de que estamos lendo e entendendo as várias *partes* da história corretamente? Vamos deixar de lado por um momento a incrível ideia de que poderíamos entender a mente e os propósitos de Deus e, portanto, a sua Palavra. Como podemos ter certeza de que podemos entender com precisão as palavras de um profeta hebreu que viveu e escreveu há três mil anos? Não seriam as palavras — as palavras humanas, e ainda mais as palavras divinas — incrivelmente evasivas e maleáveis? O significado de um texto não é uma ideia incrivelmente subjetiva? Quero dizer, a menos que um autor esteja presente para nos contar o que ele quis dizer, quem pode dizer que uma interpretação de um texto é melhor, mais precisa, mais fiel ou mais significativa do que outra?

Vou considerar abaixo alguns dos aspectos técnicos desse problema, mas me permita começar ilustrando isso em um contexto em que muitos de nós trabalhamos toda semana: o ministério de adolescentes. Todas as manhãs de quarta-feira, eu conduzo as devocionais dos garotos do sexto ano fundamental na escola dos meus filhos. Estamos avançando lentamente pelo Evangelho de Marcos. Para mantê-los engajados, e também ensiná-los a estudar a Bíblia por conta própria, não ensino uma lição. Em vez disso, peço a eles que leiam a passagem em voz alta e, então, faço perguntas sobre o texto que acabaram de ler. Quase todas as minhas perguntas podem ser respondidas a partir do próprio texto ou do contexto imediato. Nem sempre são perguntas fáceis, mas são sempre perguntas que surgem da passagem que lemos.

Os garotos são inteligentes, motivados e falantes, e estão felizes por estarem lá. Eles passam por exercícios semelhantes em suas aulas de literatura, então estão familiarizados com o processo. Mas todas as manhãs de quarta-feira, vários meninos rapidamente soltam respostas sem sequer olhar para o texto. Essas respostas rápidas, invariavelmente, se enquadram em alguma de várias categorias. Há a resposta da escola dominical: seja qual for a pergunta, a resposta deve ser Jesus, a cruz, o pecado ou alguma combinação de todos eles. Há a resposta "ouvi meu pastor/pai/

professor da escola dominical dizer...". Essa não é uma resposta, na verdade, mas um apelo à autoridade para que eles não tenham que pensar sobre isso pessoalmente. Mas a resposta mais comum sempre começa com "acho que significa...". Quando eu questiono esta resposta, pedindo-lhes para mostrar no texto de onde veio a ideia, quase sempre recebo um olhar vazio ou um murmúrio confuso, como se eu tivesse acabado de perguntar algo louco, como de qual menina do sexto ano eles gostam mais! Nesta idade, muitos deles decididamente, ainda que inconscientemente, já adotaram a postura de que o significado dos textos religiosos é um assunto profundamente privado que não precisa de nenhuma justificativa além de sua própria crença sincera. Se este é o caso nas devocionais matinais do sexto ano, quanto mais no pequeno grupo de estudos bíblicos povoados pelos adultos de sua e de minha igreja.

O PROBLEMA DO SIGNIFICADO

Se você estiver familiarizado com as discussões atuais sobre teorias da interpretação, o que os estudiosos chamam de "hermenêutica", você saberá que, atualmente, muitos são bastante céticos sobre nossa capacidade de saber com precisão o que um autor quis dizer quando escreveu alguma coisa, a menos que tenhamos acesso direto a ele. Distância e descontinuidade entre autor e leitor em linguagem e cultura, contexto histórico e até mesmo experiências pessoais, dizem, efetivamente impedem o leitor de saber objetiva e seguramente o que o autor quis dizer. Para alguns, isso causou uma crise real. Para outros, tem sido motivo de comemoração. Para eles, a perda do que chamamos de "intenção original do autor" significa que finalmente podemos ser honestos em nossa leitura e reconhecer que usamos textos para nossos próprios propósitos, para significar o que queremos que signifiquem.

O significado agora não precisa mais ser hábil e desonestamente ligado à mente do autor, mas pode simplesmente ser o significado que a comunidade de leitura encontra ali. Que significado eles encontram? Eles encontram o significado de que precisam, o significado que querem, o significado que parece razoável à luz de seu próprio contexto. Com efeito, essa abordagem moderna à interpretação, baseada na suposta inacessibilidade da intenção do autor, significa que não existe autoridade no texto ou em uma interpretação, apenas na comunidade. Por milhares de anos, as sociedades têm servido a textos, tanto sagrados como políticos, geralmente em benefício dos que estão no poder e em detrimento das minorias e dos oprimidos. Agora, com o que ficou conhecido como a virada hermenêutica, houve uma grande libertação. Nós não servimos mais os textos. O texto nos serve.[19]

Mas é claro que existem algumas áreas em que essa ideia não pegou. A maioria dos participantes em contratos escritos deseja insistir em que o contrato tenha um significado estável e acessível. Mas em outras áreas do direito, especialmente o direito constitucional, assim como na política em geral, ética e religião, e especialmente na cultura pop moderna, esse modo de pensar, conhecido como pós-modernismo, tomou conta bruscamente e soprou vida nova e perigosa no velho relativismo.

Tudo isso me traz de volta à questão que fiz anteriormente. Se a Bíblia é uma história com Deus como seu autor, mas uma história cujas partes componentes são textos escritos por pessoas em diferentes idiomas, culturas e períodos históricos, como podemos ter certeza de que estamos lendo a história corretamente? Existe mesmo sequer uma leitura correta?

De fato, existe um significado correto de um texto, precisamente porque Deus — que criou este mundo, nosso cérebro e, portanto, nossa capacidade de usar a linguagem — é ele mesmo um Deus que fala.

---

19 Fui apresentado pela primeira vez a essa ideia ao estudar literatura inglesa durante a graduação nos anos 80. Embora o pós-estruturalismo e antifundacionalismo de Derrida, Foucault, Fish e outros tenham passado por considerável crítica e desenvolvimento desde então, a inacessibilidade da intenção original do autor e sua irrelevância como fonte autoritativa de significado continua a ser uma característica fundamental da experiência pós-moderna de interpretação. Para uma excelente e breve introdução e levantamento deste movimento, veja D. A. Carson, *O Deus amordaçado* (São Paulo: Shedd, 2013), p. 57-92.

Ferramentas exegéticas: o método histórico-gramatical

Foi Deus quem criou a racionalidade e a linguagem para que a linguagem pudesse transmitir com precisão o significado de uma mente para outra. E ele próprio provou isso não apenas ao atuar na história, mas também ao condescender em usar a linguagem humana para explicar e interpretar autoritativamente suas próprias ações. Vemos isso repetidamente nas páginas da Escritura — Deus não apenas envia as dez pragas contra o Egito, ele fala com Moisés e Arão explicando o que está fazendo. Deus não apenas abre o Mar Vermelho, ele fala e explica o que está prestes a fazer e por quê. Deus não apenas torna Israel uma nação, ele fala audivelmente para toda a nação do Monte Sinai, dizendo-lhes isso.

Eu poderia continuar a multiplicar exemplos, mas talvez o mais revelador seja a encarnação do próprio Cristo. Quando Deus decidiu definitivamente revelar-se de uma vez por todas, ele não enviou anjos ou sinais milagrosos e maravilhas no céu. Ele se tornou um homem e falou conosco em uma linguagem que as pessoas pudessem entender. Como disse o autor aos Hebreus: "Havendo Deus, outrora, falado, muitas vezes e de muitas maneiras, aos pais, pelos profetas, nestes últimos dias, nos falou pelo Filho" (Hb 1.1-2). E para deixar absolutamente claro que deveríamos ouvir seu Filho, não uma, mas duas vezes, Deus falou do céu, primeiro no batismo de Jesus e depois novamente em sua transfiguração. Esta é a conclusão a que Pedro chegou:

> Porque não vos demos a conhecer o poder e a vinda de nosso Senhor Jesus Cristo seguindo fábulas engenhosamente inventadas, mas nós mesmos fomos testemunhas oculares da sua majestade, pois ele recebeu, da parte de Deus Pai, honra e glória, quando pela Glória Excelsa lhe foi enviada a seguinte voz: Este é o meu Filho amado, em quem me comprazo. Ora, esta voz, vinda do céu, nós a ouvimos quando estávamos com ele no monte santo. Temos, assim, tanto mais confirmada a palavra profética, e fazeis bem em atendê-la,

como a uma candeia que brilha em lugar tenebroso, até que o dia clareie e a estrela da alva nasça em vosso coração. (2Pe 1.16-19)

O que isto significa é que as palavras, quando colocadas em frases e parágrafos, transmitem significado. E não apenas qualquer significado. Elas transmitem o significado do autor que construiu a sentença e o parágrafo, como um reflexo de sua intenção autoral. Como leitores de palavras, e particularmente como leitores da Palavra de Deus, nossa obrigação — e privilégio — é ler de maneira a recuperar e entender o significado que o autor queria comunicar.

É claro, você lê assim o tempo todo, todos os dias da sua vida. Quando você pega um artigo de jornal ou revista, seu objetivo não é ler suas próprias ideias naquela história. Você está tentando entender o que a pessoa está dizendo. Você pode vir a rejeitá-la ou ser inspirado por ela. Você pode pensar que foi bem ou mal escrita. Você pode pensar em diversos tipos de aplicações para o seu novo conhecimento, que o autor jamais considerou. Mas, independentemente do que você faz com o que leu, a primeira coisa que você faz, naturalmente, é procurar a intenção original do autor. E quando você faz isso, você está envolvido no processo de exegese.

A exegese é a tentativa disciplinada de extrair de um texto a intenção original do autor, em vez de minha própria preferência, experiência ou opinião. Jerônimo, que conhecia o grego e o hebraico em uma época em que a maioria das pessoas havia esquecido as duas coisas e só sabiam ler latim, expressou assim, no final do século IV: "O ofício de comentarista é estabelecer não o que ele próprio preferiria, mas o que o autor diz".[20]

Então, todos vocês, todos os dias, são exegetas dos textos que leem, de receitas a manuais de instrução, de revistas de esporte ao seu blog favorito. Vocês também são exegetas das Escrituras. Contudo, enquanto

---

[20] Jerônimo, Cartas, "Para Pamáquio", 17.

fazer exegese do jornal é algo quase automático, uma vez que está escrito em nossa própria língua e cultura, fazê-la com as Escrituras requer uma abordagem mais consciente. A Bíblia foi escrita em outras línguas e em outras épocas, e por isso devemos ter um cuidado ainda maior para não interpretá-la erradamente. O que faremos no restante deste capítulo, primeiro, é examinar o método de exegese conhecido como método histórico-gramatical. Depois, forneceremos um breve panorama das várias formas literárias ou gêneros que compõem a Bíblia. E, por fim, examinaremos como aplicamos nosso método a esses vários gêneros.

MÉTODO HISTÓRICO-GRAMATICAL

O método básico de exegese que usamos para determinar a intenção original de um autor ficou conhecido como o método histórico-gramatical. John Owen o descreveu desta forma:

> Nelas [as Escrituras], não há outro sentido além daquele contido nas palavras que materialmente lhe constituem [...] Na interpretação dos pensamentos de quem quer que seja, é mister que as palavras ditas ou escritas sejam corretamente compreendidas; e isso não poderemos fazer imediatamente, a menos que entendamos a linguagem na qual esse alguém fala, como também as expressões idiomáticas dessa língua com o uso comum e a intenção de sua fraseologia e expressões [...][21]

Discernir o significado do texto dessa maneira imediatamente nos leva a uma exploração e estudo da gramática, sintaxe e contexto literário e histórico das palavras que estamos lendo; por isso, a expressão: método histórico-gramatical.

---

21 John Owen, Works, IV:215, apud. J. I. Packer, *Entre os gigantes de Deus: uma visão puritana da vida cristã* (São José dos Campos, SP: Fiel, 2016), p. 164.

TEOLOGIA BÍBLICA PRÁTICA

Mas, ao descobrir a intenção original do autor, precisamos evitar o que é conhecido como "falácia intencional". É a ideia de que, por meio do texto, podemos de alguma forma ir além dele para o mundo do pensamento, sentimentos e intenções não expressas do autor. De fato, não temos acesso à psique ou às motivações do autor, a menos que ele expresse as explicitamente em suas palavras. A mente e, portanto, o significado a que temos acesso é a mente expressa, a mente que se revelou nas palavras na página.[22]

No entanto, ao focar nas palavras, temos que reconhecer que as palavras, por si só, não significam nada em particular. Podemos saber que a palavra "banco" tem uma gama de significados possíveis, mas até eu colocar a palavra "banco" em uma sentença, e depois aquela sentença em um parágrafo, você não pode ter certeza do que quero dizer com a palavra. Por exemplo, pense em que ponto o significado da palavra "banco" se torna inequívoco no parágrafo seguinte:

> Ele me disse que estava no banco da praça, e que deveria encontrá-lo lá. Fui ao seu encontro, mas me atrasei. Quando cheguei, ele já havia sacado todo o dinheiro de que precisava.

Na verdade, é apenas no final da última sentença que o significado preciso de "banco" se torna claro. Até esse ponto, poderia significar "um tipo de assento" ou uma "instituição financeira". Mas com a palavra "dinheiro", você sabe com certeza que banco significava a segunda opção. Portanto, a unidade básica de significado não é a palavra, mas a sentença. E a unidade que determina o significado das sentenças e, portanto, as palavras nelas, é o parágrafo.

Isso significa que a principal questão que o método histórico-gramatical está buscando responder não é "o que essa palavra significa?",

---

[22] Para uma discussão mais completa de muitas falácias comuns, ver D. A. Carson, *Os perigos da interpretação bíblica* (São Paulo: Vida Nova, 2001).

mas "o que essa sentença significa?". Ao responder a essa pergunta, percebemos rapidamente que o contexto é rei.[23] Assim, o primeiro passo da exegese é ler o texto, todo o texto, repetidamente. A interpretação realmente começa com o todo, não com a parte. Então, no contexto do todo, voltamos para as partes, descendo às sentenças, e até todas as palavras individuais. O que aprendemos e descobrimos então nos leva de volta ao todo com uma compreensão mais precisa e talvez sutil do significado.

Gramatical

Tudo isso começa com uma análise gramatical e estrutural básica do texto.

- Primeiro, como o texto maior se divide em unidades? Esta é uma função que depende do gênero: nas epístolas, é em parágrafo; na poesia, em estrofes; na história narrativa, em eventos ou histórias.
- Qual é o fluxo geral do argumento no texto que você está analisando? Existe uma afirmação, apoiada por orações subordinadas? Está sendo traçado um contraste, um princípio sendo ilustrado, um padrão sendo estabelecido, uma resposta sendo estimulada?
- Olhando para uma frase em particular, qual é o sujeito, o verbo e o objeto, e como eles se relacionam? (Se você fez diagramas de frases na escola, será útil aqui!)
- Como as sentenças são conectadas? Prestar atenção às conexões permite estabelecer o fluxo detalhado do pensamento. O objetivo aqui é a análise do discurso, uma tentativa de tornar explícito o fluxo lógico, a fim de identificar o ponto principal do autor, e as várias maneiras pelas quais ele apoia esse ponto.

Sentindo-se sobrecarregado? Tenha coragem. Para cada um desses passos, tudo o que é realmente necessário é uma leitura paciente e um

---

23 Muitos afirmaram este ponto, mas sou grato a Scott Hafemann, que primeiro injetou esse conceito em meu cérebro há muitos anos como calouro do Gordon-Conwell Theological Seminary.

entendimento básico de gramática e lógica. Nenhum comentário é necessário neste momento!

Histórico

Em seguida, como os vários contextos maiores informam sua compreensão do significado do texto?

- Como o seu texto se encaixa no argumento maior do livro ou seção das Escrituras que você está lendo?
- O contexto histórico (autor, data, público e procedência), se conhecido, esclarece sua compreensão de palavras ou argumentos?
- Existe um contexto cultural do qual você precisa estar ciente? Por exemplo, o que são fariseus? Que direitos as mulheres tinham no mundo romano? Ou qual é a diferença entre uma concubina e uma esposa no antigo Israel?
- Existem questões de geografia, política ou história que esclarecem o significado? Por exemplo, onde está Társis em relação à Nínive? O que havia de tão especial em Cesareia de Filipe para que Jesus provocasse a confissão de Pedro ali?

Contudo, a menos que você seja um estudioso da Bíblia em tempo integral, a maioria desses problemas não estará em sua categoria de conhecimento geral. Aqui é onde os comentários, dicionários bíblicos, enciclopédias e atlas são extremamente úteis.

Bíblico

Finalmente, talvez a questão contextual mais importante seja como esse texto se relaciona com o restante das Escrituras. Vou dedicar mais tempo a isso em um capítulo posterior, mas basta dizer que, se o texto cita, faz alusão ou se assemelha a outra parte da Bíblia, isso é significativo para nossa compreensão do que o autor estava pretendendo comunicar.

A IMPORTÂNCIA DAS FORMAS LITERÁRIAS

Mencionei anteriormente que a unidade básica de pensamento varia dependendo do gênero, ou forma literária, com a qual estamos lidando. Porém, ainda não parei para explicar o que eu quero dizer com gênero.

Gênero é simplesmente uma palavra que tipos literários usam para descrever as diferentes formas reconhecidas de escrita que existem. Isso é importante para compreendermos a Bíblia por vários motivos. Em primeiro lugar, gêneros distintos tendem a ter diferentes regras ou padrões de comunicação. Nós intuitivamente reconhecemos isso. No geral, a poesia nem sequer se parece com um artigo de jornal. Isso porque a poesia e a narrativa são gêneros diferentes, com seu próprio conjunto de regras internas. Essas regras e padrões têm uma influência real sobre o significado das palavras e frases escritas por um autor. Além disso, certos padrões de palavras estão tão intimamente associados a um gênero que seu uso quase imediatamente define o que estamos analisando e como o interpretamos. "Era uma vez..." aponta para um conto de fadas, não histórico, enquanto "Caro João... Com amor, Maria" sinaliza uma carta, não um contrato legal. Se vamos ler um texto literalmente — isto é, de acordo com o sentido das palavras e a intenção original do autor — precisamos identificar o gênero do texto.

A segunda razão pela qual é importante entender o gênero é porque não leva muito tempo para perceber que a Bíblia consiste de múltiplos gêneros. Toda a Bíblia é verdadeira, e toda ela precisa ser lida literalmente, mas ler os estatutos legais do Êxodo literalmente será algo diferente de ler a poesia do Salmo 17 literalmente. Caso contrário, corremos o risco de ter que dizer que Davi no Salmo 17 contrariou o segundo mandamento, descrevendo a Deus como tendo asas como uma galinha sob as quais ele poderia se esconder.

Terceiro, é importante entender o gênero porque nos ajuda com livros ou passagens que parecem culturalmente estranhos e difíceis de entender. Dois exemplos óbvios disso são as genealogias e a literatura apocalíptica. Esses não são tipos de texto que você encontra em sua leitura diária, mas a Bíblia tem alguns exemplos de ambos. Nós apenas aplicamos as regras do gênero de narrativa ou de epístola? Foi o que alguns fizeram, e isso produz genealogias bastante entediantes e um apocalipse fantástico demais. Mas, na verdade, ambos os gêneros possuem regras e convenções específicas, e se formos lê-los corretamente, precisamos entender essas regras.

INTERPRETANDO OS DIVERSOS GÊNEROS DA ESCRITURA

Então, quais são os gêneros das Escrituras? Há mais deles do que temos tempo para lidar em um capítulo, mas me permita concluir apresentando as sete formas principais e demonstrar com cada uma delas como fazer exegese usando o método histórico-gramatical.

1. Narrativa

A narrativa compõe a maior parte da Bíblia — 40% do Antigo Testamento e 60% do Novo Testamento. Além disso, a narrativa fornece o quadro geral dentro do qual entendemos todos os outros gêneros. Como fazemos exegese da narrativa?

- Primeiro, prestamos atenção à história e seus detalhes. O ponto principal está no enredo e seu desenvolvimento. E a narrativa bíblica, como todas as outras, usará todos os instrumentos que você está acostumado:
  o Desenvolvimento cronológico;
  o Tramas e recursos retóricos, como diálogo, variações de pontos de vista e clímax;

o Desenvolvimento de personagem;

o Recursos literários como *inclusio* (usar palavras ou frases repetidas no início e no fim) e *quiasma* (padrão a-b-c-b'-a');

o Arranjo de cena, incluindo coisas como flashbacks e cortes.

- Em segundo lugar, lembre-se de que o narrador teve que ser seletivo em seu registro, de modo que os detalhes presentes são significativos. Como eles contribuem para o ponto da narrativa? Como eles conectam essa narrativa ao que veio antes e ao que vem depois?
- Terceiro, o contexto é o rei. Como essa narrativa se encaixa no restante do livro, no restante da seção das Escrituras e na narrativa da Bíblia como um todo?
- Quarto, qual é o objetivo da narrativa à luz do propósito do autor ao escrever o livro? A história não é um fim em si mesma, e nós (nossa aplicação pessoal) também não somos necessariamente o ponto central!
- Exemplo: 1 Samuel 17 — a história de Davi e Golias. Quando prestamos atenção aos detalhes e ao contexto, vemos que este não é um conto moral sobre coragem em face de probabilidades adversas. Também evitamos transformá-lo em uma alegoria, na qual cada detalhe representa uma verdade espiritual. Antes, esta é a nossa introdução ao improvável rei que em combate direto derrota o inimigo e salva o povo de Deus. No contexto de 1 Samuel, esta história estabelece um contraste com Saul, o óbvio e natural rei que se revela uma fraude. Em última análise, a história nos aponta para Cristo, que da maneira mais improvável derrota os inimigos do povo de Deus em um único combate na cruz e nos resgata para Deus!

2. Parábola

Parábola é um gênero importante e muitas vezes incompreendido, amplamente encontrado nos Evangelhos, mas também nos profetas do

Antigo Testamento. Fundamentalmente, uma parábola é uma comparação imagética entre algo familiar e conhecido e uma verdade ou realidade espiritual. A imagem é tipicamente fictícia, embora realista. Elas geralmente não são alegóricas, mesmo quando várias partes da imagem representam várias verdades espirituais. Muitas vezes os detalhes apenas adicionam vivacidade à imagem. Como fazemos exegese de parábolas?

- A pergunta mais importante a ser feita sobre uma parábola é: "Qual é o ponto (ou pontos) principal?"
- Preste atenção à repetição (que é como colocar algo em negrito), à inversão de expectativas ou a mudanças na voz da primeira para a terceira pessoa. Todas essas são pistas para a ênfase principal.
- A conclusão ou ponto principal está tipicamente no final, e geralmente concentra-se na natureza do reino ou do Rei.
- O contexto ainda é rei, portanto, interprete as parábolas à luz do contexto da narrativa maior em torno. Não as tire do contexto em que o autor as colocou, como se fossem uma coleção aleatória das Fábulas de Esopo.
- Exemplo: Marcos 4.30-32 — A parábola do grão de mostarda. O ponto dessa parábola é encontrado na conclusão e à luz do contexto. Jesus está ilustrando o crescimento surpreendente e inesperado do reino, de pequeno a enorme. A aplicação, portanto, é não desprezá-lo, nem desanimar pela atual condição humilde do reino. Não devemos alegorizar os pássaros em seus galhos, ou sermos distraídos pelo fato de haver sementes menores e plantas maiores.

3. Poesia

Um terço do Antigo Testamento (que é mais do que todo o Novo Testamento) é poesia! Ela existe por si mesma (os Salmos), mas também é encontrada em outros gêneros como Sabedoria e Profecia. A chave para fazer exegese da poesia hebraica é perceber que, assim como a poesia usual, a poesia hebraica apresenta uma linguagem extremamente comprimida e rica em imagens. A poesia em qualquer língua tem como intenção não apenas comunicar a verdade, mas também evocar emoções. Por outro lado, diferentemente da poesia usual, a poesia hebraica não tem rima ou métrica que possamos reconhecer. Em vez disso, ela usa outros artifícios para fornecer sua estrutura. Como fazemos exegese de poesia?

- A característica mais comum da estrutura poética hebraica é o paralelismo em três tipos diferentes: sinonímico (uma ideia é repetida para ênfase), sintético (uma ideia se constrói sobre outra) e antitético (uma ideia é contrastada com outra).
- Outras características incluem jogos de palavras, aliteração e acróstico alfabético, repetição, hipérbole, contraste, metonímia (substituição) e sinédoque (o conjunto representa a parte ou vice-versa).
- Como a poesia usual, ela usa metáfora e símile, imagens figurativas, ironia e eufemismo.
- Talvez a chave mais importante para interpretar a poesia seja lembrar que se trata de um poema. Uma leitura literal de um poema será diferente de uma leitura literal de narrativa.
- Exemplo: Salmo 19.7-11. Esses versos são um exemplo estendido de paralelismo sinonímico. Davi não está falando sobre seis coisas diferentes, mas sobre uma coisa — a Palavra de Deus. Ele a está tratando como um diamante lapidado sob a luz. Em cada verso, ele move esse único diamante para examinar uma faceta diferente. O ponto da meditação poética é tanto gerar em nós uma visão elevada e valorização da Palavra de Deus quanto nos convencer de sua conclusão no versículo 11.

4. Sabedoria

Para muitos, a literatura de sabedoria das Escrituras é ao mesmo tempo muito amada e altamente problemática. É amada porque parece muito prática. É problemática porque é menos parecida com os gêneros com os quais interagimos no mundo moderno. Também parece estranhamente desconectada do ponto principal da Escritura, que é a redenção em Cristo Jesus.

De fato, a literatura de sabedoria é muito prática precisamente porque está tão intimamente ligada ao ponto principal da Escritura. Literatura de sabedoria diz respeito a viver bem no mundo de Deus e à luz do caráter de Deus. A sabedoria é o fruto do temor do Senhor, o que significa estar corretamente orientado para Deus e para a criação que ele fez, incluindo outras pessoas. Ela fala do que geralmente é verdade, mas também aborda o que parecem ser as exceções a essa verdade geral. Como fazemos exegese de literatura de sabedoria?

- Precisamos reconhecer que a literatura de sabedoria vem até nós em múltiplas formas, ou subgêneros.
    - Drama (Jó, Cantares de Salomão)
    - Ditados (Provérbios 9–31)
    - Confissão autobiográfica e admoestação (Eclesiastes, Provérbios 1–8).
- Qualquer que seja a forma, a chave para a interpretação é lê-la no contexto e de acordo com seu propósito declarado.
    - Jó pretende abordar o problema do sofrimento injusto.
    - Eclesiastes pretende abordar realisticamente o sentido da vida.
    - Os Provérbios pretendem desenvolver o temor de Deus e depois mostrar como esse temor (ou a falta dele) se manifesta nos mais diversos contextos. Enfaticamente, não se trata de código legal.

o Cantares de Salomão é uma celebração do amor humano no matrimônio que aponta para além de si, ao amor de Deus por seu povo.
- Exemplo: Provérbios 12.21— "Nenhum agravo sobrevirá ao justo, mas os perversos, o mal os apanhará em cheio". Um leitor apressado cometerá um desses dois erros. Ele assumirá que isso é sempre verdade e, portanto, considerará o sofrimento como um julgamento divino contra a iniquidade. Ou então ele simplesmente apontará para Jó ou para Jesus e dirá que o provérbio é claramente falso. Mas este provérbio não é uma promessa absoluta e nem uma contradição de Jó. Pelo contrário, como todos os provérbios, é proverbial, ou seja, geralmente verdadeiro. No universo moral que Deus criou, a iniquidade geralmente traz problemas consigo, e a justiça geralmente traz bênçãos. Além do caráter proverbial da declaração, o provérbio também aponta para a suprema bênção e julgamento que vêm de Deus. Mesmo que haja exceções nesta vida, Deus acabará por confirmar este provérbio no julgamento final.

5. Profecia

Os livros proféticos contêm tanto narrativa quanto poesia, mas o que os diferencia como um gênero próprio é a presença do oráculo profético — "Assim diz o Senhor" — e a função que esses oráculos desempenham nas Escrituras. Os profetas chegam à cena bíblica como promotores de acusação, defendendo o caso de Deus em um processo pactual contra Israel por violar a aliança. Mas eles não apenas apresentam o caso, como também profeticamente avisam do julgamento vindouro (chamando ao arrependimento) e profeticamente proclamam a salvação por vir (chamando à fé). Como fazemos exegese da profecia?

TEOLOGIA BÍBLICA PRÁTICA

- A característica básica — e problema — de interpretação é a dinâmica de promessa e cumprimento. É isso que divide os intérpretes. Quando, onde e como uma profecia é cumprida nos ajuda a entender seu significado.
- Um aspecto importante da profecia é a abreviação profética dos eventos. Os profetas veem as montanhas no horizonte distante como uma linha única e bidimensional. Uma vez que chegamos à história e viajamos por essas montanhas, descobrimos que existem várias serras, em diferentes distâncias. Isso significa que a maioria das profecias, se não todas, têm múltiplos horizontes de cumprimento.
  o Por exemplo, no fluxo da narrativa de Isaías, o "sinal de Emanuel" em Isaías 7 é cumprido em Isaías 8 com o próprio filho de Isaías. Mas essa é apenas a primeira fileira de montanhas. Atrás e elevando-se acima dessa fileira está o cumprimento final do texto no nascimento de Jesus Cristo.
  o Outro exemplo se encontra na profecia apocalíptica de julgamento em Isaías 24–27. Esta profecia é cumprida primeiro pela invasão babilônica da Palestina. Uma segunda cadeia montanhosa de cumprimento talvez tenha chegado com a destruição de Jerusalém por Roma em 70 d.C. Em última análise, à luz do Apocalipse, reconhecemos que essa profecia é cumprida no fim do mundo no último dia.
- Uma característica comum da profecia é usar a linguagem e as imagens do passado para descrever o futuro. Criação, imagens do jardim do Éden, o dilúvio, Sodoma e Gomorra e o Êxodo são usados para descrever eventos futuros. Eles fornecem uma compreensão teológica do que está acontecendo, não necessariamente uma compreensão literal.
- Nem todas as profecias são incondicionais. O exemplo mais famoso disso é Jonas pregando a Nínive. Ele profetizou que

em três dias Nínive seria destruída, a menos que o povo se arrependesse. O povo se arrependeu, por isso a profecia não foi cumprida.
- Boa parte da profecia não é preditiva, mas descritiva (tipológica). Por exemplo, o Novo Testamento entende que grande parte da vida do rei Davi antecipava a vinda do Messias.
- Como sempre, o contexto é rei. No caso da profecia, a forma da história bíblica como um todo é crucial. Precisamos lembrar que a revelação é progressiva e, na revelação de Jesus Cristo, recebemos o ponto principal e o final da história. Isso significa que temos uma vantagem sobre os leitores do Antigo Testamento. Nós trabalhamos partindo da história de toda a Bíblia até a profecia, e não o contrário. Como Pedro nos assegura em 1 Pedro 1.10-13, o evangelho nos dá uma visão mais clara até mesmo do que os profetas do Antigo Testamento tinham. Portanto, o Novo Testamento determina o significado final da profecia do Antigo Testamento, e não o contrário.
- Exemplo: Isaías 11 — a profecia do reinado do ramo de Jessé. Esta profecia baseia-se em imagens de Gênesis 2 (Éden), Êxodo e Josué. Ele descreve o futuro em imagens sobrepostas: um retorno ao Éden, um segundo êxodo e uma conclusão do trabalho inacabado de conquista da Terra Prometida. Ao sobrepor essas imagens, muitas das quais são também poéticas, precisamos reconhecer que o profeta está propondo um ponto teológico, e não necessariamente uma previsão histórica literal. Tudo isso será realizado por meio do julgamento justo de um rebento do tronco de Jessé, que é descrito em termos extraídos da presença de Deus no êxodo (v. 10-11). Assim, a profecia aponta em última análise para o divino Filho de Davi, o Deus-homem Jesus Cristo, e seu governo universal nos novos céus e nova terra.

TEOLOGIA BÍBLICA PRÁTICA

6 Epístolas

Epístolas são o gênero mais direto, porque são cartas escritas para pessoas na mesma parte da história que estamos — crentes que vivem entre a ressurreição de Cristo e sua segunda vinda. Como fazemos exegese das epístolas?

- Como sempre, o contexto é extremamente importante. Essas cartas são documentos ocasionais, e não tratados teológicos abstratos destinados a uma biblioteca. Eles foram escritos pelos apóstolos para cristãos vivos reais que enfrentam problemas reais, sejam morais, doutrinários ou ambos.
- Uma vez que essas cartas foram quase sempre motivadas por um problema ou conflito(s), o autor está tentando aplicar a verdade do evangelho a fim de abordar o(s) problema(s) em questão. Isso significa que sua forma básica de discurso será um argumento lógico. Por isso, devemos prestar atenção tanto ao fluxo do argumento quanto a seus detalhes.
- Os apóstolos conscientemente entendiam a si mesmos como recebedores e também como o cumprimento das promessas do Antigo Testamento à luz do que Cristo havia feito. Portanto, o "contexto" primário das epístolas do Novo Testamento não é greco-romano, mas o Antigo Testamento!
- A aplicação de epístolas é tipicamente direta, mas ainda existe alguma descontinuidade cultural e histórico-redentiva. Precisamos ser sensíveis a essas questões.
- Exemplo: Efésios 2.11-22. Uma aplicação típica desta passagem em muitas igrejas evangélicas é a reconciliação racial. Mas se prestarmos atenção tanto na carta em si quanto no contexto bíblico maior, perceberemos que, antes de qualquer coisa, Paulo está falando sobre a remoção da divisão entre judeus e gentios.

Essa divisão não era meramente étnica, mas teológica, pois definia as fronteiras do povo de Deus. A remoção dessa divisão em Cristo significava que as nações eram agora bem-vindas e não deveriam ser excluídas da salvação de Deus. Apenas secundariamente essa passagem é sobre a reconciliação sobre outras divisões.

7. Apocalíptico

Sem dúvida, o apocalíptico é o mais intrigante, mas também o mais difícil de todos os gêneros. A ficção científica é o tipo mais próximo que temos dele! O ponto e propósito da literatura apocalíptica é dar esperança ao povo de Deus em meio aos sofrimentos presentes, baseados na vitória certa de Deus sobre seus inimigos, tanto agora como no futuro. Para fazer isso, o gênero apocalíptico baseia-se fortemente nas imagens do passado, bem como em outras imagens estilizadas. O objetivo é rever o panorama da história e mostrar sua culminação na vitória do reino de Deus. Como fazemos exegese de textos apocalípticos?

- Os dois exemplos principais de apocalipse na Bíblia são Daniel e o Apocalipse de João. Mas nenhum deles é meramente apocalíptico. Daniel é literatura profética e Apocalipse é uma epístola profética.
- O contexto literário é importante. O apocalipse bíblico baseia-se especificamente em imagens bíblicas do Antigo Testamento (Babilônia, pragas), bem como imagens "comuns" do gênero mais amplo (o chifre, corpos celestes etc.).
- O texto apocalíptico fornece uma esquematização da história, mas esse esquema não é necessariamente cronológico. Por exemplo, cada série de sete pragas no Apocalipse (selos, trombetas, taças) termina com o fim do mundo. E, no entanto, seria fácil ler a série como sequencial. Então, quantas vezes o mundo acaba? De fato,

há um padrão nessas séries. A história é recapitulada por diferentes perspectivas, levando ao clímax dos dois últimos capítulos.

- Sem entrar em um tratamento detalhado das várias abordagens de interpretação do Apocalipse, todos podemos concordar que o ponto principal é claro. O povo de Deus pode suportar o sofrimento presente por sua confiança na vitória de Deus. E eles sabem que ele vence, não por causa da revelação profética, mas por causa do que Cristo já realizou no passado, por meio de sua morte e ressurreição.
- Exemplo: Apocalipse 5 — a revelação do Leão de Judá. João ouve sobre o Leão de Judá, aquele que abrirá o pergaminho e executará os propósitos de Deus na história. Mas quando ele se vira para ver aquele de quem ouviu falar, ele vê o Cordeiro que foi morto. Ele ouviu errado? Existem, de fato, dois indivíduos diferentes? De modo algum. Pelo contrário, o que ele vê explica o que ele ouviu falar. Jesus é digno de ser o Leão, aquele que realiza os propósitos de Deus precisamente porque se humilhou como o Cordeiro de Deus na cruz. Jesus é digno de glória e honra e capaz de abrir o livro do julgamento de Deus, não apenas por causa de sua divindade preexistente, mas especialmente porque comprou o povo de Deus com seu próprio sangue. A cruz, portanto, está no centro da revelação da glória de Deus.

CONCLUSÃO

Eis aí, portanto, como fazer exegese de todas as partes da Bíblia! Claro que estou brincando. O que eu espero que você veja, no entanto, é que interpretar uma passagem não é simplesmente impor arbitrariamente o significado que eu quero que ela tenha. De fato, trata-se de nada mais nada menos do que uma leitura atenta e cuidadosa de um texto em seu contexto, tanto mais imediato quanto mais amplo. É algo básico, como a observação (o que o texto diz?) e a interpretação (o que isso significava para os leitores originais?). Todos nós precisamos das ferramentas certas para fazer isso corretamente, mas com leitura paciente e frequente, todos podemos nos tornar fiéis leitores do texto, extraindo dele o que os autores — divino e humano — originais queriam dizer, em vez de impor a ele nossas próprias ideias.

Foi exatamente essa a minha experiência com meu grupo de garotos do sexto ano. Com paciência e prática, eles gradualmente se livraram de alguns de seus piores hábitos de interpretação. Agora, nas manhãs de quarta-feira, eles estão cada vez mais ansiosos para realmente ler o texto do Evangelho de Marcos e pensar sobre o que Marcos quis dizer sob a inspiração do Espírito Santo. Na semana passada, estudamos Marcos 1.40–2.12, a cura do homem com lepra e do paralítico. Perguntei aos rapazes se o objetivo do ministério de Jesus era tornar as pessoas fisicamente melhores. Um deles disse "não" e eu perguntei por quê. Fazia semanas desde que havíamos lido, mas ele rapidamente voltou para Marcos 1.35-39 (contexto!) e apontou que Jesus veio pregar o evangelho, e não fazer milagres. Então eu perguntei por que ele curou um leproso, então. Eles não tinham certeza a princípio, então pensamos juntos sobre o contexto bíblico mais amplo. Depois que terminamos de discutir os detalhes da lepra (afinal, são garotos de sexto ano), alguns deles lembraram que ter lepra significava que você não podia ir ao templo ou ir para casa, que estava separado de Deus e das pessoas. Então analisamos a cura do paralítico. Perguntei-lhes por que Jesus curou o homem, e eles imediatamente apontaram para o versículo 10, e disseram que era para provar que Jesus podia perdoar pecados. Nesse momento, foi como se uma lâmpada se acendesse. A lepra era uma imagem do pecado. O pecado nos separa de Deus e dos outros. Ao curar leprosos e paralíticos, Jesus não estava apenas provando seu poder; ele estava nos mostrando o que viera fazer — não nos dar corpos melhores, mas tornar nossos corações limpos, e assim nos trazer de volta para um relacionamento com Deus.

Se os meninos do sexto ano conseguem aprender a fazer exegese das Escrituras, então nós também conseguimos, e também os membros de nossas igrejas. Quando tivermos tempo para fazer isso corretamente e ensinarmos os outros também a fazê-lo, descobriremos, como Pedro declarou, que "temos, assim, tanto mais confirmada a palavra profética, [...] como a uma candeia que brilha em lugar tenebroso, até que o dia clareie e a estrela da alva nasça em vosso coração" (2Pe 1.19).

CAPÍTULO 2

TEOLOGIA BÍBLICA 1: ALIANÇAS, ERAS, CÂNONE

Tendo considerado a arte da exegese, estamos prontos então para ler o texto e construir uma teologia bíblica — uma teologia que seja ao mesmo tempo fiel e conte toda a história de toda a Bíblia? Ainda não. Há dois outros conjuntos de ferramentas que todo leitor das Escrituras precisa se deseja estabelecer um todo coerente de maneira fiel. Não precisamos apenas de ferramentas exegéticas, também precisamos de ferramentas de teologia bíblica e de teologia sistemática. Neste capítulo e no próximo, consideraremos as ferramentas da teologia bíblica e como usá-las. Depois, usaremos as ferramentas da teologia sistemática nos capítulos seguintes. Somente então estaremos prontos para começar a construir.

INTRODUÇÃO

Quero começar com uma pergunta: por que você lê a Bíblia? Embora haja muitas razões para ler a Bíblia, fundamentalmente, lemos a Bíblia para conhecer a Deus.

De certa forma, conhecer a Deus é como conhecer qualquer outra pessoa. Para conhecer Deus, precisamos saber o que o agrada e o que o incomoda, o que é importante para ele e o que não importa tanto. Precisamos conhecer seu caráter, como ele é como pessoa e como ele reage em diferentes situações. No entanto, não é apenas sua personalidade e caráter que precisamos conhecer. Como com qualquer outra pessoa, precisamos saber algo sobre sua história: O que ele fazia antes de o conhecermos? E precisamos saber algo de seus objetivos: Para onde ele está indo e com o que ele está comprometido? Finalmente, também gostaríamos de saber algo sobre sua família e amigos. Afinal de contas, conhecer alguém de verdade significa saber com quem ele gosta de estar e quem ele realmente ama.

Mas, apesar de todos os aspectos nos quais conhecer Deus é comparável a conhecer um ser humano, há uma diferença muito importante. A menos que Deus revele as respostas para todas as perguntas que eu fiz acima (e outras), nunca iremos conhecê-lo. Como eu disse no início deste livro, a revelação de Deus é necessariamente autorrevelação. A menos que Deus nos diga quem ele é e o que ele está fazendo, estamos no escuro.

Quanta diferença da nossa experiência de conhecer outra pessoa hoje em dia! O fato é que, queira eu ou não, você poderia conhecer algumas coisas sobre mim, se você tivesse a intenção de fazê-lo. Você pode usar o Google, o Facebook e alguns outros sites para saber mais sobre o que eu faço, quem eu conheço e onde já estive. Você aprenderia o que poderíamos chamar de "horizonte público" da vida de Michael Lawrence.

Mas por melhor que seja esse horizonte, ele não diz tudo o que há para saber sobre mim. Se você quisesse me conhecer melhor, poderia se mudar para minha cidade e fazer parte da minha igreja. Pelos sermões que eu prego, pela maneira como conduzo as reuniões de membros, pela maneira como interajo com as pessoas nos corredores de nossa igreja, você vai aprender que tipo de pessoa eu sou. Eu sou gentil ou rude? Sou paciente ou impaciente? Sou alegre, sério ou mal-humorado? Tudo isso você poderia aprender frequentando minha igreja por um tempo. Podemos chamar isso de "horizonte pessoal" da vida de Michael Lawrence.

Mas se você realmente quiser me conhecer, você terá que ir além de ser um membro da minha igreja para ser um dos meus confidentes, ou até mesmo morar com minha família. Aqui, você encontrará muito mais do que queria saber. Você ouvirá meus comentários espontâneos e verá minhas ações irrefletidas. Você saberá como eu sou antes da minha primeira xícara de café ou como eu ajo quando estou brincando com meus filhos. Este é o "horizonte privado" da vida de Michael Lawrence, e só Deus pode ir mais fundo que isso.

Um desses horizontes é mais "verdadeiro" que os outros? Não. Todos eles dizem algo sobre mim. Nós tendemos a pensar que o privado é o mais real, mas se isso é tudo que você sabe sobre mim, você não me conhece muito bem. Além disso, não apenas os três horizontes lhe dizem algo sobre mim, cada um interage e informa aos outros. Se você está lendo este livro, agora você conhece algo do meu horizonte público. Mas se você frequenta minha igreja e lê este livro, você sabe que este livro é um reflexo das prioridades do meu ministério e o produto de muitos sermões. E se você vive em minha casa, frequenta minha igreja e lê este livro, então sabe que minhas prioridades ministeriais, sermões e agora este livro fluem do meu estudo da Escritura logo cedo pela manhã.

Nós não podemos achar Deus no Google. E desde Gênesis 3, não podemos morar na mesma casa que ele. Isso significa que não há um único horizonte da vida de Deus que possamos conhecer a menos que ele nos revele. A verdade absolutamente sensacional das Escrituras é que, na Bíblia, Deus se revelou. E ele não apenas revelou sua face pública, o horizonte público de sua vida, mas nos revelou seu Filho, Jesus Cristo. E não dá para ser mais íntimo do que isso com Deus.

Quando vamos à Bíblia, chegamos à autorrevelação de Deus. E de um modo que é análogo aos horizontes da minha vida, toda passagem da Escritura que lemos deve ser entendida dentro de múltiplos horizontes de significado. Os horizontes não são público, pessoal e privado, mas são uma série de contextos sempre em expansão. E a cada novo contexto, a cada novo horizonte, chegamos a uma apreciação mais completa do significado e da aplicação do texto à nossa própria vida e ministério. O objetivo deste capítulo é nos ajudar a ler a Bíblia à luz de cada um desses horizontes, e assim, no final, ler a Bíblia biblicamente.

OS TRÊS HORIZONTES DA AUTORREVELAÇÃO DE DEUS NAS ESCRITURAS

Os três horizontes da Escritura são o horizonte textual, o horizonte das eras e o horizonte canônico.[24] O capítulo anterior era, na verdade, todo sobre o horizonte textual. Seu objetivo era responder à pergunta: como podemos ler e entender o que um texto está dizendo em seu contexto imediato? Fazemos isso paciente e cuidadosamente usando as ferramentas da exegese. Mas conhecer um texto em seu contexto imediato é um pouco como conhecer apenas o horizonte particular da minha vida. É próximo, detalhado e particular, mas o que isso tem a ver com todo o resto que se passa? Para isso, precisamos recuar e entender o texto nos contextos mais amplos de era e cânone. Para explicar esses dois horizontes, precisamos retomar outro tópico da Introdução. Precisamos conversar sobre as alianças.

Quando Deus condescendeu em se revelar à humanidade e entrar em um relacionamento conosco, ele estruturou esses relacionamentos naquilo que viemos a reconhecer como alianças ou pactos. Deus usa alianças em um ato extraordinário de comunicação antropomórfica condescendente. E, como veremos, poucos conceitos são mais importantes para compreender se queremos entender toda a história bíblica e cada uma de suas partes.

---

24 Para uma excelente introdução e discussão dessas ideias, desenvolvidas a partir de trabalhos anteriores de Edmund Clowney, ver Richard Lints, *The fabric of theology: A prolegomenon to evangelical theology*. (Grand Rapids, MI: Eerdmans, 1993), 293-310.

O QUE É UMA ALIANÇA?[25]

Conforme consideramos na Introdução, as relações internacionais no antigo Oriente Próximo eram regidas por tratados entre reis maiores e reis vassalos que tomaram a forma específica de alianças, ou pactos. O grande rei prometia sua proteção e bênção em troca da lealdade e obediência do rei vassalo. Não apenas isso, a obediência ou desobediência do rei vassalo afetava tanto ele quanto todos aqueles que estavam sob sua representação.

Em seu modelo literário formal, os pactos do final do segundo milênio a. C. assumiram uma forma consistente e padronizada. Eles começavam com um *preâmbulo*, identificando o grande rei que é o autor do pacto. Em seguida, eles apresentam um breve *prólogo histórico*, ressaltando o que o grande rei já fez pelo rei vassalo. Este prólogo serve como fundamento para a obediência do vassalo. Então vêm as *estipulações* da aliança (o que se espera do vassalo), tanto resumidas quanto detalhadas. Após as estipulações, os pactos frequentemente incluíam uma *cláusula de documentação*, um parágrafo exigindo que cópias do pacto fossem colocadas nos templos de cada um dos reis e que o rei vassalo periodicamente lesse publicamente o pacto e passasse para seus filhos. Em seguida, eram convocadas testemunhas — tipicamente os deuses de ambos os reis. Finalmente, o pacto concluía com uma lista de *bênçãos* que se acumulariam se ele fosse mantido, e uma lista de *maldições* que seriam invocadas caso ele fosse quebrado. Depois de escrito, o pacto seria então ratificado por um juramento que envolvia o derramamento de sangue sacrificial.

Como já disse, Deus usou essa estrutura para se revelar como *o Grande Rei*, e a usou para ensinar ao seu povo que eles eram seus vice-reis, ou reis vassalos sob o Grande Rei dos céus. De fato, vemos metade dessa estrutura de aliança em forma resumida nos Dez Mandamentos:

---

25 Esta seção inteira, mas especialmente os dois primeiros parágrafos, é amplamente extraída de Meredith Kline, *Treaty of the great king*. Grand Rapids, MI: Eerdmans, 1965. Um tratamento mais recente e mais acessível desse tema pode ser encontrado em O. Palmer Robertson, *O Cristo dos Pactos*. 2ª ed. (São Paulo: Cultura Cristã, 2011), 139-141.

TEOLOGIA BÍBLICA PRÁTICA

Êxodo 20.2-17

Preâmbulo: ² "Eu sou o SENHOR, teu Deus,
Prólogo histórico: que te tirei da terra do Egito, da casa da servidão.
Estipulações: ³ Não terás outros deuses diante de mim.

⁴ Não farás para ti imagem de escultura...

⁷ Não tomarás o nome do SENHOR, teu Deus, em vão...

⁸ Lembra-te do dia de sábado, para o santificar.

¹² Honra teu pai e tua mãe...

¹³ Não matarás.

¹⁴ Não adulterarás.

¹⁵ Não furtarás.

¹⁶ Não dirás falso testemunho contra o teu próximo.

¹⁷ Não cobiçarás..."

As estipulações são explicadas mais detalhadamente em Êxodo 21–23. Então, em Êxodo 24.1-11, o pacto é lido publicamente, com Deus e o povo servindo como testemunhas. Êxodo 25.21 afirma que a aliança deve ser colocada na arca no Santo dos Santos, que é ao mesmo tempo a sala do trono de Deus e o templo de Israel. Onde estão as bênçãos e maldições? De fato, Israel quebra a aliança antes mesmo de terem a chance de recitá-las. Elas só aparecem finalmente em Deuteronômio 27 e 28.

A aliança mosaica não é o único lugar em que vemos uma estrutura pactual. Ainda assim, usei mais tempo para desenvolver este exemplo para que você veja que uma aliança não é meramente um "contrato" ou uma "promessa", do modo como entendemos essas coisas. Antes, é um vínculo que estabelece um relacionamento que engloba tudo. Uma aliança não é meramente uma obrigação financeira ou um tratado militar. É uma reivindicação de lealdade e fidelidade total de alguém. Ela tem uma estrutura de autoridade em si, com obrigações, bênçãos e maldições contínuas. Além disso, ela é geracional. Quando Israel entrou na aliança, eles o fizeram pelas gerações ainda por vir.

Mas não apenas um pacto foi escrito; ele também foi *cortado*. O termo do Antigo Testamento para fazer uma aliança é, de fato, cortar uma aliança. Isso porque uma aliança quase sempre envolvia o derramamento de sangue, como sinal e selo da aliança. Em Êxodo 24, Moisés sacrificou novilhos, tomou o sangue deles e o aspergiu tanto no altar como no povo como "o sangue da aliança". No antigo Oriente Próximo, os animais não eram apenas sacrificados, mas também mutilados, divididos em dois, ou tinham uma perna enfiada na garganta, tudo como um sinal do que aconteceria com o vassalo e seu povo se eles quebrassem a aliança. Como Palmer Robertson disse de maneira perspicaz, uma aliança não é simplesmente um vínculo; é um vínculo de sangue,[26] um compromisso de lealdade e parceria assegurado com a vida do mediador da aliança, o rei vassalo. Ele não morria realmente para garantir a aliança, mas era representado vicariamente pelos animais sacrificados e mutilados. Talvez você já consiga começar a ver como isso é importante para entender não apenas Êxodo 20, mas Marcos 14 e Hebreus 9.

DOIS TIPOS DE ALIANÇAS

Se essa é a estrutura básica da aliança como a encontramos na Bíblia, preciso apresentar uma variação importante. Às vezes, por causa da magnanimidade de seu coração, um grande rei decidia entrar em uma aliança sem estipulações. Nessa aliança, não havia condições ou termos que o vassalo tinha que guardar, nada de "obedeça e eu o abençoarei; desobedeça, e eu o amaldiçoarei". Em vez disso, o grande rei simplesmente empenhava a si mesmo, sua palavra e seus recursos como fiador das bênçãos da aliança. Em contraste com o pacto das obras padrão, esse tipo de aliança é o que chamaríamos de pacto de graça.

No antigo Oriente Próximo, você pode encontrar um pacto de graça quando um grande rei concede uma herança inalienável a um valente

---

26 Robertson, *O Cristo dos Pactos*, p. 7ss.

guerreiro ou servo fiel. Nós também vemos esse tipo de aliança no Antigo Testamento. Gênesis 15.9-21 é talvez o melhor exemplo. Ali, Deus promete a Abraão uma herança. E para garantir, Deus sela sua promessa com um juramento. Os animais são divididos em dois, e uma das partes da aliança caminha pela trilha suja de sangue. Mas é Deus, não Abraão, quem faz essa caminhada. De fato, Deus diz: que me aconteça o que aconteceu com esses animais, se eu deixar de cumprir minha promessa a Abraão. O que Abraão tem que fazer em troca? Nada, exceto continuar crendo em Deus.

Portanto, temos dois tipos de pactos: pactos das obras e pactos da graça.[27] Ambos seguem o mesmo tipo de padrão. Mas a diferença crucial está em quem faz o juramento e se compromete a sofrer as maldições, caso o pacto seja quebrado. Como veremos, essa diferença é a diferença entre salvação e condenação, entre céu e inferno. Todos nós merecemos sofrer as consequências da quebra de uma aliança com Deus. Mas Jesus sofreu essas consequências por nós — se, como Abraão, nos arrependermos e crermos na promessa de Deus.

AS ALIANÇAS DAS ESCRITURAS

Eu me referi à aliança que vemos em Êxodo 20 e mencionei a nova aliança que Jesus fez com seu próprio sangue. No entanto, estas não são as únicas alianças nas Escrituras. De fato, as alianças são uma característica bastante proeminente de toda a Bíblia. Quero apresentar brevemente os sete principais exemplos de alianças na Bíblia. Resumi algumas das principais características na tabela mais adiante. Essas alianças fornecem uma estrutura para a narrativa como um todo. A palavra aliança ou

---

[27] Ao dizer isso, sei que, de fato, os contextos textuais de toda e qualquer aliança são mais complexos do que essa simples classificação binária. Essa complexidade flui do fato de que toda aliança entre Deus e o homem implica uma graciosa condescendência e uma iniciativa prévia da parte dele. A graça de Deus também nos muda e redefine, e assim coloca novas obrigações e expectativas sobre os que recebem a graça. No entanto, apesar de todas as suas limitações, a distinção nos ajuda a articular a natureza unilateral da salvação — é Deus somente, na pessoa do Filho encarnado, que cumpre os termos e carrega a maldição do pacto das obras, conquistando assim a recompensa de uma humanidade redimida, salva totalmente pela graça.

pacto não é necessariamente usada em cada caso, mas estou seguindo uma antiga lei hermenêutica: se parece um pato e soa como um pato, provavelmente é um pato.

Aliança da criação
Esta é a aliança inicial feita com Adão em Gênesis 2.15-17. Como Romanos 5 deixa claro, ele entrou nessa aliança como representante de toda a raça humana. Suas bênçãos ou maldições recairiam sobre todos nós. A bênção estava implícita — a promessa da vida eterna sem pecado. A maldição foi a morte. A estipulação era abster-se de comer da Árvore do conhecimento do bem e do mal, além de cultivar e guardar o jardim do Éden. Em Gênesis 3, a lealdade de Adão e Eva a Deus foi testada. Eles falharam no teste e quebraram as estipulações. As maldições seguiram imediatamente e continuam a encontrar seu curso por toda a história e em cada uma das nossas vidas.

Aliança da redenção
Esta é uma aliança intratrinitária em que o Pai, o Filho e o Espírito Santo entram em acordo para realizar a redenção de um povo. Esta aliança está implícita em Gênesis 3.15 e referida em outras passagens do Antigo e do Novo Testamentos (cf. Is 49, Sl 2, Sl 110, Jo 5, Ap 5). O que é interessante sobre Gênesis 3.15 e o que sugere que há uma aliança por trás dessas palavras é que, no meio da maldição sobre a serpente, o próprio Deus assume obrigações e faz promessas. Esta aliança torna-se a base do pacto da graça em todas as suas várias administrações. Seus contornos são repetidos ao longo das Escrituras.

Aliança de Noé
Esta aliança é feita com Noé e todas as criaturas vivas em Gênesis 9.8-17. É considerada um pacto de graça por causa da promessa

unilateral da parte de Deus. É considerada um pacto de graça *comum* porque se aplica a todas as pessoas, quer confiem em Deus ou não. O propósito deste pacto é fornecer o campo no qual a história da redenção seguirá seu curso. O julgamento é adiado até que a redenção seja totalmente cumprida. Assim, muito apropriadamente, o sinal desta aliança é o arco-íris, um símbolo de Deus, o arco de Deus, o guerreiro, colocado em repouso!

Aliança de Abraão

Esta aliança está registrada em Gênesis 15.1-21 e retoma o propósito original de Deus com Adão — a criação de um povo que mostrará sua glória como vice-regentes sobre a terra, que carregam sua imagem. No entanto, não é feito com toda a humanidade, mas com Abraão e sua descendência. Deus faz exigências de obediência a Abraão, mas este é fundamentalmente um pacto de graça. Deus promete a Abraão um povo e um lugar sob seu governo benevolente, e as bênçãos deste pacto eventualmente fluirão para toda a terra. O sinal da aliança — a circuncisão — é dado em Gênesis 17.[28]

Aliança de Moisés

Esta aliança é estabelecida em Êxodo 20–25 e restabelecida em Deuteronômio. Ele se baseia na aliança abraâmica, desenvolvendo detalhadamente o que os vice-regentes de Deus deveriam ser: um reino santo, diferente da descendência da serpente, que abençoa a terra justamente por sua diferença (Dt 4.5-8; cf. Êx 19.4-6). Ao contrário da aliança abraâmica, no entanto, este é um pacto de obras.[29] Os juízes, sucessores de Moisés, são os mediadores seguintes da aliança. Embora o sinal da circuncisão permaneça, Deus declara em Êxodo 31.12-18 que o sinal corporativo desta

---

[28] Há discordância entre os estudiosos sobre este ser um pacto diferente ou não.

[29] Dentro da tradição reformada, a posição majoritária afirma que a aliança mosaica é um pacto de graça, porém alguns batistas reformados e John Owen consideram-no como um pacto das obras [N.E].

aliança é o sábado. A bênção desta aliança era a posse contínua da Terra Prometida. A maldição da aliança era o exílio.

Aliança de Davi

Esta aliança é estabelecida em 2 Samuel 7 e dá a responsabilidade de a nação, principalmente o rei, refletir a glória de Deus. Ele agora representa todos, e assim é chamado de filho de Deus, assim como foi Israel no Êxodo, e Adão no princípio. A vice-regência está mais uma vez concentrada em uma única pessoa. Ele é chamado para cumprir a aliança mosaica (Dt 17.18-20), e a aliança promete disciplina se ele não o fizer (2Sm 7.14). Ainda assim, o pacto continua a ser um pacto unilateral de graça, uma vez que Deus garante pessoalmente a Davi a herança do trono de Israel. O sinal da aliança é o nascimento de um filho.

Nova aliança

Esta aliança final de graça é prometida tanto em Jeremias 31.27-34 como em Ezequiel 36.24-28 (cf. Dt 30.6-8). Ela não é cumprida e estabelecida até a vinda de Cristo, que assume e cumpre as várias tramas dos pactos anteriores. Ele é a imagem perfeita (Cl 1), o descendente prometido (Gl 3), o verdadeiro Filho (Mt 3) e o Rei messiânico (Mt 21).

Os profetas contrastam explicitamente essa aliança com a antiga aliança mosaica. Ao contrário daquela, esta nova aliança não seria quebrada. Esta é a aliança que Jesus declara que está estabelecendo em Mateus 26.27-30 ao derramar seu sangue na cruz. De fato, Jesus media esta aliança se colocando diante de Deus como nosso representante substitutivo (Rm 5). Ele assegura a aliança assumindo a maldição de Gênesis 3 e da aliança mosaica por meio de sua morte na cruz (Gl 3.13). Aqueles que confiam em Cristo, portanto, não estão mais sob a maldição da antiga aliança, mas são livres para desfrutar das bênçãos do perdão e da reconciliação com Deus. Apropriadamente, o sinal da nova vida desta aliança é o batismo (Rm 6).

TEOLOGIA BÍBLICA PRÁTICA

TABELA DAS PRINCIPAIS ALIANÇAS BÍBLICAS

Nome	Tipo	Bênção	Maldição	Sinal	Texto
Criação	Obras	Vida eterna sem pecado	Morte física e espiritual	A árvore da vida (?)	Gn 2.15-17
Redenção	Obras (intra-trinitário)	Redenção na descendência da mulher	Julgamento na descendência da serpente	Inimizade entre as descendências	Gn 3.15
Noé	Graça	Julgamento adiado	Nenhuma	Arco-íris	Gn 9.8-17
Abraão	Graça	Um lugar e povo sob o governo de Deus, bênção às nações	Nenhuma	Circuncisão	Gn 15, 17
Moisés	Obras	Posse da terra	Exílio	Sábado	Ex 20ss
Davi	Graça	Reino eterno	Nenhuma	Um filho	2Sm 7
Nova	Graça	Perdão e vida eterna no reino de Deus	Nenhuma	Batismo	Jr 31.27-34; Mt 26.27-30

Estudar essas alianças é estudar a revelação de Deus sobre como ele se relaciona com seu povo na história. Quando reconhecemos isso, percebemos logo que a maneira como essas várias alianças se relacionam entre elas é uma questão de real importância para a compreensão da história da Bíblia. Também percebemos que é importante entender sob qual aliança estamos como crentes do Novo Testamento, e sob qual aliança qualquer texto das Escrituras que estamos lendo está. Caso contrário, corremos o risco de atribuir inapropriadamente a nossa situação pactual a uma passagem, ou, inversamente, de aplicar um acordo anterior de aliança a nós mesmos.

Agora que analisamos as alianças, podemos finalmente voltar aos três horizontes da autorrevelação de Deus nas Escrituras, onde começamos este capítulo. Como eu disse anteriormente, o capítulo 1 era uma discussão do primeiro horizonte, o horizonte textual. Há um segundo horizonte, o horizonte das eras, que é em grande parte determinado pelas alianças. À medida que a Bíblia prossegue, vemos que Deus muda seus arranjos pactuais em pontos-chave da história da redenção, e que ele se relaciona com o seu povo diferentemente, à medida que a história redentora se move de uma era de aliança para outra.

ERAS

Até este ponto, consideramos textos em seu contexto imediato. Por exemplo, a história da aliança de Deus com Abraão em Gênesis 15 pode ser entendida e interpretada unicamente em termos do que Deus está fazendo com Abraão. Mas quando recuamos um pouco, percebemos que o chamado de Abraão e o pacto que Deus faz com ele marcam um ponto de virada na história, e tudo o que se segue se baseia nisso. De Gênesis 12 a Êxodo 2, toda a narrativa gira em torno de entender como Deus é fiel à sua promessa a Abraão. Mas então, em Êxodo 2, com o nascimento de Moisés, nasce uma nova era. O povo de Deus é agora uma nação definida pelos eventos do Êxodo, e seu relacionamento com Deus é colocado em uma nova base. Esse relacionamento é descrito na aliança mosaica. A aliança abraâmica não acabou nem foi revogada, como Paulo mostrará em Gálatas 3. Mas algo novo está acontecendo, e estágios subsequentes da história agora têm que levar esta nova era em conta no plano contínuo de Deus.

Ao apontar diferentes eras, definidas por variadas alianças que têm termos diferentes, não quero dizer, como disseram alguns antigos dispensacionalistas, que Deus salvou as pessoas de maneiras diferentes em momentos distintos. Nada poderia estar mais longe da verdade. Deus não muda e nem suas promessas de salvação. Todos que são salvos o são pela fé nas promessas graciosas de Deus, à medida que ele as tenha revelado naquele ponto da história. E todas essas promessas encontram seu cumprimento na morte e ressurreição de Jesus Cristo (2Co 1.20).

No entanto, eu realmente quero dizer que a maneira pela qual Deus revela essa salvação se desenvolve, como uma semente crescendo até ser uma árvore. E reconhecer onde a passagem que você está estudando se encaixa nesse desenvolvimento é crucial para sua interpretação.

Por exemplo, Levítico 17 proíbe oferecer sacrifícios em qualquer lugar, exceto na Tenda do Encontro. Você não poderia oferecer sacrifícios em qualquer lugar. Mas Gênesis nos diz que Abraão construía um altar e oferecia sacrifícios onde quer que fosse. Assim, estaria Abraão quebrando a lei de Levítico 17? E, a propósito, onde você oferece seus sacrifícios nos dias de hoje?

Você entende onde quero chegar. Se quisermos entender corretamente a restrição de Levítico 17, a liberdade de Abraão e a liberdade ainda maior do cristão, precisamos entender cada passagem em seu contexto de eras. Abraão era um estrangeiro e um estranho em Canaã; ele ainda não havia recebido a Terra Prometida. Toda vez que construía um altar, ele estava declarando em esperança: esta é a terra de Deus! Israel, por outro lado, tomou posse de uma terra cheia de altares locais para todos os deuses imagináveis. Deus queria deixar claro para todo israelita que eles eram um povo único, com um único Deus. Além disso, esse único Deus havia revelado exatamente como, quando e onde seria adorado. O culto público seria, a partir de então, um ato que reunia o povo em sua unidade como uma nação de sacerdotes, em vez de fragmentá-lo e dispersá-lo para adorar como bem entendessem. Como cristãos, não mais sacrificamos animais, pois Cristo foi o sacrifício perfeito e final, de uma vez por todas (Hb 10).

A era é importante. É importante para interpretação. É ainda mais importante para a aplicação.

DIVIDINDO AS ERAS

Como decidimos onde uma era termina e outra começa? Como eu disse, as alianças servem como marcadores. Mas nós temos mais ajuda além dessa. Os autores bíblicos apontam o caminho. A divisão mais óbvia ocorre entre o Antigo e o Novo Testamentos. Em Romanos 5, Paulo fala da divisão do tempo antes e depois da promulgação da lei mosaica, bem como a divisão antes e depois da queda de Adão. Em Gálatas 3, ele descreve a era mosaica como um período de um aio, ou guardião: ela preparou, mas não entregou a humanidade à salvação. Pedro marca uma importante divisão da história mundial no dilúvio em 2 Pedro 3.6, 7 e então prossegue em expectativa por outro mundo ainda por vir. Em Atos 7, Estevão divide a história na era dos patriarcas, na era mosaica e na monarquia. Em Isaías 63-64, Isaías contrasta o tempo de Abraão e o tempo de Moisés com o período exílico, concluindo com uma oração por outro evento como o do Sinai, no qual Deus rompe os céus e desce para redimir seu povo.

Mas não precisamos apenas entender as divisões, também precisamos prestar atenção aos principais temas e preocupações de cada era. O período patriarcal está muito preocupado com a fé nas promessas de Deus. Por outro lado, embora não tenha abandonado a fé, o período mosaico mais claramente toca a nota do povo de Deus como santo e distinto do mundo. Também estabelece o tema do julgamento. A monarquia continua esses temas, mas acrescenta outro — o Rei Messias, o defensor e representante da nação. Ele se identifica tanto com o povo que não é exagero dizer que como vai o rei vai também a nação.

Então, para resumir o que cobrimos até agora: se desejamos entender um texto das Escrituras, precisamos entender as palavras, sentenças e parágrafos por meio do método histórico-gramatical. Tendo feito isso, então temos que fazer a pergunta: que aliança(s) governa(m) o povo de Deus nesse momento? Responder a essa pergunta nos ajudará a entender em que era o texto está. Somente nesse ponto veremos como o texto se ajusta à revelação de Deus até a época, e como ele funcionou para a fé e a obediência do povo de Deus.

TEOLOGIA BÍBLICA PRÁTICA

CÂNONE

Há outro horizonte que precisamos considerar se queremos entender um texto em seu contexto amplo e completo, e esse é o contexto canônico. De Moisés a João, a convicção de todos os autores bíblicos é que Deus é fiel. Ele faz promessas em uma era e as cumpre em outra. O cumprimento pode parecer diferente do que as pessoas esperavam, mas há uma continuidade fundamental em toda a amplitude da história, porque Deus cumpre a sua Palavra.

É tarefa deste último horizonte de interpretação, esta leitura contextual final, discernir como tudo se encaixa. Vamos voltar a Gênesis 15 e à aliança com Abraão. O horizonte textual faz perguntas como: qual o sentido do corte de animais, e o que isso significou para Abraão? O horizonte das eras faz perguntas como: como essa promessa foi cumprida e mantida na vida de Isaque, Jacó e José, e como isso se relaciona com a partida da família patriarcal da terra para o Egito e seu eventual êxodo? O horizonte canônico faz perguntas como: como esta promessa se relaciona com a nova aliança estabelecida no sangue de Cristo? Em que sentido os cristãos são a descendência de Abraão e, por isso, participantes dessa promessa? Deveríamos esperar uma herança na Palestina, ou a revelação posterior sugere que as promessas de terra/descanso são cumpridas em Cristo de outra maneira?

Se queremos aplicar as Escrituras corretamente em nossas vidas, especialmente o Antigo Testamento e os Evangelhos, então devemos considerar o horizonte canônico. Afinal de contas, nós não apenas vivemos na era do Novo Testamento, em oposição à era do Antigo Testamento, nós vivemos após a ressurreição. Por que essa última distinção faz diferença? Considere Lucas 17.14, por exemplo, onde Jesus diz aos dez leprosos que ele curou: "Ide e mostrai-vos aos sacerdotes". Independentemente do que pensamos sobre cura milagrosa hoje, não podemos nos mover diretamente desse texto para nossas vidas pela simples razão de que não vivemos sob a lei mosaica sobre leprosos, ao passo que Jesus e aqueles homens viviam.

Mas o que o horizonte canônico também significa é que não há como entender Jesus e o restante do Novo Testamento sem compreendê-lo à luz do Antigo. Jesus é repetidamente apresentado como um segundo Adão (Rm 5), um segundo Moisés (Mc 6; Jo 5), um segundo Davi (Mt 12) e um segundo Salomão (Lc 11). A salvação que ele trouxe é descrita como um segundo Êxodo (Hb 12) e um retorno do exílio (Lc 4); e a igreja é descrita como um templo vivo (1Pe 2) e o Israel de Deus (Gl 6). Como vamos entender e aplicar esses textos do Novo Testamento, se não tivermos lidado com o contexto canônico, da história como um todo? Da mesma forma, a menos que tenhamos este contexto maior, todo o Antigo Testamento não é nada mais do que uma simples cronologia que nos leva a Jesus. É uma história interessante, se você gosta desse tipo de coisa, mas é de resto amplamente irrelevante. No entanto, quando você lê o Antigo Testamento com uma visão canônica, começa a perceber que Jesus salta de todas as páginas.

REUNINDO TUDO

Eu quero concluir com uma breve demonstração de como esses três horizontes se juntam quando olhamos para um único texto da Escritura. Vamos usar o Salmo 18 para o nosso exemplo.

> [1]Eu te amo, ó Senhor, força minha. [2] O Senhor é a minha rocha, a minha cidadela, o meu libertador; o meu Deus, o meu rochedo em que me refugio; o meu escudo, a força da minha salvação, o meu baluarte. [3] Invoco o Senhor, digno de ser louvado, e serei salvo dos meus inimigos. [4] Laços de morte me cercaram, torrentes de impiedade me impuseram terror. [5] Cadeias infernais me cingiram, e tramas de morte me surpreenderam. [6] Na minha angústia, invoquei o Senhor, gritei por socorro ao meu Deus. Ele do seu templo

ouviu a minha voz, e o meu clamor lhe penetrou os ouvidos. ⁷ Então, a terra se abalou e tremeu, vacilaram também os fundamentos dos montes e se estremeceram, porque ele se indignou. ⁸ Das suas narinas subiu fumaça, e fogo devorador, da sua boca; dele saíram brasas ardentes. ⁹ Baixou ele os céus, e desceu, e teve sob os pés densa escuridão. ¹⁰ Cavalgava um querubim e voou; sim, levado velozmente nas asas do vento. ¹¹ Das trevas fez um manto em que se ocultou; escuridade de águas e espessas nuvens dos céus eram o seu pavilhão. ¹² Do resplendor que diante dele havia, as densas nuvens se desfizeram em granizo e brasas chamejantes. ¹³ Trovejou, então, o Senhor, nos céus; o Altíssimo levantou a voz, e houve granizo e brasas de fogo. ¹⁴ Despediu as suas setas e espalhou os meus inimigos, multiplicou os seus raios e os desbaratou. ¹⁵ Então, se viu o leito das águas, e se descobriram os fundamentos do mundo, pela tua repreensão, Senhor, pelo iroso resfolgar das tuas narinas. ¹⁶ Do alto me estendeu ele a mão e me tomou; tirou-me das muitas águas. ¹⁷ Livrou-me de forte inimigo e dos que me aborreciam, pois eram mais poderosos do que eu. ¹⁸ Assaltaram-me no dia da minha calamidade, mas o Senhor me serviu de amparo. ¹⁹ Trouxe-me para um lugar espaçoso; livrou-me, porque ele se agradou de mim. ²⁰ Retribuiu-me o Senhor, segundo a minha justiça, recompensou-me conforme a pureza das minhas mãos. ²¹ Pois tenho guardado os caminhos do Senhor e não me apartei perversamente do meu Deus. ²² Porque todos os seus juízos me estão presentes, e não afastei de mim os seus preceitos. ²³ Também fui íntegro para com ele e me guardei da iniquidade. ²⁴ Daí retribuir-me o Senhor, segundo a minha justiça, conforme a pureza das minhas mãos, na sua presença. ²⁵ Para com o benigno, benigno te mostras; com o íntegro, também íntegro. ²⁶ Com o puro, puro te mostras; com o perverso, inflexível. ²⁷ Porque tu salvas o povo humilde, mas os olhos altivos, tu os abates. ²⁸ Porque fazes resplandecer a minha lâmpada; o Senhor, meu Deus, derrama luz nas minhas trevas. ²⁹ Pois contigo desbarato exércitos, com o meu Deus salto muralhas. ³⁰ O caminho de Deus é perfeito; a palavra do Senhor é provada; ele é escudo para todos os que nele se refugiam. ³¹ Pois quem é Deus, senão o Senhor? E quem é rochedo, senão o nosso Deus? ³² O Deus que me revestiu de força e aperfeiçoou o meu caminho, ³³ ele deu a meus pés a ligeireza das corças e me firmou nas minhas alturas. ³⁴ Ele adestrou as minhas mãos para o combate, de sorte que os meus braços vergaram um arco de bronze. ³⁵ Também me deste o escudo da tua salvação, a tua direita me susteve, e a tua clemência me engrandeceu. ³⁶ Alargaste sob meus passos o caminho, e os meus pés não vacilaram. ³⁷ Persegui os meus inimigos, e os alcancei, e só voltei depois de haver dado cabo deles. ³⁸ Esmaguei-os a tal ponto, que não puderam levantar-se; caíram sob meus pés. ³⁹ Pois de força me cingiste para o combate e me submeteste os que se levantaram contra mim. ⁴⁰ Também puseste em fuga os meus inimigos, e os que me odiaram, eu os exterminei. ⁴¹ Gritaram por socorro, mas ninguém lhes acudiu; clamaram ao Senhor, mas ele não respondeu. ⁴² Então, os reduzi a pó ao léu do vento, lancei-os fora como a lama das ruas. ⁴³ Das contendas do povo me livraste e me fizeste cabeça das nações; povo que não conheci me serviu. ⁴⁴ Bastou-lhe ouvir-me a voz, logo me obedeceu; os estrangeiros se me mostram submissos. ⁴⁵ Sumiram-se os estrangeiros e das suas fortificações saíram, espavoridos. ⁴⁶ Vive o Senhor, e bendita seja a minha rocha! Exaltado seja o Deus da minha salvação, ⁴⁷ o Deus que por mim tomou vingança e me submeteu povos; ⁴⁸ o Deus que me livrou dos meus inimigos; sim, tu que me exaltaste acima dos meus adversários e me livraste do homem violento. ⁴⁹ Glorificar-te-ei, pois, entre os gentios, ó Senhor, e cantarei louvores ao teu nome. ⁵⁰ É ele quem dá grandes vitórias ao seu rei e usa de benignidade para com o seu ungido, com Davi e sua posteridade, para sempre.

TEOLOGIA BÍBLICA PRÁTICA

O salmo descreve a aflição de Davi e a libertação de Deus sobre ele. Começa com uma declaração resumida deste tema e, em seguida, descreve a agonia de Davi e a libertação de Deus. O restante do salmo, em seguida, medita sobre por que Deus libertou Davi, o que isso revela sobre o caráter de Deus e como Deus o exaltou como rei, para o louvor da fidelidade pactual de Deus.

No *horizonte textual*, notamos imediatamente as imagens vívidas. Davi foi oprimido, como um homem pego em uma inundação. Mas Deus foi fiel. Os versículos 4 e 5 dão um exemplo claro do paralelismo hebraico, cujo efeito é enfatizar o extremo da situação de Davi e, portanto, a magnitude da salvação de Deus. Nesse nível, o salmo é uma canção de agradecimento pessoal pela libertação dos inimigos e pelo sucesso em seu chamado como rei. Se parássemos de ler agora, o cristão poderia ser tentado a se apropriar desse salmo como uma expressão pessoal de ação de graças quando Deus nos conduz em meio às nossas próprias provações. Como veremos, conquanto esta aplicação não seja totalmente inapropriada, ela sinceramente perde o ponto principal do salmo e, portanto, sua principal aplicação.

No *horizonte das eras*, não podemos deixar de notar nos versículos 6 a 19 que Davi se baseia nas imagens de Deus descendo no Monte Sinai e em outros eventos do Êxodo e da conquista. Parece um pouco grandioso e poético ao extremo, até nos lembrarmos que durante a monarquia, o rei representava a nação, e ele falou de seu relacionamento com Deus nesses termos. Davi não está apenas falando como um cidadão particular de Israel. Isso também nos ajuda a entender sua linguagem de fidelidade pactual nos versículos 20 a 29. Davi não está afirmando que ele é pessoalmente sem pecado, mas que ele tem sido fiel à aliança em nome do povo. Além disso, seu triunfo sobre seus inimigos, nos versos 37 a 42, é claramente inspirado na imagem da guerra santa encontrada em Josué. Então, novamente, o que estamos ouvindo não é vingança pessoal, mas fidelidade à aliança. Finalmente, os versículos 43 e posteriores apontam para além do contexto Mosaico, para o pacto davídico de 2 Samuel 7. Davi se regozija no estabelecimento de seu trono, não por orgulho pessoal, mas em louvor à fidelidade de Deus, que cumpre suas promessas. Assim, longe de ser apenas uma canção pessoal de ação de graças, este salmo é um testemunho da fidelidade pactual de Deus, que continua a salvar seu povo, como fez no êxodo, por meio da vindicação de seu ungido.

No *horizonte canônico*, vemos que este salmo é finalmente cumprido em Jesus Cristo, o Rei ungido que experimentou os laços da sepultura não apenas figurativa, mas literalmente. E ele foi fiel não apenas à aliança de Moisés, mas também à aliança de Deus com Adão. O Salmo 18 encontra seu verdadeiro sentido nos lábios de Jesus, que é literalmente Deus descendo para salvar seu povo, mas que realiza essa salvação, ironicamente, sofrendo as dores da morte que o povo merecia. No entanto, como Davi antes dele, cuja vida ele cumpre e inclusive sobrepuja, Jesus é vindicado por Deus por meio de sua ressurreição dos mortos e seu triunfo sobre todos os seus inimigos. Ele foi coroado rei das nações para sempre, e logo chegará o dia em que todo joelho se dobrará, e toda língua confessará "que Jesus Cristo é Senhor, para glória de Deus Pai" (Fp 2.10, 11). Em última análise, o Salmo 18 não é apenas o cântico pessoal de louvor de Davi, ou o salmo nacional de ação de graças de Israel. É uma descrição profética da vindicação do Filho de Deus e uma promessa profética de que ele reinará sobre as nações para todo o sempre. É, em outras palavras, um salmo pelo qual passamos a conhecer Jesus, nosso Salvador e nosso Rei.

A aplicação deste salmo e sua utilidade para o ministério cristão certamente inclui um encorajamento a que o cristão agradeça a Deus quando ele nos liberta de nossas próprias provações mundanas. Mas quando lidos à luz do cânone como um todo, não podemos parar em uma aplicação tão estreitamente autocentrada. Em vez disso, nossos olhos são atraídos para Jesus, aos sofrimentos que ele conheceu na cruz e à libertação que ele experimentou na ressurreição. E vemos que seu sofrimento e sua libertação não foram meramente para o nosso perdão, mas para obter um reino.

Só depois de ter visto isso, nossos olhos voltam para nós mesmos. Mas agora nos vemos de maneira diferente, pois fomos lembrados de que, quaisquer que sejam as provações que tenhamos experimentado nesta vida, elas não são nada em comparação com a gloriosa libertação da morte que Jesus conquistou para nós. Somos lembrados de que, embora possamos conhecer a oposição dos homens agora, está chegando o dia em que "o reino do mundo se [tornará] de nosso Senhor e do seu Cristo" (Ap 11.15). Quando lemos a Bíblia à luz do todo, não apenas os horizontes de nossa interpretação se expandem, mas nossos próprios horizontes se expandem também.

CAPÍTULO 3

TEOLOGIA BÍBLICA 2: PROFECIA, TIPOLOGIA E CONTINUIDADE

Como você se sente ao pregar sobre o Antigo Testamento? Se você é como muitos pastores evangélicos, é provável que se sinta mais confortável nas epístolas paulinas do que nos profetas menores, e não apenas porque não se lembra de nada do hebraico do seminário. Quando foi a última vez que você pregou uma mensagem evangelística do Antigo Testamento em vez de pregar nos Evangelhos? Se sua resposta for "nunca", não se preocupe, você não está sozinho.

Por outro lado, se pedirem a você para desenvolver um curso de seis semanas sobre liderança bíblica, você consegue pensar em um texto melhor do que Neemias? Ou que tal planejar um *workshop* de fim de semana sobre administração financeira segundo a Bíblia? Claro, há muitos textos para se basear, mas os Provérbios não funcionariam bem como um recurso central? E consegue sequer imaginar ensinar uma aula sobre paternidade que não comece com Deuteronômio 6?

Eu acho que para a maioria de nós na liderança da igreja, particularmente aqueles de nós que ensinam, a Bíblia se divide razoavelmente nas porções que proclamam o evangelho e edificam a igreja, e aquelas porções que nos ensinam a viver vidas éticas e piedosas. E embora haja alguma sobreposição entre os dois, essa divisão, na maior parte, parece estar entre o Antigo e o Novo Testamentos. Há muitas razões para essa divisão — algumas históricas e outras teológicas. Meu ponto não é explicar o fenômeno, mas simplesmente comentar sobre como isso é frequente. Recentemente ouvi até um conhecido pastor de igreja afirmar que nunca pregou e nem pretende pregar no Antigo Testamento no domingo pela manhã, pela simples razão de que ele é um pregador do evangelho. O Antigo Testamento é reservado em sua igreja para as noites de domingo e outros contextos.

Aplaudo seu compromisso de ser um pregador do evangelho, e, no entanto, não posso deixar de considerar sua suposição — compartilhada com tantos líderes evangélicos da igreja — de que pregar e ensinar o evangelho significa pregar e ensinar o Novo Testamento. Para começar, Deus nos deu toda a Bíblia, não apenas o Novo Testamento. Podemos crer que ele quis que os primeiros três quartos da Bíblia fossem usados para mais do que histórias morais e panoramas históricos? Ainda mais, Jesus e os apóstolos fizeram toda sua pregação do evangelho a partir do Antigo Testamento. Claro, eles também escreveram o Novo Testamento como resultado. Mas estou convencido de que sua pregação do evangelho no Antigo Testamento não foi apenas porque ainda não haviam escrito o Novo Testamento. Penso que eles foram capazes de pregar o evangelho partindo da Lei e dos Profetas porque foi isso que eles encontraram lá. Meu objetivo neste capítulo é ajudar-nos a encontrá-lo lá também, e assim recuperar toda a Bíblia para o ensino do evangelho.

No capítulo anterior, consideramos os detalhes da história, as diversas alianças e as eras que elas formaram. Mas como organizamos os detalhes? Quais ferramentas nos ajudam a ler a história como uma única história sobre Cristo e o evangelho?

Antes de tudo, ao dizer que podemos encontrar o evangelho no Antigo Testamento, não quero dizer que o Novo Testamento é desnecessário. Como Hebreus 1.2 diz: "nestes últimos dias, nos falou *pelo Filho*". O ponto é que essa revelação é definitiva e final. Pedro nos diz que por meio da revelação de Cristo, "temos, assim, *tanto mais confirmada* a palavra profética" (2Pe 1.19). E, no entanto, não é interessante que Pedro conecte a revelação de Cristo à palavra dos profetas? E não é significativo que o livro de Hebreus explique Cristo por meio de um sermão extenso sobre o Pentateuco? O que ambos os autores estão ilustrando é que no Antigo Testamento temos o evangelho prometido, o evangelho predito, o evangelho em forma de semente. No Novo Testamento, essa semente torna-se plena flor, à medida que as promessas são cumpridas e as profecias são realizadas.

A relação entre as promessas feitas no Antigo Testamento e as promessas mantidas no Novo Testamento nos leva ao problema crucial que enfrentamos se quisermos ler toda a Escritura como Escritura cristã: como entendemos a dinâmica bíblica de promessa profética e cumprimento profético? Perceber essa relação e entendê-la corretamente é o que nos permite ler e ensinar cada texto como algo escrito não apenas para as pessoas daquela época, mas para nós hoje também. É o que nos permite afirmar que Paulo não tinha apenas o Novo Testamento, mas o Antigo Testamento em mente quando disse: "Toda a Escritura é inspirada por Deus e útil para o ensino, para a repreensão, para a correção, para a educação na justiça" (2Tm 3.16). Ele quis dizer até mesmo as genealogias e listas.

O CARÁTER PROFÉTICO DAS ESCRITURAS: CUMPRIMENTO DE PROMESSAS

Você não consegue avançar muito na Bíblia sem encontrar uma das características mais fundamentais da autorrevelação de Deus. Deus não é apenas um Deus que fala, ele é um Deus que faz promessas. Da promessa de julgamento em Gênesis 2.17 à promessa de salvação por meio do julgamento em Gênesis 3.5, até as promessas feitas a Noé e Abraão, Moisés e Davi, e até as palavras finais de Jesus aos seus discípulos antes de ascender ao céu em Mateus 28.20, Deus faz promessas ao seu povo.

DEUS HONRA SUAS PROMESSAS

Agora, se Deus fosse como nós, todas essas promessas seriam nada mais do que uma curiosidade. De fato, Deus não é como nós. Ele sempre cumpre suas promessas. E essa convicção da fidelidade de Deus fornece o fundamento da disposição mental dos autores bíblicos enquanto escrevem. Eles entendem que não estão apenas registrando os oráculos e promessas de Deus, mas também se entendem como testemunhas da fidelidade de Deus no cumprimento dessas promessas. E essa mesma perspectiva dá a eles fé e esperança em relação a promessas ainda a serem cumpridas, uma fé à qual eles também nos chamam.

Aqui, no caráter de Deus, está a cola que une as diversas partes do cânone; e confiar nessa cola permitiu que os escritores bíblicos escrevessem — e nós lêssemos — a Bíblia esperando que as promessas feitas outrora já tenham sido, ou que algum dia sejam, promessas cumpridas.

DEUS CUMPRE SEUS PLANOS DE ACORDO COM UM PADRÃO

Há várias coisas que precisamos entender sobre as promessas de Deus. Em primeiro lugar, suas promessas não são simplesmente boas intenções aleatórias. Antes, as promessas de Deus tanto apontam quanto delineiam um plano divino para a história — um plano para resgatar um povo para o louvor de sua glória, e para efetuar esse resgate, essa salvação, por meio de um julgamento que o próprio Deus suportaria em nosso favor. Em outras palavras, a história não é cíclica, uma "mera repetição" de padrões arquetípicos.[30] Ao contrário, a história está indo

---

30 Richard Lints, *The fabric of theology: A prolegomenon to evangelical theology* (Grand Rapids, MI: Eerdmans, 1993), p. 303.

para algum lugar. É linear. Está se desenvolvendo e progredindo em direção a um fim que Deus já preparou.

Segundo, os planos de Deus são cumpridos de acordo com vários padrões. Em outras palavras, a natureza linear da história não significa que ela seja imprevisível. Existe um Deus e um plano para resolver um problema com uma solução. A história, como a Escritura a apresenta, segue um padrão ou estrutura. Ela progride e se desenvolve, mas não aleatoriamente. Deus desenvolve seus *planos*, sim, mas uma vez que seus caminhos não mudam, ele desenvolve seus planos de acordo com certos *padrões*. Isso significa que o presente está ligado ao passado nas Escrituras, mas não como um ciclo de carma repetido infinitamente. Antes, a conexão entre o passado e o presente é mais parecida com o desenvolvimento de uma fuga de Bach ou a construção de um grande arranha-céu. O tema inicial, a forma original, está presente desde o início. Mas, no final, se desenvolve de tal forma que o produto acabado seja muito mais do que o padrão inicial parecia prometer.

Deixe-me ilustrar o que quero dizer. Em Gênesis 2.17, Deus prometeu que o pecado traria a morte, o que aconteceu a partir do pecado de Adão e Eva. Graciosamente, Deus também prometeu salvar a mulher e sua descendência em Gênesis 3.15. Como ele salvaria? No devido tempo, Deus daria ao seu povo o sistema de sacrifício animal como um substituto expiatório de seu pecado, o que vemos acontecendo com Abraão e Isaque em Gênesis 22, com a noite da Páscoa no Egito em Êxodo 11 e 12, e com o todo sistema de sacrifícios levíticos. (Martinho Lutero considerava que já era evidente também na morte dos animais que forneceram as roupas para Adão e Eva em Gênesis 3.21.) Mas espere um instante: você vê o padrão em ação aqui? Há a promessa de julgar e a promessa de salvar, mas para cumprir essas promessas, Deus estabeleceu um padrão de morte para o pecado, a menos que um substituto seja oferecido. Em última análise, no entanto, o padrão e o plano são cumpridos no sacrifício expiatório de Jesus Cristo na cruz. Ali, como Hebreus 9 nos diz, um sacrifício melhor foi oferecido, um que não precisa ser repetido porque era perfeito e suficiente. Na cruz, então, o *plano* de salvação de Deus é executado e cumprido, mas também o *padrão* de sacrifício que dá sentido ao plano. Os sacrifícios de animais e tudo o que os cercava cessam na igreja do Novo Testamento, não simplesmente porque não são necessários, mas porque foram cumpridos em Cristo. A promessa implícita de que um substituto seria fornecido para o povo de Deus foi honrada.

MÚLTIPLOS HORIZONTES DE CUMPRIMENTO

O caráter da Escritura como registro de uma história da redenção que é linear e que procede de acordo com um padrão nos ajuda a reconhecer que as promessas de Deus (profecias no sentido mais amplo do termo) tipicamente têm múltiplos horizontes de cumprimento. Além disso, cada cumprimento sucessivo ocorre não só mais adiante cronologicamente, mas é maior em importância tanto teológica como historicamente (ver gráfico 3.1).

Gráfico 3.1: Múltiplos horizontes de cumprimento profético

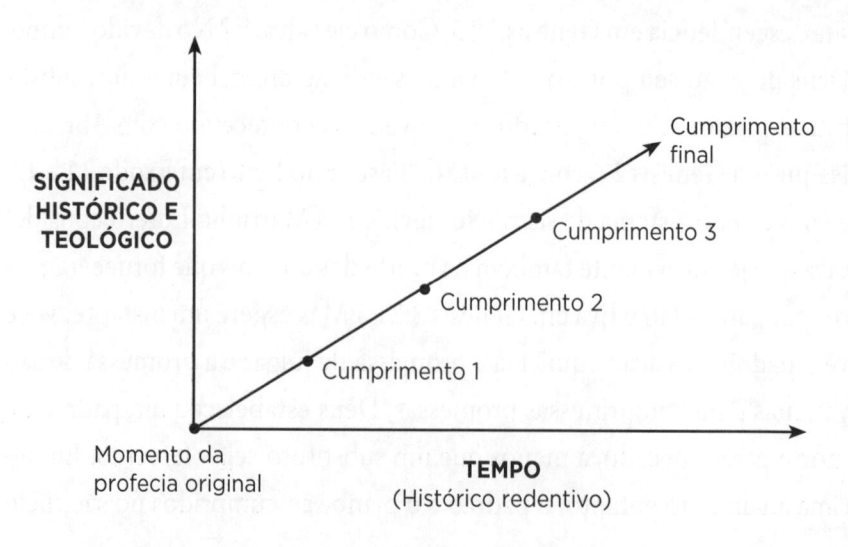

Este padrão de cumprimento faz pelo menos duas coisas por nós quando tentamos ler a Bíblia canonicamente. Por um lado, os vários cumprimentos nos ajudam a ver o modo pelo qual o padrão está se desenvolvendo e o plano está progredindo. Por outro lado, os vários cumprimentos nos ajudam a ser sensíveis às distintas ênfases das eras ao longo do caminho, ajudando a nos precaver contra a esperança na realização errada em nossa própria era.

Deixe-me dar um exemplo que ilustra tanto os múltiplos horizontes quanto o caráter cada vez maior do cumprimento das promessas de Deus. Considere a promessa de Deus a Abraão em Gênesis 12.1-3.

> Ora, disse o SENHOR a Abrão: Sai da tua terra, da tua parentela e da casa de teu pai e vai para a terra que te mostrarei; de ti farei uma grande nação, e te abençoarei, e te engrandecerei o nome. Sê tu uma bênção! Abençoarei os que te abençoarem e amaldiçoarei os que te amaldiçoarem; em ti serão benditas todas as famílias da terra.

Deus promete que Abrão, que não tem filhos, será o pai de uma grande nação que abençoará as nações da terra. Alguns versículos depois, em Gênesis 12.7, Deus promete dar à descendência de Abrão a terra de Canaã. Então essas são as promessas. Guardou-as em sua mente? Agora, observe como Deus honra suas promessas no desenrolar da história da redenção:

- A promessa de descendentes e uma grande nação começa a ser cumprida com o nascimento miraculoso de Isaque, e depois toma fôlego com Jacó e seus doze filhos. Séculos passam, mas Deus não terminou de cumprir sua promessa.

- Uma nova era surge com Moisés e a aliança do Sinai. E ali Israel, a descendência de Abraão, é constituída por Deus, não simplesmente como a família de Abraão, mas como uma nação santa para Deus. O livro de Josué registra então o primeiro cumprimento da promessa de Deus referente à terra, à medida que a nação entra e a conquista. Mas Deus ainda não terminou.
- Tanto a promessa de terra como a promessa de ser uma bênção para outras nações encontram cumprimento ainda maior no Rei Salomão. Sob Salomão, vemos as nações sendo abençoadas por sua sabedoria, e vemos pela primeira vez toda a Terra Prometida, desde o Eufrates até o Mar Mediterrâneo, do Líbano ao Sinai, sob o controle de Israel. Há paz de todos os lados. Mas Deus *ainda* não terminou.
- Como Paulo deixa claro em Gálatas e Romanos, a verdadeira descendência prometida não era Isaque, Jacó, Davi ou Salomão. Era Jesus. E por meio da fé em Jesus, homens e mulheres de todas as nações são abençoados, tornando-se filhos de Abraão. Esta família espiritual é também uma nação espiritual (1Pe 2.9) que se espalha até os confins da terra. E, no entanto, como Abraão, esta nação é mais uma vez sem uma casa, vivendo como estrangeiros e peregrinos no mundo (Hb 11). Se o padrão de cumprimento é verdadeiro, sabemos que deve haver ainda mais. Mesmo depois da cruz e ressurreição, mesmo depois do Pentecostes e da disseminação do evangelho pelo mundo, Deus ainda não terminou.
- De fato, há mais. De acordo com Hebreus 4 e Apocalipse 21 e 22, as promessas de uma grande nação na terra sob a bênção e o governo de Deus encontram seu cumprimento final em um novo céu e nova terra, no qual todo o povo de Deus, tanto do Antigo como do Novo Testamento, formam uma nova humanidade (Ef 2.14-22) na nova criação perfeita de Deus (ver gráfico 3.2).

Gráfico 3.2: Uma ilustração de como a profecia é cumprida em múltiplos horizontes

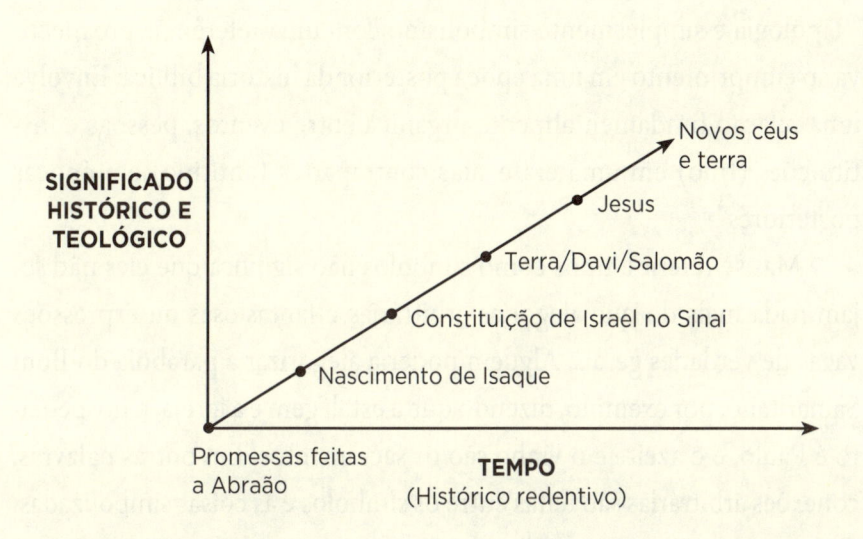

SIGNIFICADO HISTÓRICO E TEOLÓGICO

- Novos céus e terra
- Jesus
- Terra/Davi/Salomão
- Constituição de Israel no Sinai
- Nascimento de Isaque

Promessas feitas a Abraão

TEMPO (Histórico redentivo)

Então eu pergunto a você: quantas vezes a promessa a Abrão em Gênesis 12 foi cumprida por Deus? Não sou conhecido por minhas habilidades em matemática, mas conto pelo menos cinco vezes, todas claramente identificadas nas Escrituras. Cada uma é um cumprimento real, e cada uma é maior que a anterior.

TIPOLOGIA

Mas há mais no caráter profético das Escrituras do que o cumprimento direto de promessas feitas. Deus não apenas fala, ele também é o Senhor da história. Isso significa que Deus providencialmente ordena eventos e vidas individuais para que sirvam para prefigurar o que ainda está por vir. As Escrituras, portanto, registram a vida de pessoas reais e o curso de eventos reais, e ainda assim essas pessoas e eventos servem como analogias históricas que correspondem ao cumprimento futuro.

O que os tipos são e o que eles não são

A linguagem bíblica para isso é "tipo", que simplesmente significa "padrão" ou "exemplo".³¹ Um teólogo o descreve da seguinte maneira: "Tipologia é simplesmente simbolismo com uma referência prospectiva ao cumprimento em uma época posterior da história bíblica. Envolve uma relação fundamentalmente orgânica entre eventos, pessoas e instituições (tipo) em uma era e suas contrapartes (antítipo) em épocas posteriores".³²

Mas se referir a tipos como símbolos não significa que eles não sejam nada mais do que alegorias arbitrárias e fantasiosas ou expressões vagas de verdades gerais. Alguém poderia alegorizar a parábola do Bom Samaritano, por exemplo, dizendo que a estalagem é a igreja, o hospedeiro é Paulo, e o azeite e o vinho são os sacramentos. Em outras palavras, conexões arbitrárias são feitas entre os símbolos e as coisas simbolizadas. Com uma compreensão bíblica dos tipos, por outro lado, existe uma "relação orgânica entre alguns aspectos 'essenciais' do tipo e do antítipo".³³ Mais ainda, ao contrário de uma fábula, o tipo não foi inventado pelo autor para demonstrar um ponto simbólico. Antes, um tipo é uma pessoa histórica ou evento real que Deus ordenou providencialmente para apontar além de si mesmo. Na relação tipo-antítipo, há uma comparação de realidades *históricas* que estabelecem uma analogia ou padrão, que então se desenvolve e se expande organicamente.

Novamente, vamos considerar um exemplo das Escrituras. Em Romanos 5, Paulo está preocupado em explicar como é que a obediência de Cristo até à morte na cruz poderia trazer o dom da vida a pecadores como nós. Em Romanos 5.14, ele se refere a Adão como um padrão ou tipo de Cristo:

---

31 Uma boa e básica introdução a essa ideia pode ser encontrada em David L. Baker, *Two testaments, one Bible: A study of the theological relationship between the Old and New Testaments*, ed. rev. (Downers Grove, IL: InterVarsity Press, 1991), p. 185-189.
32 Lints, p. 304.
33 Ibid., p. 304, n. 17.

> Entretanto, reinou a morte desde Adão até Moisés, mesmo sobre aqueles que não pecaram à semelhança da transgressão de Adão, o qual prefigurava [tipo] aquele que havia de vir.

Esta não é uma coincidência aleatória ou imposição arbitrária de Paulo sobre os acidentes da história. Paulo está afirmando que Deus ordenou todas as coisas. E é nesse fundamento tipológico, diz Paulo, que o evangelho se apoia. Veja como ele desenvolve o ponto nos versículos seguintes.

> Todavia, não é assim o dom gratuito como a ofensa; porque, se, pela ofensa de um só, morreram muitos, muito mais a graça de Deus e o dom pela graça de um só homem, Jesus Cristo, foram abundantes sobre muitos. O dom, entretanto, não é como no caso em que somente um pecou; porque o julgamento derivou de uma só ofensa, para a condenação; mas a graça transcorre de muitas ofensas, para a justificação. Se, pela ofensa de um e por meio de um só, reinou a morte, muito mais os que recebem a abundância da graça e o dom da justiça reinarão em vida por meio de um só, a saber, Jesus Cristo.

Assim como Adão representou a raça humana, e assim levou toda a raça à condenação por meio de seu ato de desobediência, Paulo diz que Cristo, o segundo Adão, também era representante federal. Mas em vez de se rebelar contra Deus, Cristo obedeceu. E sua obediência agora traz vida e perdão para aqueles que estão em Cristo.

Paulo não está simplesmente fazendo uma comparação ou alegorizando Adão. Ele está defendendo uma correspondência histórica na qual o tipo, Adão, indica e encontra sua realização redentora no antítipo, Cristo. O primeiro nos ajuda a entender e até define para nós a obra e o significado do último. Mas Cristo não é apenas uma repetição de Adão.

TEOLOGIA BÍBLICA PRÁTICA

Como os múltiplos horizontes que vimos antes, o cumprimento no antítipo envolve uma diferença de grau. O tipo aponta para algo maior que ele mesmo. (ver gráfico 3.3.)

Poderíamos multiplicar os exemplos — Moisés, Josué, Davi, Salomão, Sansão e Jonas, só para citar alguns. Todos estes, de uma forma ou de outra, servem como tipos de Cristo, e são explicitamente identificados nas Escrituras apontando para Cristo. Ao fazer essas conexões, as eras do passado são ligadas ao presente pelos autores do Novo Testamento e vice-versa. Tipos literalmente costuram o tecido da Bíblia como uma única narrativa.

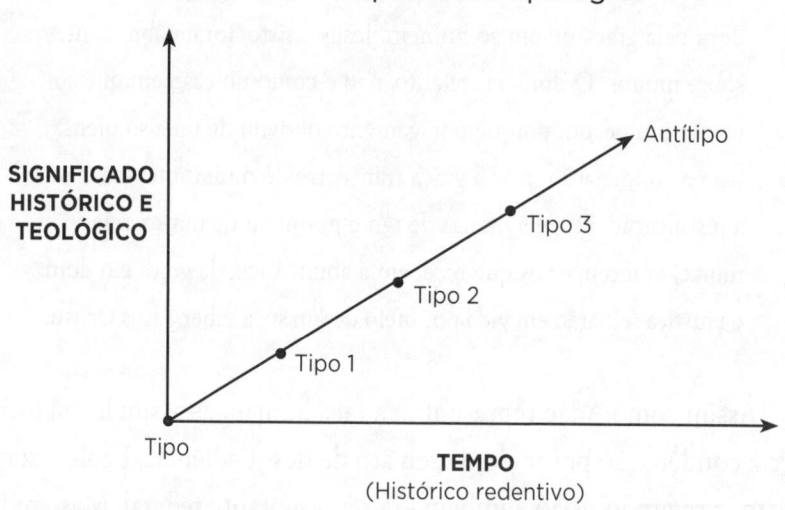

Gráfico 3.3: Cumprimento tipológico

Mas não é apenas o Novo Testamento que usa tipologia. O Antigo Testamento explica-se também nesses termos. Nos profetas, por exemplo, o cativeiro babilônico e o subsequente retorno do exílio são repetidamente explicados nos termos do êxodo (por exemplo, Is 49 e Jr 16). Ainda mais significativamente, a atividade redentora de Jesus nos Evangelhos e a proclamação dos apóstolos de Cristo são explicadas como um segundo êxodo (por exemplo, Mc 6 e 2Co 3). Como as promessas proféticas de Deus, o tipo nas Escrituras frequentemente encontra seu cumprimento em múltiplos antítipos, cada um apontando além de si mesmo para um ainda maior que está por vir. E isso é verdade até chegarmos a Jesus, que declarou ser ele o cumprimento e o objetivo da Lei e dos profetas (Mt 5.17; Lc 24.27).

Como identificar tipos

Há alguma restrição na identificação dos tipos? Sim, há. Há regras interpretativas para reconhecer e interpretar a relação entre tipo e antítipo nas eras da Escritura? Sim, há. É claro, às vezes os próprios escritores bíblicos fazem a conexão entre tipo e antítipo. Isso é o que a maior parte da carta aos Hebreus está fazendo, pois explica como o templo, o sacerdócio e o sistema sacrificial do Antigo Testamento apontavam todos como tipos para Cristo. É o que Paulo faz em Romanos 5 e 1 Coríntios 10. Uma vez que um autor bíblico faz uma conexão tipológica explícita em um texto, é justo ver essa conexão em todas as instâncias do tipo.

Mas temos alguma base para reconhecer tipos não identificados explicitamente por um autor bíblico? Creio que sim, mas somente quando seguimos o padrão já estabelecido pela própria Escritura. O pastor e estudioso Gordon Hugenberger, seguindo Louis Berkhof, ofereceu as seguintes diretrizes:[34]

1. Deve haver uma semelhança ou analogia real, histórica e essencial entre o tipo e o antítipo.
   Exemplo: o Rei Davi, que era realmente o rei ungido de Deus sobre o seu povo do Antigo Testamento, e o Rei Jesus, que é o Rei dos reis, o Rei ungido de Deus sobre o seu povo universal. Jesus é descendente de Davi e herdeiro das promessas da aliança davídica em 2 Samuel 7.

---

34 Gordon Hugenberger, "Introductory notes on typology," in G.K. Beale, ed., *The right doctrine from the wrong texts? Essays on the use of the Old Testament in the New* (Grand Rapids, MI: Baker, 1994), p. 338.

2. O tipo deve ser providencialmente projetado para prefigurar a atividade redentora final de Deus em Cristo. Isso significa que a similaridade acidental ou até mesmo temática não é suficiente para estabelecer uma conexão tipo/antítipo. "Deve haver alguma evidência bíblica de que ela foi planejada por Deus desta maneira". Exemplo: o jumento de Balaão repreende um falso mestre. Jesus repreende falsos mestres. Mas isso por si só não faz do jumento de Balaão um tipo de Cristo. O propósito do burro falando em Números 22 é ressaltar a estupidez de Balaão, e não de apontar, de algum modo obscuro, para Jesus.

3. Diferente de um mero símbolo, que representa uma verdade ou ideia geral, um tipo, por sua própria natureza, deve aguardar seu cumprimento específico e maior no antítipo.
Exemplo: no Antigo Testamento, o sangue é um símbolo da vida em geral. Cristo dá vida, mas o sangue não é um tipo de Cristo. Continua sendo um símbolo para a vida. No entanto, o cordeiro sacrificial, cujo sangue é derramado como substituto do pecador, é um tipo. Isso porque, como Hebreus aponta, o tipo apontava para um sacrifício maior, que seria verdadeiramente eficaz e finalmente suficiente.

Como passar e como não passar do texto para a aplicação

Outro benefício de compreender a tipologia é que ela nos impede de moralizar e alegorizar o Antigo Testamento. Toda vez que interpretamos um texto do Antigo Testamento, basicamente temos quatro opções para aplicação. Nossa primeira opção é decidir que não há aplicação. Este texto foi para "eles" apenas. Já deve estar claro que eu geralmente não considero essa uma opção. As outras três opções são moralismo, alegoria e tipologia. Eu tentei representar graficamente essas três opções nas ilustrações a seguir. Esse esquema me foi apresentado como o Retângulo de Clowney,[35] e o tenho usado repetidamente ao longo dos anos para demonstrar como a tipologia está enraizada no texto.

Muitas vezes, passamos diretamente do tipo do Antigo Testamento para a aplicação pessoal por meio do moralismo. Por exemplo, a história de Davi e Golias se torna um conto moral sobre como encontrar coragem em Deus. Nenhuma tentativa é feita para entender o texto em seu contexto original ou para relacioná-lo a Cristo. O movimento é direto do texto do Antigo Testamento para a aplicação contemporânea (ver gráfico 3.4).

Gráfico 3.4: Moralismo e aplicação pessoal

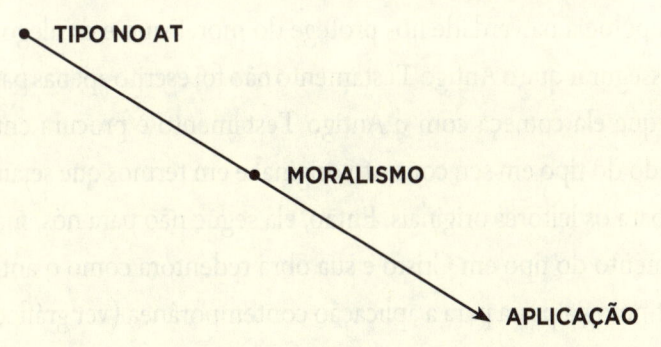

- TIPO NO AT
- MORALISMO
- APLICAÇÃO

Mais comum na Idade Média, mas não tão rara hoje, é a abordagem da alegoria. Nesse caso, começamos com ideias preconcebidas de aplicação e depois transformamos os detalhes da história do Antigo Testamento em símbolos que representam nossa aplicação. Por exemplo, as cinco pedras lisas tomadas por Davi para sua batalha contra Golias tornam-se "as cinco ferramentas de um pastor fiel": Escritura, oração, os sacramentos e duas outras coisas que você acha que seriam úteis para um pastor se concentrar! O movimento é de hoje voltando ao texto por meio de símbolos arbitrários que os leitores originais não teriam reconhecido como significativos (ver gráfico 3.5).

---

35 Ibid. É uma referência a Edmund Clowney, que primeiro desenhou algo assim para Gordon Hugenberger, que me ensinou isso. Desde então, foi publicado em Hugenberger, p. 339-341.

TEOLOGIA BÍBLICA PRÁTICA

Gráfico 3.5: Alegoria e aplicação pessoal

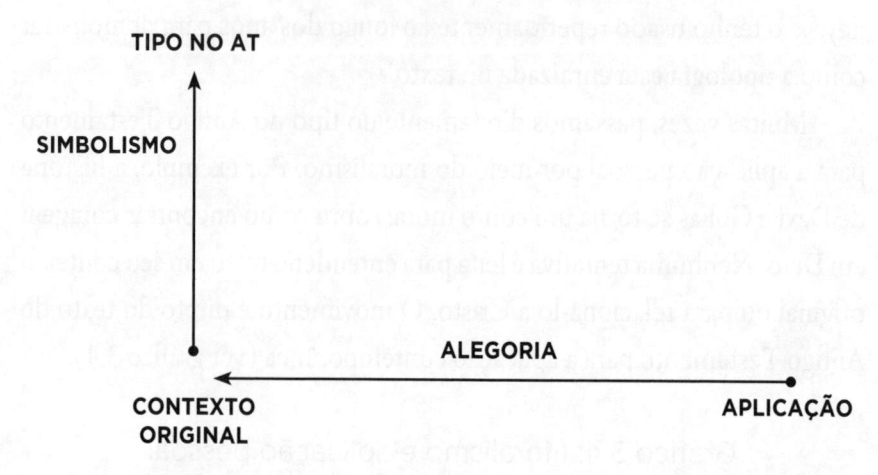

```
TIPO NO AT
    ↑
    |
SIMBOLISMO
    |
    |
    •─────────ALEGORIA─────────•
CONTEXTO                    APLICAÇÃO
ORIGINAL
```

A tipologia na verdade nos protege do moralismo e da alegoria, além de nos assegurar que o Antigo Testamento não foi escrito apenas para "eles". Isso porque ela começa com o Antigo Testamento e procura entender o significado do tipo em seu contexto original e em termos que sejam significativos para os leitores originais. Então, ela segue não para nós, mas para o cumprimento do tipo em Cristo e sua obra redentora como o antítipo. Só então a tipologia passa para a aplicação contemporânea (ver gráfico 3.6).

Gráfico 3.6: Tipologia e aplicação pessoal

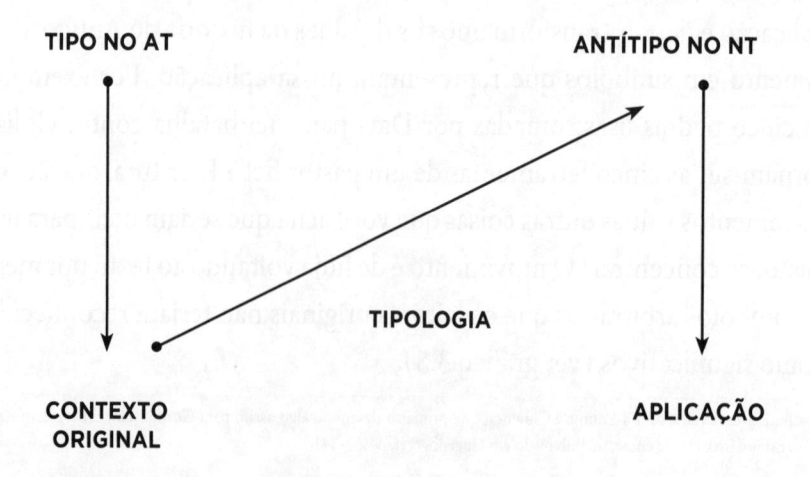

```
TIPO NO AT              ANTÍTIPO NO NT
    •                        •
    |                      ↗ |
    |                    ↗   |
    |       TIPOLOGIA  ↗     |
    |                ↗       |
    ↓              ↗         ↓
    •                        •
CONTEXTO                 APLICAÇÃO
ORIGINAL
```

A história de Davi e Golias, portanto, não é uma alegoria sobre a liderança pastoral, nem um conto de moralidade sobre a coragem, nem um trecho interessante, mas inútil, da história antiga. Antes, esse evento real do Antigo Testamento nos dá uma visão do que Cristo realizou por nós em nossa salvação, como rei ungido, mas oculto de Deus, um mediador que liberta o povo de Deus por meio do combate mortal individual contra nosso maior inimigo. O principal ponto de aplicação, portanto, move-se do esforço moral de nossa parte para a adoração e fé em Cristo, nosso campeão!

CONTINUIDADE E DESCONTINUIDADE

Até agora tenho enfatizado a unidade fundamental da grande narrativa das Escrituras, na medida em que as promessas proféticas são realizadas e os tipos são cumpridos nos antítipos. Mas se você prestou atenção, eu também mencionei repetidamente que esse movimento de promessa feita até a promessa cumprida, do tipo ao antítipo, é um movimento orgânico no qual o cumprimento é sempre maior do que a promessa ou tipo original.

No entanto, a diferença entre promessa e cumprimento não pode ser simplesmente explicada como uma diferença de grau. Apesar da continuidade da história do plano e das ações salvadoras de Deus, o movimento da promessa ao cumprimento é descrito nas Escrituras como o movimento entre a sombra e a realidade (Cl 2.17), entre uma mera cópia e o artigo genuíno (Hb 8.5). O que isto significa é que, além da continuidade, há uma descontinuidade significativa à medida que nos movemos pelas eras, de um horizonte de cumprimento para outro.

Às vezes, a descontinuidade que encontramos é necessária para cumprir finalmente a promessa. Por exemplo, em 2 Samuel 7, Deus promete a Davi que um filho de seu próprio corpo se sentará em seu trono para sempre. Em seu contexto original, isso poderia facilmente ser entendido como uma dinastia sem fim. Mas em seu cumprimento final, o filho prometido não é apenas o descendente de Davi, mas o eterno Filho de Deus, encarnado da Virgem Maria, ressuscitado em um corpo imortal, que tem domínio eterno como o Rei exaltado, entronizado à destra de Deus Pai. Acontece que a promessa de uma dinastia sem fim é finalmente cumprida por meio do reinado de um rei imortal!

Em outros casos, a descontinuidade em si é o cumprimento da promessa. Por exemplo, na profecia de Jeremias sobre a nova aliança, ele explicitamente diz: "Não conforme a aliança que fiz com seus pais, no dia em que os tomei pela mão, para os tirar da terra do Egito" (Jr 31.32). Qual será a diferença? Por um lado, será inquebrável (v. 32). Por outro lado, todos os membros dessa aliança serão regenerados, com a lei escrita em seus corações (v. 33). Ainda outra diferença será que a aliança não operará de acordo com as linhas naturais de nascimento e descendência, mas por meio do nascimento espiritual (vs. 29-30).

Aqui a descontinuidade entre a nova aliança e a aliança mosaica é enorme: um pacto de graça, não obras; um pacto que regenera em vez de matar; a entrada no pacto por meio do nascimento espiritual, em vez do natural. E, no entanto, apesar de toda essa descontinuidade, Jeremias deixa claro que essa nova aliança é o cumprimento final das promessas de Deus a Israel, feitas ao seu antepassado Abraão.

Como entendemos a descontinuidade? O Novo Testamento nos dá a chave. Por um lado, a antiga aliança não poderia trazer vida (Gl 3.21). Ela não era eficaz. E assim uma aliança melhor e mais eficaz tinha que ser feita. Por outro lado, a nova aliança não é apenas mais eficaz, é superior, porque é verdadeira realidade. Por mais gloriosa que fosse a antiga aliança, Jesus é superior a Moisés, e a aliança em seu sangue é superior a uma aliança selada com o sangue de animais (ver Hb 9). Essas coisas eram simplesmente sombras que apontavam para a dimensão real. Jesus cumpre tudo o que veio antes, e ao fazê-lo revela a plenitude da glória de Deus. Ele é a Palavra definitiva e final de Deus, porque ele é o verdadeiro Sumo Sacerdote e o verdadeiro Cordeiro de Deus. Ele é superior porque é o verdadeiro templo, onde Deus e o homem realmente se encontram. Ele é superior porque nos leva ao verdadeiro descanso de Deus, um descanso eterno, não na Palestina, mas na própria nova criação.

Quando consideramos a grande trama da história da redenção, percebemos que, se não houvesse descontinuidade entre promessa e cumprimento, nossa base para a esperança em meio às provações e tribulações deste mundo desapareceria. Como Paulo diz: "Se a nossa esperança em Cristo se limita apenas a esta vida, somos os mais infelizes de todos os homens" (1Co 15.19). Mas essa não é a nossa condição. A linhagem de sacerdotes de Arão aponta para Cristo, mas Jesus não descende dessa linhagem. Por quê? Essa linhagem falhou. Os sacrifícios que eles ofereceram não trouxeram vida. A aliança que eles mediaram não podia salvar. Em vez disso, como Hebreus declara, "segundo o poder de vida indissolúvel [...] [Jesus é] sacerdote para sempre, segundo a ordem de Melquisedeque", e com base em seu sacerdócio, "nos chegamos a Deus" (Hb 7.16-19). Louvado seja Deus por cumprir suas promessas e louvado seja Deus por cumpri-las ainda melhor do que esperávamos ou até mesmo imaginávamos!

CONCLUSÃO

Nós cobrimos muito terreno nos dois últimos capítulos, e parte dele foi um terreno bastante duro. Então é hora de fazer uma pausa e ver até onde chegamos a construir uma teologia bíblica que seja verdadeiramente útil para o ministério pastoral. Comecei este capítulo pedindo que você pensasse sobre como você aborda o Antigo e o Novo Testamentos. Espero que a principal conclusão, neste momento, seja óbvia. As ferramentas da teologia bíblica devolvem toda a Bíblia a você — do Gênesis ao Apocalipse — como uma fonte poderosa de pregação e ensino profundamente cristãos. Por exemplo, estou me preparando para pregar no livro de Números em minha igreja. O título da série é "Marchando para o céu/peregrinando na Terra". E meu primeiro sermão é sobre Números 1a 10. Isso mesmo — as listas, a ordem do acampamento e marcha, e as leis de pureza. Como você prega um sermão cristão sobre um material assim? Você faz isso apenas quando reconhece a correspondência tipológica entre Moisés e Cristo e entre Israel e a Igreja. Hebreus 4, 1 Coríntios 10 e muitas outras passagens devem informar nossa abordagem interpretativa. Portanto, podemos reconhecer que essas coisas foram escritas, não com o propósito de nos ensinar como elaborar um plano de batalha para o Armagedom, mas a fim de nos apontar para Cristo e para a vitória que ele conquistou em nosso favor — uma vitória que ganha para seu povo mais do que terrenos no Oriente Médio, mas o próprio céu.

Mas eu também quero que você veja que as ferramentas da teologia bíblica não só fornecem a você uma Bíblia inteira para pregar, como também oferece uma Bíblia inteira sobre a qual você deve realizar todo o ministério. Assim, quando um membro da igreja vem ao seu gabinete, lutando contra o medo, você pode recorrer à história de Davi e Golias. Mas, em vez de usar Davi como uma ferramenta moral para estimulá-lo à coragem, o que provavelmente fará com que ele apenas se sinta culpado, você usa Davi para direcioná-lo a Cristo, que superou o mais feroz inimigo do pecado e da morte. Ou quando um adolescente chega até você com perguntas sobre pureza sexual, você pode levá-lo à história de Davi e Bate-Seba. Mas em vez de usar as consequências terríveis da história como uma tática assustadora para exigir pureza, você pode explicar a eles que o fracasso de Davi, como o nosso, aponta para a necessidade de um rei melhor, que não falha, mas que usa sua pureza para nos resgatar da nossa própria impureza. Vendo o fracasso de Davi e a justiça de Cristo no contexto do evangelho, você pode explicar o incrível privilégio que temos na igreja de sermos a noiva de Cristo, e assim usar nossos corpos, solteiros ou casados, como uma demonstração do amor puro e exclusivo de Cristo por seu povo.

A teologia bíblica é teologia prática, porque nos oferece toda a Bíblia a fim de usarmos como Deus a designou: a Escritura centrada no evangelho, exaltando Cristo e transformando vidas. Não dá para ficar mais prático ou mais útil que isso.

CAPÍTULO 4
TEOLOGIA BÍBLICA E SISTEMÁTICA: PRECISAMOS REALMENTE DE AMBAS?

Nos primeiros três capítulos, consideramos algumas das ferramentas específicas para a construção de uma teologia bíblica. Nós abordamos os seguintes tópicos:

- *exegese* e como ler um texto em seu contexto;
- *gênero*, e o impacto que várias formas literárias têm sobre o significado e a interpretação;
- as *alianças* da Escritura e a estrutura que elas fornecem à Bíblia, tanto histórica quanto teologicamente;
- os *vários horizontes de interpretação* ao nível do texto, era e cânone;
- a cola que une toda a história — *a natureza profética das Escrituras* e sua *dinâmica de promessa e cumprimento*;
- *tipologia*, que é fundamentada no ordenamento providencialmente profético da própria história;
- a *tensão entre continuidade e descontinuidade* à medida que a revelação de Deus progressiva e organicamente se desdobra e se desenvolve da forma de semente para flor plena.

TEOLOGIA BÍBLICA PRÁTICA

NOSSO TRABALHO NÃO ACABOU

Trabalhamos muito e é tentador pensar que a nossa preparação acabou e estamos prontos para começar a construir. Se colocarmos todas essas ferramentas para trabalhar, a fim de entendermos a história de toda a Bíblia e como cada parte se relaciona com as outras e culmina em Cristo, não teremos uma teologia bíblica fiel? Não teremos o de que precisamos para viver vidas fiéis à luz da história bíblica e ajudar os outros a fazer o mesmo? Não, não teremos. Precisamos de teologia sistemática tanto quanto da teologia bíblica, caso queiramos construir algo que seja realmente útil para o ministério.

Há quem acredite que a teologia sistemática não é apenas desnecessária, mas simplesmente inútil. Tomemos *Velvet Elvis*, de Rob Bell.[36] Ao longo do livro, Rob fala bastante do cristianismo ortodoxo. Mas também está claro que ele fica muito mais confortável com a categoria de "história significativa" do que com a categoria de "verdade proposicional". Para Bell e muitos outros na mentalidade pós-moderna emergente, a ideia da verdade proposicional é ofensiva. É estreita demais, estática demais, final demais. E nada mais precisa ser dito sobre o assunto. Em contraste, eles apontam para o caráter aberto, dinâmico e relacional da história. A história transmite a verdade e o significado, mas também o convida para entrar e pede que você responda, para que sua resposta se torne parte do significado da história. A mesma história pode ser ouvida por pessoas diferentes de maneiras diferentes em momentos diferentes, e não exige que uma delas seja melhor ou mais correta do que as outras. Na verdade, diz-se que a história e a narrativa, ao contrário das proposições, produzem uma conversa que leva a novos e maiores esclarecimentos. Por outro lado, as proposições não chegam a lugar algum e geralmente produzem discussão, divisão e opressão, porque eu tento forçá-lo a concordar comigo e você faz o mesmo.

---

36 Rob Bell, *Velvet Elvis: Repainting the christian faith* (Grand Rapids, MI: Zondervan, 2005).

É por isso que Bell chamou seu livro de *Velvet Elvis*.[37] É um livro sobre Jesus, o evangelho e a vida cristã. Mas assim como nenhum pintor de Elvis em veludo acha que produziu o retrato definitivo de Elvis, Bell também não reivindica dizer algo definitivo sobre Jesus ou a vida cristã. É apenas a perspectiva dele, e ele está convidando você a trazer sua perspectiva para a conversa também.[38] Parece bem humilde, e se você tem um temperamento intelectual como o meu, parece francamente atraente.

Se *Velvet Elvis*, de Rob Bell, capta algo sobre o nosso contexto cultural, e eu acho que sim, você pode imaginar por que a teologia bíblica é frequentemente preferida contra e sobre a teologia sistemática. A teologia bíblica tem a ver com a história da Bíblia como um todo. A teologia sistemática, que trata de extrair proposições a partir dessa história, é considerada estreita e dogmática. Muitas pessoas hoje em dia gostam de destacar que Deus não se revelou a nós em uma teologia sistemática, mas ao longo da história. Eles argumentam que a maioria da Bíblia é narrativa e que muitas das preocupações da teologia sistemática parecem distantes dos próprios textos das Escrituras. Então, dizem, não conhecemos e entendemos Deus memorizando seus atributos como descritos pela teologia sistemática. Nós o conhecemos e o compreendemos ao encontrá-lo nas histórias do êxodo e do exílio, histórias que nos permitem experimentar seu poder, sua fidelidade, seu amor e sua terrível ira.

Bem, por mais atraente que isso pareça, e apesar de haver alguma verdade no que está sendo dito, tem sido a convicção dos cristãos desde o princípio que a teologia bíblica não é suficiente se queremos conhecer Deus e viver vidas que são fiéis à sua autorrevelação na Bíblia. Mesmo se você nunca pensou sobre essa questão antes, você experimenta a necessidade da teologia sistemática todos os dias no ministério. É na teologia sistemática que você se baseia quando:

---

[37] Na cultura popular americana, pinturas do cantor Elvis Presley em veludo são um elemento comum de decoração de casas, consideradas muitas vezes de gosto duvidoso [N. do E.].
[38] Ibid., 10–14.

- precisa aconselhar uma adolescente grávida a manter seu filho em vez de abortar;
- ensina sobre nossa responsabilidade de sermos bons mordomos do mundo que Deus criou;
- consola pais cujo filho adulto abandonou a fé em que foi criado;
- treina outros líderes da igreja sobre como a igreja local deve ser organizada e governada;
- explica a um visitante que Jesus deseja que sejamos membros de igrejas locais, e não apenas da igreja universal;
- explica o que o batismo e a Ceia do Senhor significam;
- explica ao presidente local do partido político por que ele não pode usar dez minutos para falar com seus membros na próxima reunião de negócios;
- precisa ajudar seus presbíteros a pensar sobre o que significa amar os vizinhos imigrantes ilegais em sua cidade.

Você percebe o que quero dizer. Eu poderia estender essa lista quase infinitamente. Todas essas são perguntas que enfrentamos o tempo todo e, no entanto, não há uma narrativa simples na Bíblia que possamos usar como resposta. Não, e se quisermos ter uma teologia que seja bíblica e que possa ser aplicada a toda a vida e a todas as áreas do pensamento e esforço humanos, precisaremos de mais do que apenas as ferramentas da teologia bíblica. Também precisaremos das ferramentas da teologia sistemática.

COMO A TEOLOGIA BÍBLICA E A SISTEMÁTICA SE RELACIONAM

Antes de prosseguirmos, precisamos estabelecer algumas definições. O que é teologia bíblica? O que é teologia sistemática? Como elas são parecidas? Como elas são diferentes? Como devemos pensar em relacionar as duas?

Teologia bíblica

Começaremos com a teologia bíblica, pois é disso que estamos falando, mais ou menos, desde a Introdução. Eu já disse que a teologia bíblica não está apenas preocupada com o que a Bíblia ensina, mas como esse ensinamento é progressivamente revelado e passo a passo se desenvolve ao longo da história. Agora é hora de uma definição mais precisa e formal. Como se fosse assim tão fácil. Se você pesquisar a história do termo, verá que já se escreveu quase tanto sobre a definição de teologia bíblica quanto sobre teologia bíblica em si.

Não vou me ocupar com as definições que estão em grande parte limitadas ao debate acadêmico. Se isso é do seu interesse, você deve investir no *Novo Dicionário de Teologia Bíblica*.[39] Em vez disso, deixe-me oferecer a você algumas definições que parecem cobrir melhor os limites, por autores que têm uma visão elevada das Escrituras. Cada uma delas nos diz algo importante sobre o que é teologia bíblica.

O avô da teologia bíblica entre os evangélicos, Geerhardus Vos, definiu assim: "A teologia bíblica é o ramo da teologia exegética que lida com o processo de autorrevelação de Deus depositado na Bíblia".[40] Então, o que isso significa? Significa que a teologia bíblica não se restringe aos sessenta e seis livros da Bíblia — "o produto acabado da [autorrevelação de Deus]", mas na real "atividade divina" de Deus, conforme se desenvolve na história (e está registrada naqueles sessenta e seis livros). Esta definição de teologia bíblica nos diz que a revelação é primeiro o que Deus diz e faz na história, e apenas secundariamente o que ele nos deu em forma de livro. Isso significa que uma das características fundamentais da teologia bíblica é que seu princípio de organização é histórico. A teologia bíblica se move ao longo do eixo da

---

39 T. Desmond Alexander, Brian S. Rosner, eds., *Novo Dicionário de Teologia Bíblica* (São Paulo: Vida, 2009).
40 Citado em Vern Poythress, "Kinds of Biblical Theology," *Westminster Journal of Theology* n. 70 (2008), p. 130.

história da redenção. Está particularmente ocupada com o desenvolvimento e, portanto, com questões de continuidade e descontinuidade, o movimento da semente para a árvore.

Aqui está outra definição. Don Carson diz que "a teologia bíblica [...] procura descobrir e articular a unidade de todos os textos bíblicos considerados juntos, recorrendo principalmente às categorias desses textos em si".[41] Então o que isso significa? Significa que a teologia bíblica está particularmente preocupada com os diversos contextos literários e históricos da história, e assim tenta relacionar o significado da história nos termos da história em si. Por exemplo, a teologia bíblica traça o desenvolvimento do sacrifício e da aliança, não porque esses sejam termos contemporâneos particularmente relevantes, mas porque esses são os termos e a agenda que a própria história nos dá. Como resumiu Tom Schreiner, a teologia bíblica "pergunta quais temas são centrais para os escritores bíblicos em seu contexto histórico e busca discernir a coerência de tais temas".[42]

Aqui está mais uma definição. Steve Wellum diz que a teologia bíblica "afirma que ler a Bíblia como Escritura unificada *não* é apenas uma opção interpretativa entre outras, mas a que melhor corresponde à natureza do próprio texto, por sua inspiração divina. Como tal, [a teologia bíblica], como disciplina, não apenas fornece a base para a compreensão de como os textos em uma parte das Escrituras se relacionam com todos os outros textos, mas também serve como base e suporte para todas as teologizações[...]".[43] Qual é o propósito dessa definição? Significa que a teologia bíblica está interessada não apenas no fato da promessa e cumprimento da profecia, em tipo e antítipo, mas na demonstração dessas coisas a fim de que, apesar da diversidade

---

41 D. A. Carson, "Teologia sistemática e teologia bíblica", in *Novo dicionário de teologia bíblica*, eds. T. Desmond Alexander, Brian S. Rosner (São Paulo: Vida, 2009), p. 100.
42 Thomas Schreiner, "Preaching and Biblical Theology," *The Southern Baptist Journal of Theology* n. 10 (2006), p. 22.
43 Stephen J. Wellum, "Editorial: Preaching and Teaching the Whole Counsel of God," *The Southern Baptist Journal of Theology* n. 10 (2006), p. 2-3.

de literatura, história e autor humano, a realidade de uma única história emanando de uma única mente divina de acordo com uma única vontade divina e soberana fique clara para todos verem. Como Don Carson corretamente observa, isso significa que, como a teologia sistemática, a teologia bíblica não é meramente descritiva. Pelo contrário, faz "afirmações sintéticas sobre a natureza, a vontade e o plano de Deus na criação e na redenção, incluindo, portanto, também a natureza, o propósito e a 'história' da humanidade".[44]

Como você pode ver, nenhuma dessas definições é mutuamente excludente, mas cada uma delas enfatiza um aspecto diferente do que chamamos de teologia bíblica. Talvez o melhor caminho seja seguir a definição mais simples que já vi (porque é a minha própria). A teologia bíblica é a tentativa de contar toda a história de toda a Bíblia como Escritura cristã. É uma história, portanto, que tem autoridade normativa em nossas vidas, porque é a história da glória de Deus na salvação por meio do julgamento.

Teologia sistemática

E quanto à teologia sistemática? Uma definição vem um pouco mais fácil desta vez.

Talvez a definição mais simples seja a que eu uso quando ensino esse tópico em sala de aula. A teologia sistemática é *a tentativa de resumir de uma maneira ordenada e abrangente o que toda a Bíblia tem a dizer sobre qualquer assunto.* Em outras palavras, a teologia sistemática não está preocupada em como um tópico é desenvolvido ao longo do tempo ou ao longo da história da Bíblia. Ela se ocupa em pegar tudo o que foi dito sobre o assunto, coletar, agrupar, relacionar e, em seguida, resumir de forma abrangente. A teologia sistemática se preocupa menos com o desenrolar e mais com o objetivo final.

---

44 Carson, *Novo dicionário de teologia bíblica*, p. 100.

TEOLOGIA BÍBLICA PRÁTICA

Mas, é claro, a teologia sistemática faz mais do que resumir o ensino da Bíblia em tópicos aleatórios. Se os tópicos fossem aleatórios, poderíamos chamá-la de teologia desorganizada.[45] Tradicionalmente, a teologia sistemática tem buscado organizar os tópicos, assegurando que todos os maiores e grande parte dos menores tópicos das Escrituras sejam abordados, e então relacionar os tópicos uns aos outros logicamente, de forma que todo um sistema de pensamento seja estabelecido. Nesse sentido, a teologia sistemática não é uma enciclopédia da Bíblia, dando-nos artigos sobre todos os assuntos imagináveis. Em vez disso, é uma tentativa de tornar explícita o que poderíamos chamar de cosmovisão da Bíblia.[46] Quando essa estrutura para entender quem é Deus, quem somos, de onde viemos e para onde estamos indo está em seu lugar, rapidamente fica evidente que a teologia sistemática nos permite pensar biblicamente sobre todo tipo de coisas que a Bíblia não aborda diretamente. Então, por exemplo, o que a Bíblia ensina sobre psicologia, sobre engenharia elétrica ou sobre o estado de bem-estar social? Bem, nada diretamente. Mas ensina algo indiretamente, porque a Bíblia, por meio da teologia sistemática, nos fornece uma cosmovisão mediante à qual podemos pensar sobre essas questões.

Podemos ir ainda mais além. A teologia sistemática não apenas resume os ensinamentos da Bíblia sobre qualquer assunto, e organiza esses tópicos em uma estrutura ou cosmovisão coerente; também procura formular esses resumos em doutrinas precisas e corretas que definem a fronteira entre verdade e erro, entre ortodoxia (crença correta) e heresia. A teologia sistemática procura fazer afirmações normativas. Aqui está um exemplo de Wayne Grudem: a afirmação de que "a Bíblia diz que todo aquele que crê em Jesus Cristo será salvo" é uma síntese do ensino da Bíblia sobre a salvação.[47] Mas se isso é tudo o que temos a dizer sobre esse assunto, então todos, desde os evangélicos até os católicos romanos,

---

45 Wayne Grudem, *Teologia Sistemática* (São Paulo: Vida Nova, 1999), p. 3.
46 Stephen J. Wellum, aulas de teologia sistemática 1, não publicadas (2006)
47 Grudem, p. 3.

mórmons e muçulmanos conscientes, podem se considerar dentro dessa declaração. Por quê? Porque não dissemos o que é fé, quem é Jesus Cristo, o que é a salvação, do que e para que estamos sendo salvos e o que significa crer em Jesus. Para nos proteger dos erros e comunicar a verdade que realmente salva, a teologia sistemática vai além dos resumos gerais para formulações doutrinárias precisas e detalhadas. Esse não é um esforço para melhorar a Bíblia, mas para ser totalmente fiel ao que a Bíblia ensina.

Finalmente, a teologia sistemática não apenas resume, organiza e define, mas também procura aplicar essas verdades às nossas vidas hoje. John Frame define a teologia sistemática como "a *aplicação* da Palavra pelas pessoas ao mundo e a todas as áreas da vida humana".[48] Wayne Grudem observa que "a aplicação à vida é uma parte necessária dos estudos de teologia sistemática".[49] Don Carson coloca desta forma: "teologia sistemática que é digna do nome [...] procura articular o que a Bíblia diz de um modo culturalmente significativo, culturalmente profético". Seus interesses não são antiquados nem tradicionalistas.[50] Antes, a teologia sistemática tem uma forte preocupação com a relevância contemporânea. Seu objetivo é nos ensinar não apenas a verdade atemporal, mas o que significa acreditar e obedecer a essa verdade atemporal hoje.

Por que os teólogos colocam a aplicação no coração da teologia sistemática? Pela simples razão de que "em nenhum lugar das Escrituras encontramos uma doutrina estudada como um fim em si mesma".[51] Nesse sentido, a teologia sistemática é, na verdade, nada mais que uma tentativa de obedecer à Grande Comissão. Se a teologia bíblica tenta entender como a Grande Comissão se encaixa no grande plano de redenção de Deus, a teologia sistemática tenta explicar exatamente o que significa ensinar e obedecer a tudo o que Jesus ordenou.

---

48 John Frame, *Salvation Belongs to the Lord: An Introduction to Systematic Theology* (Philipsburg, NJ: P&R, 2006), p. 79.
49 Grudem, p. 3.
50 Carson, p. 101.
51 Grudem, p. 3.

Relacionando as duas

Se essas são as definições da teologia bíblica e sistemática, então como elas se relacionam umas com as outras? Podemos pensar nisso em pelo menos duas formas diferentes, mas úteis.

Primeiro, elas estão relacionadas por uma trajetória comum de autoridade. Essa trajetória começa na Escritura, a fonte autoritativa e normativa de toda nossa teologização. Ela se move da Escritura para nossa exegese de uma passagem particular. Quando juntarmos todas as passagens da Bíblia, ela toma forma em nossa teologia bíblica. Finalmente, a trajetória culmina na teologia sistemática, quando buscamos resumir e aplicar a verdade das Escrituras às nossas vidas hoje. Nesse sentido, a teologia bíblica tende a ser mais fundacional, enquanto a teologia sistemática se baseia nos resultados da teologia bíblica e é ela própria guiada pelos horizontes interpretativos estabelecidos pela teologia bíblica. Como Carson colocou tão bem, "diferente da teologia bíblica, a teologia sistemática é menos uma disciplina mediadora e mais uma disciplina culminante". E, no entanto, uma vez que ambas encontram sua fonte de autoridade na própria Escritura, ambas são teologia normativa para a igreja cristã.[52]

Mas, segundo, elas também se relacionam por meio de uma trajetória de uso (ou fim). A teologia bíblica nos insere no enredo da Bíblia para descrever o ensino da Bíblia em seus próprios termos. É uma disciplina hermenêutica; uma maneira de ler e estudar a Bíblia. O fim da teologia bíblica, portanto, é uma compreensão internamente coerente da Bíblia. A teologia sistemática sintetiza a visão de mundo da Bíblia. É uma disciplina de aplicação, uma maneira de resumir e representar o ensino da Bíblia em "envolvimento autoconsciente com [nossa] cultura".[53] O fim da teologia sistemática, portanto, é uma articulação externamente racional da verdade.

---

[52] Ibid., p. 101–102. Cf. Schreiner, p. 23.
[53] Carson, p. 102-103. Também sou grato a Stephen Wellum pelo diálogo estimulante e útil sobre a questão de como essas duas disciplinas se relacionam.

No fim das contas, não podemos ter uma sem a outra. A teologia bíblica é como lemos a Bíblia. A teologia sistemática é como a história da Bíblia se mostra como normativa em nossas vidas. Dizer que você quer uma, mas não a outra, simplesmente mostra que você não entendeu nenhuma delas. Todos têm uma teologia sistemática e uma teologia bíblica, quer percebam ou não. O que queremos, porém, é que ambas sejam fiéis às Escrituras — a história bíblica e a cosmovisão bíblica. Não entenderemos essa cosmovisão se não entendermos a história da qual ela surge. Mas se tudo o que temos é uma história, como essa história vai considerar as preocupações contemporâneas de nossas próprias vidas?

POR QUE A TEOLOGIA SISTEMÁTICA É IMPORTANTE PARA A TEOLOGIA BÍBLICA

Quando descobri a teologia bíblica fiel, fiquei maravilhado. Ela fez com que a Bíblia ganhasse vida para mim de novo e colocasse muitas coisas em seu lugar. Confesso que fiquei tão impressionado com a teologia bíblica que, por um bom tempo, não me dediquei muito nem me interessei pela teologia sistemática. Não é que eu achasse que não era necessário. Apenas pensava que tinha avançado para algo melhor.

Eu não estava sozinho nessa ideia. Do campo missionário à cena da igreja pós-moderna, cada vez mais vozes se juntam a um coro diverso que cada vez mais rejeita a teologia sistemática em favor das "grandes narrativas" da teologia bíblica. Alguns apontam para o fato de que quando Jesus ensinava, ele usava histórias (parábolas), não palestras de teologia. Outros notam que quando Deus decidiu se revelar por meio da Escritura, ele não o fez na forma de uma teologia sistemática, mas principalmente em forma de narrativa. Outros ainda sugerem que a linguagem simplesmente não é capaz de transmitir proposicionalmente quem é Deus; não obstante, as narrativas das Escrituras permitem uma comunicação rica, profunda e de múltiplas camadas de seu caráter. Finalmente, muitas pessoas afirmam que nossa era pós-moderna simplesmente não gosta de teologia da mesma maneira que gosta de histórias.

Felizmente, minha própria negligência em teologia sistemática em favor da teologia bíblica foi relativamente curta. Eu me conscientizei antes de entrar em problemas reais no ministério. Mas para aqueles de vocês que ainda estão se perguntando, quero tentar argumentar que, por melhor que seja a teologia bíblica, nosso ministério na igreja local será incompleto e empobrecido, se não tivermos também uma teologia sistemática sadia.

Ligon Duncan apreendeu das Escrituras seis razões pelas quais a sã doutrina (o fruto da teologia sistemática) é essencial:

1. João 17.13-17 diz que a doutrina é para alegria e crescimento;
2. Mateus 28.18-20 diz que fazemos discípulos (em parte) ensinando a verdade;
3. 1 Timóteo 1.3-5 diz que a má doutrina destrói, mas a boa doutrina produz amor;
4. 1 Timóteo 1.8-11 diz que a doutrina não pode ser separada da ética;
5. 1 Timóteo 6.2-4 diz que a doutrina promove a piedade;
6. Tito 1.1 diz que a doutrina é vital para a piedade.[54]

Várias coisas me impressionam na lista de Duncan. Primeiro, observe de onde todas as citações são tiradas. Eles são ou das epístolas pastorais — as instruções de Paulo para pessoas como nós sobre o que deveríamos

---

54 J. Ligon Duncan III, "Sound doctrine: essential to faithful pastoral ministry: a joyful defense and declaration of the necessity and practicality of systematic theology for the life and ministry of the church," in Mark Dever, J. Ligon Duncan III, R. Albert Mohler Jr., C. J. Mahaney, *Proclaiming a cross-centered Theology* (Wheaton, IL: Crossway, 2009), p. 36–44 [em português: *A pregação da cruz: um chamado à pregação expositiva e centrada no evangelho como foco do ministério pastoral* (São Paulo: Cultura Cristã, 2010)].

estar fazendo — ou são orações de Jesus ou instruções aos apóstolos sobre o que deveria ser o ministério deles. Não sei quanto a você, mas eu ficaria bastante feliz se meu ministério se aproximasse,; ainda que vagamente, do ministério dos apóstolos. Então, se Paulo e Jesus disseram que devemos ensinar doutrina, independentemente de gostarmos ou não ou do que pensamos que a nossa era pós-moderna vai pensar, parece-me que devemos ensinar doutrina.

Mas também fico encantado com o que Paulo e Jesus dizem sobre o propósito da doutrina, como Duncan observa. Alegria. Crescimento. Piedade. Discipulado. Amor. Vida. Sobre simplesmente tudo, parece. Estas são qualidades que eu devo perseguir no meu ministério pastoral, e a doutrina promove todas elas, além de afastar a imoralidade, a heresia, a desunião, o desânimo e assim por diante — as coisas que querem destruir a alegria, o crescimento, a piedade etc.

Agora, eu garanto que Duncan não apresentou nenhum versículo que prometesse que a sã doutrina promoveria multidões cada vez maiores em sua igreja. Ele não oferece nenhuma garantia da Escritura de que a sã doutrina entretenha as pessoas, faça com que se sintam melhor consigo mesmas ou gostem mais de você como seu pastor (embora eu tenha encontrado uma passagem que sugere o oposto — 2Tm 4.3, 4). E, até onde posso dizer, a sã doutrina não garante programas melhores, estruturas de gestão mais eficientes ou uma resposta ao antigo problema do que vem primeiro, o templo maior ou o estacionamento maior. Se você quer respostas para perguntas como essas, você terá que procurar em outro lugar. A doutrina não é muito útil em um ministério de gestão de multidões.

Mas se você quer ajuda prática para promover piedade em sua igreja, gerar amor e união, fazer discípulos e crescer na graça, não há nada mais prático do que a teologia sadia. Será que alguns de nós no ministério perdemos nosso interesse pela teologia sadia porque não estamos mais realmente fazendo o ministério cristão?

TEOLOGIA BÍBLICA PRÁTICA

ESTUDO DE CASO: O EVANGELHO

Vamos considerar por um momento como a teologia bíblica e a teologia sistemática são ambas importantes e se relacionam quando tentamos responder à questão mais básica do ministério: o que é o evangelho? Qual é a boa notícia que a Bíblia nos revela?

Quando a teologia bíblica chega a essa questão, ela apresenta a grande trama das ações de Deus na história. Essa trama pode ser descrita como o movimento de Criação → Queda → Redenção → Nova Criação. Não vou tomar tempo para contar a história inteira agora. Os capítulos 6 a 10 vão fazer isso. Mas o que eu quero que você note é que esse esboço segue a narrativa da própria Escritura. Ele explica o que Deus está fazendo ao longo da história da redenção, enquanto a história se move do jardim do Éden para os novos céus e nova terra.

A teologia bíblica também fala sobre o evangelho em termos do reino de Deus. George Eldon Ladd mudou para sempre a maneira como todos nós pensamos sobre esse reino.[55] Como Ladd observou, a Bíblia geralmente usa a linguagem do reino para falar não do território do reino de Deus, mas do seu reinado. É claro que Deus está sempre reinando. Ele é o soberano Senhor do universo que criou. Mas quando a Escritura fala do reino de Deus, é tipicamente se referindo ao seu governo redentor. É o reinado que vemos entre aqueles que são verdadeiramente seu povo, aqueles que obedecem.

Quando Marcos 1.14, 15 diz que Jesus veio pregando o evangelho de Deus de que "o reino de Deus estava próximo", é disso que a teologia bíblica diz que o evangelho se trata. São as boas novas cósmicas do que Deus está fazendo por intermédio de Jesus Cristo. O reino foi perdido para nós na queda e retratado para nós como uma sombra na história de Israel. Mas agora, por meio da vida, morte e ressurreição de Jesus, o reino de Deus foi novamente inaugurado. O pecado foi derrotado.

---

55 George Eldon Ladd, *O Evangelho do Reino: Estudos bíblicos sobre o Reino de Deus* (São Paulo: Shedd, 2008).

A igreja vive a vida do reino pelo poder do Espírito. E nós aguardamos ansiosamente o dia em que o rei retornará e consumará seu reinado, um reinado que não terá fim.

Essa é uma mensagem fantástica. É uma história extraordinária, como veremos nos próximos capítulos. Captura a imaginação e reordena a maneira como pensamos sobre tudo. É uma ótima notícia!

Exceto por uma coisa.

Eu. E você.

Onde nos encaixamos nessa história? A grande história da criação, queda, redenção e consumação, a história da vinda do reino de Deus, me diz o que Deus está fazendo e como ele está fazendo. Mas como essa é uma boa notícia para pecadores como você e eu? A vinda do reino de Deus pode ser uma boa notícia para o universo, mas é uma má notícia para os pecadores, porque a vinda do reino significa julgamento e ira, bem como renovação e recriação. Então, a história da vinda do reino de Deus se aplica a mim para que seja pessoalmente uma boa notícia?

Para responder a essa pergunta, precisamos de teologia sistemática. Quando a teologia sistemática responde à pergunta "o que é o evangelho?", fala nas quatro categorias: Deus → Homem → Cristo → Resposta. É assim que as boas novas cósmicas se tornam boas novas pessoais, um evangelho para você e para mim. A vinda do reino de Deus (evangelho da teologia bíblica) é uma má notícia para os pecadores. Mas tendo em vista a obra de Cristo na cruz como um substituto penal, e a provisão de Deus para que possamos nos beneficiar dessa obra por meio do arrependimento e da fé (evangelho da teologia sistemática), agora temos boas novas. Aqui está uma mensagem que não apenas descreve como o reino é maravilhoso. Não, aqui está uma mensagem que nos traz pessoalmente para esse reino. Algumas pessoas hoje em dia querem denegrir tal formulação como demasiadamente individualista, excessivamente definida pelas noções legais ocidentais de culpa e punição. Mas o fato é que, a menos que o evangelho tenha algo a dizer sobre minha salvação individual, permanece meramente uma história que pode nos inspirar a boas ações e pensamentos nobres, mas não pode nos resgatar da ira de Deus (independentemente do que mais se diga sobre o resgate do universo). A teologia sistemática conclui a missão;[56] ela conecta a história do reino de Deus com a história da sua vida e da minha.

Isso significa que não precisamos de teologia bíblica, afinal? Não! Assim que eu disse a palavra "reino", voltei ao evangelho da teologia bíblica e à esperança de uma salvação que é definida por um reino eterno. Sem a teologia bíblica, estou muito mais propenso a reduzir a salvação a uma experiência existencial privatizada, afastada do que Deus está fazendo comunitariamente entre seu povo. Sem a teologia bíblica, é improvável que eu compreenda a esperança futura preparada para nós na nova criação. Sem a teologia bíblica, serei tentado a entender o plano da salvação como sendo sobre mim, e não sobre a glória de Deus. Você percebe, eu preciso de ambas, e elas precisam uma da outra. Estar certo com Deus apenas para esta vida não significa muito, diz Paulo (1Co 15.19). A esperança que o evangelho nos traz é "uma viva esperança, mediante a ressurreição de Jesus Cristo dentre os mortos, para uma herança incorruptível, sem mácula, imarcescível, reservada nos céus para vós outros que sois guardados pelo poder de Deus, mediante a fé, para a salvação preparada para revelar-se no último tempo" (1Pe 1.3-5).

CONCLUSÃO

Eu ainda não dei a você nenhuma ferramenta sistemática para trabalhar. Em vez disso, simplesmente apresentei por que precisamos dessas ferramentas, em primeiro lugar. Tendo passado a maior parte do livro até agora cantando louvores à teologia bíblica, eu não queria que as ferramentas da

---

56 Jonathan Leeman, "Biblical and systematic confusion yields gospel delusions", *9Marks e-journal* (Nov/Dez 2006), https://www.9marks.org/article/biblical-and-systematic-confusion-yields-gospel-delusions/ (último acesso em Julho de 2019).

teologia sistemática fossem negligenciadas, como um primo pobre. Por maior e mais importante que seja a teologia bíblica, ela não basta para que tenhamos uma teologia bíblica que seja verdadeiramente prática e relacionada a toda a vida. Para isso precisamos também de teologia sistemática.

Recentemente, lembrei-me disso quando me sentei para mediar o conflito dentro de um núcleo familiar. A questão era como um grupo de parentes adultos interage uns com os outros sem entrar em conflito. No fundo da minha mente, e informando tudo o que eu dizia, estava a rica teologia bíblica da fala. Deus é quem originalmente fala nas Escrituras, e nossas palavras e falas são modeladas pelas dele. Sua Palavra cria, convence e molda seu povo. Sua Palavra o revela e cria relacionamento e intimidade com seu povo. Sua Palavra é sempre verdadeira, sempre amorosa e sempre correta. E ela é final e plenamente revelada na Palavra encarnada, Jesus Cristo. Essa perspectiva era importante, até essencial, se eu quisesse nutrir qualquer esperança de resolução.

Mas, francamente, isso não bastava para me envolver, na prática, com a dificuldade para controlar a língua. Eu precisava não apenas de uma teologia bíblica da fala, mas também de uma teologia sistemática da fala que estivesse enraizada em minha teologia bíblica. Sabendo que somos criados à imagem de Deus, cuja fala é sempre um reflexo de seu caráter, eu precisava lembrar a todos que nossas línguas sempre falam do que nosso coração está cheio (Mc 7; Tg 3). Consciente de que nossas próprias vidas estão constantemente recapitulando e reconfirmando a queda, eu precisava lembrar a eles de que quando falamos palavras de raiva, manipulação ou engano, estamos falando a linguagem da serpente no jardim e revelando nossa natureza caída (Jo 8.44). Assim, o primeiro passo na resolução de conflitos não foi o uso de melhores estratégias de comunicação, mas autoexame e arrependimento.

Eu também precisava instruir a todos sobre os propósitos de Deus para a nossa fala. Mais uma vez, o pano de fundo é a teologia bíblica e a revelação da Palavra de Deus, finalmente vista em Jesus Cristo. O próprio Jesus revela o padrão de fala como pretendido por Deus. Não é para obter o que queremos (Tg 4.1ss), mas para edificar os outros de acordo com suas necessidades e para o seu bem (Ef 4.29). Desta forma, nossa fala reflete a fala de Deus, ao sermos recriados por sua graça à sua semelhança "segundo Deus, em justiça e retidão procedentes da verdade" (Ef 4.24). Neste ponto, reconhecendo que o problema era interno (meu coração), não externo (meu parente), e dependendo da graça de Deus em Cristo para nos renovar e mudar, poderíamos falar sobre passos específicos que cada pessoa precisava dar.

Aqui está o trabalho adequado da teologia sistemática. Cercada e sustentada pela teologia bíblica, a teologia sistemática aplica a verdade da Palavra de Deus à situação específica e contemporânea de uma família em conflito. Sem a teologia bíblica, eu poderia ter sido tentado a simplesmente fornecer a eles regras e diretrizes morais. Mas sem teologia sistemática, tudo que eu poderia contar seria uma história.

CAPÍTULO 5

FERRAMENTAS DE TEOLOGIA SISTEMÁTICA: COMO E POR QUE PENSAR TEOLOGICAMENTE

O diácono encarregado da biblioteca de nossa igreja mantém estatísticas sobre qual seção da biblioteca é mais usada. Teologia não está no topo da lista.

Não fico surpreso. Eu tenho um PhD e nem sempre me empolgo com a chance de mergulhar no mais recente trabalho de teologia sistemática. Parecem estar carregados de complexidade filosófica e tecnicalidades secas. A maioria de nós não conhece pessoalmente nenhum teólogo profissional, mas todos nós temos uma ideia de como eles devem ser. Velhos e enrugados, de cara geralmente amarrada, óculos de aros de metal, roupas encardidas e tênues mechas de cabelo em uma cabeça careca resumem minha imagem.

Mas mesmo que não conheçamos nenhum teólogo profissional, todos nos encontramos com pessoas que amam falar de teologia. E a maioria de nós aprendeu a manter uma distância segura deles. As pessoas parecem se machucar em conversas com eles.

No entanto, estou aqui para dizer a você que, apesar do vago mal-estar e intimidação que você pode sentir ao pensar em se envolver em teologia sistemática, e apesar da falta de familiaridade que sente com os teólogos, você de fato anda com teólogos ao longo de toda sua vida cristã. Mais ainda, você se envolve em discussões teológicas desde o dia em que se tornou cristão.

TODO MUNDO TEM UMA TEOLOGIA SISTEMÁTICA

Por que estou tão certo desse fato? Porque estou certo de que você já perguntou ou tentou responder à pergunta: "o que a Bíblia nos ensina sobre... [preencha a lacuna]?". Sim, goste ou não, quer você queira ou não, você está mais ou menos fazendo teologia sistemática toda vez que faz uma declaração sobre o que a Bíblia ensina, ou em que os cristãos acreditam, ou como o cristianismo se relaciona com o mundo ao redor. Você simplesmente não pode ser um cristão autoconsciente sem ser um teólogo sistemático. E se isso é verdade para você, um líder de igreja, é também verdadeiro para todos os outros membros da sua igreja.

Essa, pelo menos, era a convicção de um dos primeiros teólogos cristãos, o apóstolo Paulo. As pessoas há muito notam que a maioria das cartas de Paulo se divide em duas partes. Ele geralmente abre suas cartas com uma extensa meditação teológica. Então as conclui com muitos conselhos e instruções práticas. Mas as duas metades não são independentes. Quase sempre Paulo coloca uma importante dobradiça na carta — um enorme "PORTANTO" entre a teologia que ele explica e a instrução prática que ele está prestes a dar.

O que torna essa estrutura tão marcante é que as razões que levaram Paulo a escrever cada uma de suas cartas quase sempre podem ser encontradas na segunda metade. Paulo pode ter sido um teólogo, mas ele não se sentou um dia e disse: "Sabe, eu acho que eu deveria escrever aos efésios um extenso tratado sobre nossa eleição em Cristo, e os filipenses realmente podem precisar de uma meditação sobre a divindade e a humanidade de Jesus". Não, ele escreveu aos efésios porque eles estavam com dificuldades para saber como judeus e gentios deveriam se relacionar na igreja, e aos filipenses porque eles sofriam com a perseguição dos de fora e com brigas dentro da igreja.

Problemas práticos e até cotidianos levaram Paulo a escrever para essas igrejas. No entanto, o que ele ofereceu a eles não foram meramente conselhos práticos sobre resolução de conflitos ou vida comunitária. Em vez disso, ele forneceu a eles teologia profunda. Como um teólogo afirmou:

> [Paulo está convencido] da aplicabilidade da teologia mais profunda aos problemas mais mundanos e mais comuns [...] [Paulo] está dizendo a eles: Vocês têm esses problemas práticos; a resposta é teológica; lembre-se da sua teologia e condicione o seu comportamento à luz dessa teologia. Coloque seus pequenos problemas à luz da teologia mais expressiva. Nós mesmos, em nossos chamados cristãos, devemos estar conscientes disso. Nunca devemos deixar nossa doutrina pairando no ar, nem hesitar em reforçar as mais elementares obrigações cristãs com as mais sublimes doutrinas.[57]

Problemas práticos têm respostas teológicas. Então a questão não é se você será ou não um teólogo, mas que tipo de teólogo você será. Você será um bom ou mau teólogo, um teólogo consistente ou inconsistente, um teólogo sistemático ou aleatório? Para ajudá-lo a ser um teólogo melhor, quero considerar o que a doutrina é, como pensar teologicamente e por que devemos nos envolver em tal estudo no contexto da igreja local. Aqui estão, finalmente, as ferramentas da teologia sistemática.

---

57 Donald Macleod, *The humiliated and exalted Lord: Studies in Philippians 2 and christology*. (Greenville, SC: Reformed Academic Press, 1994), p. 4. Citado em J. Ligon Duncan III, "Sound doctrine: essential to faithful pastoral ministry: a joyful defense and declaration of the necessity and practicality of systematic theology for the life and ministry of the church," in Mark Dever, J. Ligon Duncan III, R. Albert Mohler Jr., C. J. Mahaney, *Proclaiming a Cross-centered Theology* (Wheaton, IL: Crossway, 2009), p. 43 [em português: *A pregação da cruz: um chamado à pregação expositiva e centrada no evangelho como foco do ministério pastoral* (São Paulo: Cultura Cristã, 2010)].

TEOLOGIA BÍBLICA PRÁTICA

O QUE É DOUTRINA?

No capítulo anterior, eu disse que a doutrina é simplesmente um resumo preciso e correto do que a Bíblia diz sobre um assunto e é usada para definir a diferença entre verdade e erro, ortodoxia e heresia. É hora de detalhar isso um pouco mais. De fato, a doutrina tem pelo menos três aspectos, todos importantes para entendermos o que significa pensar teologicamente.[58]

Conhecimento bíblico

Fundamentalmente, o conhecimento teológico é conhecimento de Deus. Como a Escritura apresenta a ideia, o conhecimento de Deus é mais do que simplesmente ter uma cabeça cheia de fatos sobre Deus. Deus não é como um inseto que colocamos debaixo de uma lupa, objeto de nosso estudo e exame. Deus é uma pessoa. E assim, conhecer a Deus é conhecê-lo como você conheceria outra pessoa, um amigo ou um membro da família. Mas Deus não é uma pessoa como você e eu. E assim nosso conhecimento dele não é nem casual nem familiar. Ainda mais importante, nosso conhecimento de Deus não é intuitivo. Não podemos deduzir quem é Deus partindo de como somos. Deus é espírito e Deus é santo. Ele é nosso Criador e nosso Senhor. Isso significa que o conhecimento de Deus exigirá de nós reverência, obediência e adoração. Isso também significa que tal conhecimento terá que ser dado a nós. Nós não seremos capazes de descobri-lo por conta própria. Se quisermos conhecer a Deus, Deus precisa se revelar. E o lugar em que ele se revelou é por meio da revelação inspirada das Escrituras.

Tudo isso nos leva ao primeiro aspecto da doutrina, que é: a doutrina começa com o conhecimento bíblico. Como dissemos antes, a Bíblia

---

58 As seções seguintes são profundamente gratas à discussão de epistemologia de John Frame em *A doutrina do conhecimento de Deus* (São Paulo: Cultura Cristã, 2010). Embora eu não concorde com toda a epistemologia de Frame (por exemplo, sua insistência de que alguma linguagem sobre Deus é não analógica), considero suas três categorias de perspectivas normativa, existencial e situacional úteis, e as adotei no que se segue como conhecimento bíblico, pessoal e situacional.

é a autorrevelação inspirada de Deus. Portanto, ela é autoritativa, não apenas sobre Deus, mas sobre qualquer questão que a teologia indague e busque responder. A Bíblia nos fornece uma perspectiva normativa sobre Deus, nós mesmos e nosso mundo. E essa perspectiva exige nossa submissão e nossa obediência. Conhecer a Deus a partir da perspectiva do conhecimento bíblico é estar sujeito ao senhorio de Deus, levando todo pensamento cativo a Cristo (2Co 10.5).

Para tornar isso mais prático, vamos dar um exemplo. O que a Bíblia diz sobre a pesquisa com células-tronco? Não diz nada usando esses termos. Mas, na verdade, diz bastante, quando começamos a pensar teologicamente. Para começar, ela nos diz que Deus é o Criador e doador da vida (Sl 139.13-16), e que a vida humana foi formada à imagem de Deus (Gn 1). Portanto, não temos autoridade para usurpar a prerrogativa de Deus sobre a vida humana (Êx 20.13), não importa o quanto os nossos propósitos sejam bons. Segundo a Palavra de Deus, a criação de embriões humanos com o propósito de colher suas células-tronco, o que resulta em sua destruição, é assassinato. Não obstante nossas tentativas de fazer o bem aos outros por meio desse ato, isso é uma afronta à reivindicação exclusiva de Deus como o Senhor da vida.

Mas ao nos dizer que somos feitos à imagem de Deus, a Bíblia também nos diz algo sobre nós mesmos, o que nos leva ao segundo aspecto do conhecimento teológico, ou doutrina.

Conhecimento pessoal

Se teologia é conhecimento de Deus, e tal conhecimento é adquirido autoritativamente por meio das Escrituras, podemos ser tentados a pensar que o conhecimento teológico e o conhecimento bíblico são idênticos. Uma vez que temos um, temos o outro. Mas na verdade não é tão simples assim. Assim que falamos em conhecer a Deus, também descobrimos que estamos dizendo algo sobre nós mesmos, como aqueles que conhecem e são conhecidos por Deus. João Calvino entendeu isso e abriu suas *Institutas da Religião Cristã* com esta observação:

> Quase toda a suma de nossa sabedoria, que deve ser considerada a sabedoria verdadeira e sólida, compõe-se de duas partes: o conhecimento de Deus e o conhecimento de nós mesmos. Como são unidas entre si por muitos laços, não é fácil discernir qual precede e gera a outra [...] o reconhecimento de si não apenas instiga qualquer um a buscar a Deus, mas como que o conduz pela mão para reencontrá-lo. Consta, pelo contrário, que o homem jamais chega a um conhecimento puro de si sem que, antes, contemple a face de Deus, e dessa visão, desça para a inspeção de si mesmo.[59]

O conhecimento teológico e, portanto, a doutrina sempre nos envolve em conhecimento pessoal ou existencial. À luz de quem Deus é, e do que ele revelou sobre si mesmo e sua vontade, surge imediatamente a questão: quem sou eu? Como os conhecimentos teológicos e pessoais estão relacionados? Aqui está a conexão de que falamos no começo entre teologia e vida. Conhecer a Deus é estar sujeito à sua autoridade e ser levado à sua presença. A verdadeira teologia, digna desse nome, nunca pode ser mera linguagem abstrata, acadêmica e teórica. Antes, relaciona você e eu a Deus como súditos, adoradores e criaturas. É claro que, quando nos concentramos em nós mesmos nesse aspecto da teologia, não o fazemos independentemente das Escrituras ou em contradição com elas. Ao contrário dos teólogos liberais que substituíram a revelação de Deus pelas categorias da filosofia existencial ou da sociologia comunitária, o pensamento teológico fiel permanece submisso à Palavra de Deus. Mas isso não acontece com a suposição de que podemos nos aproximar de nosso conhecimento de Deus como observadores desinteressados.

---

[59] João Calvino, *Institutas da Religião Cristã*, Livro 1, I.1-2.

Pelo contrário, nosso conhecimento de Deus por meio de sua Palavra normativa nos confronta com o conhecimento de nós mesmos como simultaneamente nobres portadores de sua imagem e desprezíveis rebeldes contra o Altíssimo.

Como isso se relaciona com o nosso exemplo do que a Bíblia diz sobre a pesquisa com células-tronco? Bem, isso nos ajuda a entender por que desejamos estudar e pesquisar essas coisas. Somos imagem de Deus, feitos para sermos como ele, para explorar e entender o mundo que ele criou, o que inclui nossos corpos. Mas sua imagem em nós se estende além da criatividade e da curiosidade. Também inclui compaixão. Desejamos curar os doentes, ajudar os enfermos por causa da imagem de Deus em nós.

Mas nós não somos apenas imagem de Deus. Nós também somos rebeldes pecadores. Isso significa que mesmo nossas melhores intenções e maiores habilidades provavelmente serão distorcidas para fins egoístas. Como pecadores, é provável que avaliemos o dano causado a outros não em termos absolutos e de princípios, mas de acordo com um cálculo político de custo e benefício. Nossos amigos, vizinhos e familiares com doenças incuráveis parecem mais dignos do que os não nascidos. Sendo francos, eles votam, ganham dinheiro e pagam impostos, e os não nascidos não. Somos facilmente influenciados por noções desequilibradas de poder e percepção. Além disso, somos motivados pelo orgulho da realização, um orgulho que não tolera restrições. Se *podemos* fazer alguma coisa, *devemos* fazê-la.

E assim você vê como a teologia sistemática, baseando-se no conhecimento de nós mesmos à luz do conhecimento de Deus, explica por que alguns humanos definem outros humanos como não humanos, para usá-los em um programa projetado, ironicamente, para curar e restaurar. A teologia sistemática também fornece uma distinção entre pesquisa com células-tronco embrionárias e pesquisas com células-tronco adultas. Ela explica tanto nosso anseio de pesquisar e curar, e por que devemos colocar limites nesses anseios. Por fim, oferece uma maneira de pensarmos sobre o valor, a dignidade e a esperança da vida humana em meio ao sofrimento e à doença. Pois tal valor e esperança não são encontrados em categorias utilitárias ou funcionais, mas em nosso relacionamento com Deus.

Assim, a doutrina, ou o conhecimento teológico, envolve tanto o conhecimento bíblico que fornece uma perspectiva normativa quanto o conhecimento pessoal que fornece uma perspectiva existencial. E os dois estão interligados. Eles não cobrem diferentes campos de conhecimento, mas consideram todo o campo do conhecimento de diferentes ângulos. No entanto, se você estiver acompanhando de perto, perceberá que há outro aspecto do conhecimento teológico. Quando chegamos ao conhecimento de Deus e de nós mesmos, não o fazemos em um vácuo. Pelo contrário, conhecemos a Deus no meio deste mundo que ele fez, em um ponto particular da história e em um contexto cultural particular. E esse é o terceiro aspecto que precisamos considerar.

Conhecimento situacional

Todos nós nos conhecemos e conhecemos a Deus, não como abstrações atemporais, mas como pessoas que estão profundamente situadas em um contexto — uma realidade que é externa a nós mesmos. Paulo nos diz em Romanos 1 que parte do que pode ser conhecido de Deus é revelado na ordem natural, o que significa que chegamos a esse conhecimento de Deus conhecendo e observando o mundo ao nosso redor. Mas quando me refiro ao conhecimento situacional, não apenas tenho em mente o que os teólogos chamam de teologia natural — o que pode ser conhecido por Deus através da natureza. Também considero o que os sociólogos chamam de cultura: a maneira pela qual entendemos a realidade ao nosso redor, incluindo a nós mesmos e a Deus como atores nessa realidade.

Abraham Kuyper, um teólogo holandês e estadista do início do século XX, notoriamente disse: "Não há um centímetro quadrado em todo o domínio de nossa existência humana sobre o qual Cristo, que é Soberano sobre *tudo*, não exclame: 'é Meu!'".[60] Esta verdade tem importantes implicações para o conhecimento teológico. Para começar, saber algo sobre o mundo e saber algo sobre a cultura humana é saber algo sobre o Criador e o rei soberano que fez ambos e que governa sobre todos. É também conhecer algo sobre nós mesmos como criaturas que conhecem a Deus.

Mas ainda há mais. Conhecer nossa situação é conhecer um mundo que foi feito bom, mas agora está sob a maldição de Deus. Este mundo é perverso, duro e marcado pela tragédia e horror. E, no entanto, não é apenas um mundo sob a maldição de Deus. Tanto a graça comum quanto a graça salvadora atuam nele. Portanto, a maldição não é levada até o último grau, ainda. A vida continua; a beleza e o amor existem lado a lado com a feiura e o ódio. O trabalho é desgastante, mas não inteiramente sem produtividade e satisfação. A cultura e a civilização humanas fornecem uma estrutura de significado que faz Deus parecer ausente e a crença irracional, e ainda assim a racionalidade não desapareceu completamente, e os produtos da cultura humana ainda refletem as marcas do bom, do verdadeiro e do belo. O mundo é corrupto e corruptor, mas não tão corrupto quanto poderia ser. Além disso, perdão e reconciliação invadiram este mundo por intermédio de Jesus Cristo. A realidade da era vindoura, caracterizada por novidade de vida, paz com Deus e a beleza da santidade, alvoreceu mesmo em meio às trevas deste mundo caído.

Agora, o que esse conhecimento situacional significa para nossa discussão sobre o que a Bíblia diz sobre a pesquisa com células-tronco? Muito. Por um lado, ela nos dá uma compreensão das causas principais da doença (a queda) e da cura definitiva (recriação). Assim, ela evita

---

60 Abraham Kuyper, "Sphere sovereignty: the inaugural address at the opening of the Free University of Amsterdam, 1880," in James D. Bratt, ed., *Abraham Kuyper: A Centennial Reader* (Grand Rapids, MI: Eerdmans, 1998), p. 488.

agendas utópicas. Além disso, o conhecimento teológico situacional nos dá categorias para entendermos ciência, tecnologia e medicina. Cada um deles é mais do que mero processo e produto intelectual. Vemos que a tecnologia é um componente da cultura, e a cultura humana caída, em todas as suas várias manifestações, é dedicada à negação de Deus e à deificação do homem. De fato, a cultura humana caída é precisamente aquela que faz a crença parecer irracional e a incredulidade parecer racional e normal. Em tal contexto, a tecnologia pode facilmente mascarar-se como útil, mas de fato perpetrar um grande mal.

Mas o conhecimento situacional também nos impede de rejeitar esse mundo de uma vez. Nosso chamado sob Deus não é para sermos *luditas*,[61] que recusam e rejeitam toda a tecnologia, nem para sermos *amish*,[62] que se afastam completamente da cultura. Em vez disso, nosso chamado para é explorar este mundo e desenvolver a cultura humana para a glória de Deus. Isso incluirá tecnologia e ciência, que como dádivas de Deus são capazes de realizar um grande e profundo bem para a humanidade.

COMO PENSAR TEOLOGICAMENTE

Se esses são os três aspectos do conhecimento teológico — conhecimento de Deus, conhecimento de si mesmo e conhecimento do mundo — como, então, agrupamos tudo isso para que possamos pensar teologicamente em um assunto?

Eu tentei dar exemplos e resumos à medida que avançávamos, mas deixe-me tentar agora juntar tudo. O que a Bíblia diz sobre a pesquisa com células-tronco? Lembre-se, eu não sou um teólogo profissional, então peço desculpas antecipadamente para aqueles que são. Por outro lado,

---

61 Movimento operário na Europa do século XIX que tinha como forma de protesto a destruição do maquinário das fábricas, como forma de lutar contra a extinção de empregos [N. do E.].

62 Grupo americano tradicional que vive em comunidades isoladas das cidades e centros urbanos, reproduzindo um estilo de vida da época colonial, sem inovações tecnológicas [N. do E.].

para os pastores regulares e líderes da igreja como eu, digo que, se eu consigo, você também consegue!

Nossa resposta deve começar com a Palavra de Deus, autoritativa e normativa. Deus é o Autor e Criador da vida, e ele criou unicamente os humanos à sua imagem (Gn 1). Portanto, a própria vida humana é singularmente separada para a glória de Deus (cf. Gn 9.4-6). E ainda assim, quando nos voltamos para nossa situação, nós nos encontramos em um mundo que é amaldiçoado, destruído não apenas por patógenos que atacam de fora de nossos corpos, mas por genética corrompida, de modo que nossos corpos se voltam contra si mesmos com doenças e decadência. Esse não é o resultado de um acidente aleatório, mas o desdobramento da maldição de Deus para nossa rebelião pecaminosa (Gn 3.19). Como a vida humana é feita à imagem de Deus, existe sobre nós uma obrigação moral de usarmos o conhecimento e os recursos à nossa disposição para preservar, promover e curar essa vida (cf. Lc 10.25-37). Quando fazemos isso, estamos agindo não apenas como imagem de Deus, mas como agentes de misericórdia em um mundo submetido à maldição de Deus (Mt 5.43-48).

Mas a obrigação de curar não é a única obrigação que carregamos. Também temos a obrigação de proteger a vida humana (cf. Êx 21.28-32). A Palavra de Deus nos diz que todos os seres humanos são feitos à sua imagem e, portanto, existe uma igualdade de direito à vida que não está condicionada à capacidade, habilidade ou utilidade. Isso significa que há limites em nossa obrigação de curar, se o exercício dessa obrigação implicar a morte deliberada ou mutilação de outra pessoa. Quando nos voltamos para o conhecimento pessoal informado pelas Escrituras, reconhecemos que, em nosso estado decaído, estamos propensos ao uso egoísta de outros para nossos próprios fins, e que somos totalmente capazes de construir racionalizações morais para nossos motivos e ações pecaminosos (cf. At 16.16-21). Além disso, somos os produtores *e* produtos de uma cultura humana caída que está comprometida em negar todo e qualquer limite que Deus coloque sobre nós. Como deuses, queremos estabelecer nossos próprios limites e, de fato, vivemos como se não houvesse nenhum (Gn 3.1-7).

Finalmente, ao considerarmos a realidade do pecado e como ele afeta tanto nosso corpo quanto nossas agendas culturais, reconhecemos que a cura física não é um bem supremo, nem mesmo um objetivo universalmente alcançável (2Co 12.7-10). Também reconhecemos que o sofrimento físico não é um mal definitivo (Mt 10.28). Assim, como humanos, somos chamados a rejeitar a idolatria de uma moderna utopia médica e, em vez disso, depositar nossa esperança última no poder redentor de Deus, demonstrado pela vitória de Cristo sobre o pecado na cruz e sua vitória sobre a morte na ressurreição.

Tudo isso nos leva, como cristãos, pensando teologicamente, a rejeitar toda e qualquer forma de pesquisa com células-tronco embrionárias, uma vez que ela cria deliberadamente vida humana apenas para destruí-la, mesmo que afirme fazê-lo em favor de outras vidas humanas. Isso também significa que podemos e devemos apoiar outras formas de pesquisa com células-tronco baseadas em linhas celulares adultas. Mas, ao considerarmos os objetivos e metas de tal pesquisa, entendemos que seu propósito deve ser curar e restaurar. Qualquer tentativa de usar essa pesquisa para reestruturar a vida, para criar formas híbridas de vida, ou "bebês projetados", deve ser rejeitada como uma violação dos direitos de Deus como o Criador e Senhor da vida, e como uma degradação e agressão à imagem de Deus no homem.

DÊ-LHES CARNE, NÃO LEITE

Segundo alguns relatos, John Piper, pastor da Bethlehem Baptist Church em Minneapolis, fez mais para motivar uma nova geração de jovens cristãos americanos para irem a campos de serviço missionário do que qualquer outra pessoa viva hoje. Como ele fez isso? Ele os inspirou com histórias de sacrifício heroico? Ele colocou a causa (e culpa) das massas moribundas sobre as sensíveis consciências da juventude americana? Ele articulou uma estratégia de missão tão convincente que as pessoas simplesmente deviam participar?

A resposta para todas essas perguntas é "não". Ele não fez nada disso. O que ele fez foi dar às pessoas uma teologia bastante profunda. Ele os confrontou com a incrível centralidade de Deus em si mesmo. Ele as desafiou com a difícil, mas bíblica, verdade de que o maior amor de Deus é o próprio Deus, que o supremo objetivo de Deus é sua própria glória, e que o propósito final de Deus tanto na criação como na recriação é a sua adoração e fama. Além do mais, ele demonstrou que não há nada errado; ao contrário, está tudo certo com a centralidade de Deus estar no próprio Deus. E então ele reuniu duas aplicações de fato muito práticas. Primeiro, "as missões existem porque a adoração não existe".[63] Segundo, "Deus é mais glorificado em nós quando estamos mais satisfeitos nele".[64] Quando essas duas verdades se juntam em um coração regenerado e cheio de graça, firmado em uma profunda teologia de Deus, as pessoas reorganizam suas vidas, mudam suas ambições e se entregam à obra de evangelização mundial que glorifica a Deus.

Penso que para muitos de nós é fácil olhar para o impacto de John Piper e pensar: "Eu nunca poderia ter esse tipo de impacto, porque eu não sou John Piper. Eu não tenho seus dons. Eu não tenho sua energia. Eu não tenho o seu cérebro!". Eu entendo o sentimento.

Mas não concordo com isso.

E nem ele concordaria. John Piper seria o primeiro a dizer a você que ele é apenas um homem, com falhas, medos e peculiaridades como você e eu.

---

[63] John Piper, *Alegrem-se os povos: A supremacia de Deus nas missões* (São Paulo: Cultura Cristã, 2012), p. 15.
[64] John faz essa afirmação o tempo todo. Esta citação em particular é de *Brothers, we are not professionals. A plea to pastors for radical ministry* (Nashville: Broadman & Holman, 2002), p. 45 [em português: *Irmãos, nós não somos profissionais. Um apelo aos pastores para ter um ministério radical.* (São Paulo: Shedd, 2009)].

TEOLOGIA BÍBLICA PRÁTICA

Não, o que eu acho que explica o modo como Deus está usando Piper hoje é que, como um Paulo moderno, ele recebeu os dons que Deus deu a ele e os colocou totalmente à disposição da verdade da Palavra de Deus. E ao fazê-lo, ele é um modelo para nós do que significa ser um servo da verdade. Mais importante que seu estilo, sua entrega, ou mesmo sua personalidade e paixão, é sua crença de que a Palavra de Deus, toda ela e todas as suas partes, é verdadeira e significa alimento para as ovelhas do pasto de Deus.

Esse é o modelo que Piper nos oferece. É assim que devemos ser como líderes de igreja. "Se vamos alimentar nosso povo, devemos sempre avançar em nossa compreensão da verdade bíblica. Devemos ser como Jonathan Edwards, que resolveu em seus dias de faculdade, e manteve a resolução toda a sua vida: 'Resolução: estudar a Escritura de forma constante, diligente e frequente, para que eu possa encontrar e claramente me perceber crescer no conhecimento dela.'".[65]

Deve ser nossa ambição crescer em nossa habilidade de articular cuidadosa e fielmente a doutrina bíblica, e então comunicá-la com clareza, precisão e paixão. Não para impressionar nossos colegas pastores ou os membros da igreja, mas a fim de alimentarmos as ovelhas. Nosso povo precisa de carne para crescer forte e amadurecer, mas muitas vezes somos responsáveis por seu desenvolvimento limitado, já que só oferecemos leite a eles. Muitos de nós, creio eu, temem que a doutrina simplesmente se torne o peso morto da ortodoxia em nossa igreja, e assim nós a eliminamos sempre que podemos. De fato, a doutrina é o combustível que Deus nos deu para que, quando aceso pelas chamas da graça, queime em uma devoção incandescente de culto e discipulado cristão.

Foi isso que eu quis dizer quando comparei John Piper ao apóstolo Paulo. Quando Paulo foi confrontado com a falta de generosidade ou brigas e divisões na igreja local, ele estava lidando com problemas comuns

---

[65] Ibid., p. 74.

que você e eu enfrentamos todos os dias. Mas sua resposta foi tudo, menos trivial. Sua resposta foi uma teologia profunda. "Quem imaginaria que a resposta para a glória da encarnação poderia ser doar a oferta para os pobres? Quem poderia imaginar que a aplicação das glórias da cristologia neotestamentária poderia ser parar nossa briga e nossa divisão na *ekklesia* cristã?".[66] E eu poderia acrescentar, quem pensaria que a resposta à incansável centralidade de Deus em si mesmo seria jovens de vinte e poucos anos mudando seus planos de carreira e indo para o campo missionário?

Eu digo a você quem pensou nisso. Muito antes de John Piper, Jonathan Edwards ou o apóstolo Paulo, Deus pensou nisso. Ele sabia do que precisávamos e nos deu isso nas Escrituras. Não apenas histórias, mas a verdade de Deus, "útil para o ensino, para a repreensão, para a correção, para a educação na justiça" (2Tm 3.16).

Essa ficha caiu para mim há alguns anos quando fui chamado à casa de uma jovem família em nossa igreja. Uma jovem mãe foi diagnosticada com um câncer bastante avançado. Quando me sentei no sofá deles e os ouvi primeiro e depois chorei com eles, tive uma escolha a fazer. Eu poderia dizer palavras vagamente reconfortantes e espirituais, assegurar-lhes que Deus cuidaria deles e pedir a eles que tivessem fé. Ou eu poderia abordar a dura realidade que eles enfrentavam com a verdade inegociável da Palavra de Deus. Eu escolhi a segunda opção. Olhei a jovem mãe e o marido nos olhos e contei a eles do amor de Deus, um amor que não estava fundamentado em suas circunstâncias, mas na cruz do Calvário. Eu falei para eles da soberania de Deus, que o câncer dela foi ordenado por Deus, e que Deus pretendia usá-lo em sua vida para ensinar a ela a depender dele e considerá-lo suficiente. E eu disse a ela, mesmo chorando com ela, que estava animado para ver como Deus seria glorificado nela por meio desta provação que ele havia preparado para ela.

---

66 J. Ligon Duncan III, "Sound doctrine: essential to faithful pastoral ministry: a joyful defense and declaration of the necessity and practicality of systematic theology for the life and ministry of the church" in Mark Dever, J. Ligon Duncan III, R. Albert Mohler Jr., C. J. Mahaney, *Proclaiming a Cross-centered Theology* (Wheaton, IL: Crossway, 2009), p. 43 [em português: *A pregação da cruz: um chamado à pregação expositiva e centrada no evangelho como foco do ministério pastoral* (São Paulo: Cultura Cristã, 2010)].

Eles me disseram mais tarde que ficaram ligeiramente chocados com minhas palavras, apesar de terem sido entregues com gentileza e lágrimas. Mas também me disseram que se apegaram a essas palavras e às Escrituras que eu compartilhei com eles naquela noite. Nos dias escuros e incertos da quimioterapia e da cirurgia, eles precisavam de mais do que leite. Eles precisavam da carne do amor soberano de Deus e de seu compromisso de ser glorificado na vida de seu povo. Por fim, ela sobreviveu ao câncer, mas suas vidas não são as mesmas. A verdade da Palavra de Deus, recebida no calor da provação, reordenou completamente suas vidas.

A TEOLOGIA E A IGREJA LOCAL

Há um século ou dois, a teologia era principalmente feita na igreja e para a igreja. Não é que os teólogos cristãos não tivessem interesse em envolver os não cristãos. É simplesmente que eles entenderam que o público primário da teologia e os principais construtores da teologia eram cristãos reunidos na assembleia local. Em algum lugar ao longo do caminho, no entanto, esse deixou de ser o caso. David Wells até mesmo argumentou que não só a teologia não é feita na igreja local, como também não é bem-vinda lá.[67] Em vez disso, a igreja tornou-se apaixonada por práticas comerciais e métodos psicológicos. Espera-se que seus líderes sejam CEOs e não pastores-teólogos. As reuniões públicas da igreja são projetadas para serem eventos que atraem o forasteiro, em vez de assembleias que expressam comunitariamente nossa identidade como povo de Deus.[68] E nossos hábitos de pensamento tendem a ser moldados mais por dados de pesquisa, pela blogosfera e pela natureza imagética da televisão do que pela Bíblia. Os pensamentos de Deus e sua glória, nossa nobreza e depravação, e o valor e a transitoriedade deste mundo — pensamentos que moldaram e caracterizaram as mentes

---

67 David Wells, *Sem lugar para a verdade. O que aconteceu com a teologia evangélica?* (São Paulo: Shedd, 2018).
68 Esse, é claro, é um dos princípios-chave do movimento de crescimento da igreja "seeker-sensitive". Seus expoentes são tão numerosos e conhecidos que não preciso apontar exemplos.

de gerações anteriores de cristãos — descansam tranquilamente em nossas igrejas, se é que ainda estão lá.[69]

A igreja não deve abandonar a teologia

Se queremos dar testemunho fiel de Cristo, o Senhor da vida, nesta época, devemos recuperar não apenas a capacidade de pensar teologicamente, mas o compromisso de fazê-lo juntos na vida da igreja local. Até recuperarmos a visão teológica na igreja, o nervo que dá vida bíblica rica e profunda à nossa adoração e missão permanecerá cortado. Nosso culto público permanecerá superficial e impulsionado pelo entretenimento. Nossa missão será indistinguível dos métodos e objetivos de qualquer organização de vendas, ou será cooptada pela agenda de uma cultura hostil. Essa cultura nos encorajará a fazer coisas boas, como cuidar dos pobres, mas só nos aplaudirá se concordarmos em deixar Cristo fora disso.

"A igreja abandona a teologia apenas sob grande risco para si mesma",[70] diz o teólogo Richard Lints. Sem visão teológica, um olhar que lida com o que significa ser povo de Deus, no mundo de Deus, sob o governo de Deus, a igreja inevitavelmente perde tanto sua identidade como propriedade de Deus quanto seu propósito como povo e lugar onde a glória de Deus é exibida no evangelho e o louvor de Deus é declarado.

A teologia não deve abandonar a igreja

Ao mesmo tempo, Lints também escreveu: "a teologia abandona a igreja sob grande risco para si mesma".[71] Fora da igreja, a teologia está desconectada

---

69 Devo a ideia de Deus "descansar tranquilamente na igreja" a David Wells. Este é um tema que ele explorou em profundidade no projeto que começou com *Sem lugar para a verdade* e recentemente concluiu com *Coragem para ser protestante: amantes da verdade, marqueteiros e emergentes no mundo pós-moderno* (São Paulo: Cultura Cristã, 2011). Para uma discussão mais completa dessa ideia, veja *Sem lugar para a verdade: O que aconteceu com a teologia evangélica?* (São Paulo: Shedd, 2017), p. 106-114 e *God in the wasteland: The reality of truth in a world of fading dreams* (Grand Rapids, MI: Eerdmans, 1994), p. 88–113.

70 Richard Lints, *The fabric of theology: A prolegomenon to evangelical theology* (Grand Rapids, MI: Eerdmans, 1993), p. 319.

71 Ibid.

do contexto de adoração, missão e discipulado. Portanto, ela se torna nada mais do que outra disciplina acadêmica falando consigo mesma. Fora da igreja, a teologia não conhece limites, não presta contas e, o mais importante, não tem aplicação prática. Às vezes isso leva à heresia. Muitas vezes, em nossa época, isso levou a um enfraquecimento da teologia entre os evangélicos, já que cada vez mais nada pode ou precisa ser dito além de algumas doutrinas essenciais, depois das quais o trabalho técnico e de gestão assume o comando.[72]

O que pode ser mais importante, no entanto, é que a teologia feita fora da igreja é desprovida dos meios dados por Deus para ilustrar e mostrar não apenas a verdade, mas a aplicação da verdade à vida. A igreja deve ser a demonstração do evangelho (Ef 3.10), uma colônia viva e crescente do céu,[73] uma comunidade de pessoas que estão vivendo a cosmovisão que a teologia bíblica sadia articula. Sem a igreja, como alguém sabe que a teologia tem algo a dizer que valha a pena ouvir?

CONCLUSÃO

Por que fazemos teologia sistemática? Porque a teologia é a aplicação da verdade à vida; porque a teologia é a base de toda boa obra; porque a teologia fornece a estrutura e a cosmovisão que nos permite entender nossas vidas e este mundo em relação a Deus e ao evangelho de Jesus Cristo.

Vivemos em um mundo caído, um mundo agora moldado por seres humanos caídos para fazer com que o projeto teológico pareça uma perda irrelevante de tempo. Mas a teologia sistemática nos prepara para isso, nos diz que isso é esperado, e nos convida a prosseguir pensando teologicamente sobre este mundo mesmo assim. Além disso, não devemos pensar sozinhos, mas no contexto da igreja, com um ouvido aberto para o que os cristãos que vieram antes de nós disseram,

---

72 Wells, *Sem lugar para a verdade*, p. 101.
73 Edmund P. Clowney, *A igreja* (São Paulo: Cultura Cristã, 2003), p. 13, título.

e com um olhar que considera esse pensamento à luz do que significa seguir a Cristo em nosso tempo.

Agora temos as ferramentas de que precisamos para construir uma teologia que conte toda a história de toda a Bíblia, e que, ao fazê-lo, nos oriente neste mundo para viver como cristãos, homens e mulheres que conhecem a Deus. É hora de dispor nossas mãos à obra.

SEÇÃO 2
AS HISTÓRIAS A SEREM CONTADAS

CAPÍTULO 6

A HISTÓRIA DA CRIAÇÃO

Estamos mudando de direção agora. Estávamos nos preparando. Agora vamos construir. Mas antes de começar, deixe-me resumir o que fizemos até agora. O objetivo deste livro é primeiro convencer você e depois ajudá-lo. Eu tenho tentado convencê-lo de que, se você leva a sério o ministério cristão, você precisa de uma teologia bíblica que seja fiel à história das Escrituras e sadia em sua aplicação. Nada é mais prático do que isso. A primeira seção deste livro tratou de persuadir você de que as ferramentas da teologia, tanto bíblicas quanto sistemáticas, são ferramentas que você pode usar. De fato, são ferramentas que você deve usar se quiser ser um líder fiel na igreja.

Por que eu digo que você *deve* usá-las? Eu digo isso pela simples razão de que Deus tem um ponto de vista sobre sua vida, minha vida e toda a vida. Talvez isso pareça óbvio. Mas pense nisso por um segundo. Deus tem um ponto de vista sobre o que o amor realmente é, como falamos, o que fazemos com nossas posses, como nos relacionamos com nossos vizinhos, como nos relacionamos com ele. Em nossa carne, podemos dizer que estamos interessados em seu ponto de vista, mas na verdade o descartamos. Estamos interessados apenas em nosso próprio ponto de vista e passamos quase todos os momentos de cada dia justificando esse ponto de vista — às vezes conscientemente, às vezes inconscientemente.

TEOLOGIA BÍBLICA PRÁTICA

A Bíblia nos apresenta o ponto de vista de Deus. No entanto, como vimos, a Bíblia é um tipo diferente de livro. Não apresenta o ponto de vista de Deus sobre as coisas de uma maneira simples e direta. É parte histórica, parte proposicional, parte poética e assim por diante. Ela nos oferece a história, como muitos outros livros nos fornecem história. Mas, diferentemente de qualquer outra história já escrita, essa história é autoritativa para nossas vidas. É por isso que ela também nos apresenta proposições de verdade absoluta no meio da narrativa histórica. A Bíblia também nos dá poesia, que nos guia no cantar, sentir e sofrer, como tantos outros livros de poesia. Mas, diferentemente de qualquer outro livro de poesia, é autoritativo. Ela diz como você *deve* se lamentar, se alegrar, expressar medo e assim por diante.

A Bíblia é absolutamente única, projetada para fazer o que nenhum outro livro na história fez — revelar Deus às pessoas pelo próprio Deus. A Bíblia é escrita para seres humanos, para pessoas como você e eu. Como pessoas, crescemos em confiança e crença em outras pessoas conforme caminhamos com elas — quando as vemos agir, quando ouvimos suas palavras, e quando observamos e eventualmente compartilhamos seus corações. Mas neste caso, a pessoa que estamos conhecendo não é outra pessoa como você e eu; é o Deus trino, Senhor do céu e da terra. Obviamente, este não é um livro comum.

O que a Bíblia faz, realmente, não é apenas nos dar o ponto de vista de Deus; ela nos permite caminhar com Deus ao longo da história humana. Dessa forma, podemos chegar a acreditar e confiar nas palavras, no ponto de vista e no coração daquele que conduz a história. A Bíblia nos permite, na frase de David Powlison, enxergar com novos olhos.[74] Ela nos permite, na frase do apóstolo Paulo, *ver* com um novo coração (Ef 1.18).

---

[74] David Powlison, *Uma nova visão: O aconselhamento e a condição humana através das lentes da Escritura* (São Paulo: Cultura Cristã, 2010).

Na primeira seção deste livro, tentamos entender a natureza desse livro chamado Bíblia. Então, não estamos apenas fazendo a pergunta exegética: "o que ela diz?" (isto é, "qual é o conteúdo do livro?"). Também não estamos apenas fazendo a pergunta da teologia sistemática: "o que os cristãos devem acreditar sobre o tópico '*x*' — Deus, homem, pecado, o fim dos tempos, pesquisa com células-tronco, governo e assim por diante?". Antes, também estamos perguntando algo entre essas duas perguntas — uma pergunta no meio — que é uma pergunta de teologia bíblica: "*como* a Bíblia diz o que diz?". Se não entendermos *como* a Bíblia diz o que diz, provavelmente cometeremos erros sobre as outras duas questões. Entenderemos mal o conteúdo, e aplicaremos mal o conteúdo para aquilo em que devemos acreditar.

Para responder a essa questão de teologia bíblica, consideramos muitos conceitos e introduzimos várias ferramentas:

- a intenção autoral do texto;
- os horizontes de era e cânone de qualquer texto;
- o enredo pactual (de aliança) da Bíblia;
- questões de cumprimento de promessa, que incluem múltiplos horizontes de cumprimento;
- o papel da tipologia;
- questões de continuidade e descontinuidade.

Em seguida, analisamos a natureza da teologia sistemática e consideramos como construir uma doutrina, ou seja, em que acreditamos. A boa teologia sistemática consiste em conhecimento bíblico, conhecimento pessoal e conhecimento situacional. Em essência, pensamos sobre como a ponte é construída a partir *do que a Bíblia diz* para *o que acreditamos*.

Foi o que fizemos até aqui. O que faremos agora? Neste e nos próximos quatro capítulos, vamos aplicar tudo o que estamos falando.

TEOLOGIA BÍBLICA PRÁTICA

Vamos considerar cinco histórias diferentes que a Bíblia conta — cinco tramas diferentes da teologia bíblica. Na verdade, contaremos toda a história da Bíblia toda cinco vezes, cada vez de um ponto de vista ligeiramente diferente. E então vamos considerar algumas das doutrinas que surgem dessas histórias e como essas doutrinas moldam o que acreditamos e como devemos viver.

A primeira história que vamos contar é a história da criação. A história de Deus começa com a criação e termina com uma nova criação. Só por isso, apenas este fato já sugere que a criação é crucial para entender quem é Deus e o que ele pretende.

A HISTÓRIA DA CRIAÇÃO

No princípio

"No princípio, criou Deus os céus e a terra" (Gn 1.1).

Gênesis 1 fornece a visão geral cósmica. Tudo o que existe vem a ser pelo comando de Deus.

À medida que nos movemos para Gênesis 2, a história se concentra fortemente nos detalhes da criação da humanidade, no primeiro casamento e nas responsabilidades confiadas a homens e mulheres. Tudo é bom. Tudo é perfeito. Tudo é exatamente como deveria ser.

Então ocorre a tragédia. Incrivelmente, Adão e Eva se rebelam contra aquele que deu o Paraíso a eles. Em julgamento e misericórdia, Deus os expulsa para fora da perfeição de sua presença no jardim do Éden, para um mundo criado que agora é amaldiçoado e caído.

O ciclo continua

A cada capítulo que se segue, as coisas vão de mal a pior. Finalmente ouvimos mais uma vez as palavras de julgamento de Deus.

> Viu o SENHOR que a maldade do homem se havia multiplicado na terra e que era continuamente mau todo desígnio do seu coração; então, se arrependeu o SENHOR de ter feito o homem na terra, e isso lhe pesou no coração. Disse o SENHOR: Farei desaparecer da face da terra o homem que criei, o homem e o animal, os répteis e as aves dos céus; porque me arrependo de os haver feito (Gn 6.5-7).

As ações de Deus em Gênesis 3 são repetidas em Gênesis 6. Deus traz o dilúvio. Foi o dia do julgamento o qual Pedro chamou de "o mundo daquele tempo" (2Pe 3.6).

Mas Deus também mostra misericórdia salvando Noé e sua família. Com a salvação de Noé, vem um ato de recriação. Mais uma vez, a terra era sem forma e vazia, coberta pelas águas das profundezas (cf. Gn 1.2). Além disso, externamente a terra havia sido lavada do pecado da humanidade. Um novo mundo, o mundo atual, surgiu quando Deus mais uma vez colocou limites entre a terra e o mar. Deus agora comissiona Noé e sua família, assim como ele havia comissionado Adão. Ele até mesmo ecoa Gênesis 1, dizendo a eles: "Sede fecundos, multiplicai-vos e enchei a terra. [...] Tudo o que se move e vive ser-vos-á para alimento; como vos dei a erva verde, tudo vos dou agora." (Gn 9.1-3).

Mas embora o mundo seja externamente purificado e recriado, internamente os corações dos homens e das mulheres não são mudados. O pecado intervém mais uma vez. Dentro de poucos anos, a família de Noé é dilacerada e um de seus netos é amaldiçoado. Em Gênesis 11, estamos novamente testemunhando a perversidade orgulhosa da humanidade e o julgamento misericordioso de Deus, ao confundir sua linguagem em Babel e espalhá-los pela face da terra a fim de retardar o progresso de sua iniquidade.

Nesse ponto incrivelmente baixo da história, com a humanidade não apenas alienada de Deus, mas também permanentemente alienada uma da outra, a atividade criadora de Deus marca uma profunda mudança no curso da história humana. Mais uma vez, Deus fala e cria, não um novo mundo, mas um novo homem. Ele toma o idólatra pagão Abrão e, por seu irresistível chamado de amor, muda seu coração e seu nome. Abrão se torna Abraão, o homem que creu em Deus e o seguiu. E Deus não parou de falar. Ele promete a Abraão, sem filhos, que fará de sua família uma grande nação. De acordo com sua promessa, Deus cria vida no ventre estéril de Sara. Uma geração depois, o neto deles tem doze filhos. Em pouco tempo, já não se pode contar todos os seus descendentes. De um único homem e mulher, eles se multiplicaram e foram fecundos.

A história continua. Os descendentes de Abraão são escravizados por outra nação. E assim Deus envia seu profeta, Moisés, para falar as palavras de Deus ao Faraó. Deus fala, o Egito é julgado e a nação de Israel é libertada. Mas eles ainda não são exatamente uma nação. Eles são grupos individuais de tribos. Mas no monte Sinai, Deus fala novamente. Em Êxodo 19 e 20, Deus fala audivelmente ao povo e cria Israel como seu povo especial, sua nação escolhida dentre todos os povos da terra.

> Subiu Moisés a Deus, e do monte o SENHOR o chamou e lhe disse: Assim falarás à casa de Jacó e anunciarás aos filhos de Israel: Tendes visto o que fiz aos egípcios, como vos levei sobre asas de águia e vos cheguei a mim. Agora, pois, se diligentemente ouvirdes a minha voz e guardardes a minha aliança, então, sereis a minha propriedade peculiar dentre todos os povos; porque toda a terra é minha; vós me sereis reino de sacerdotes e nação santa. São estas as palavras que falarás aos filhos de Israel. [...] Então, falou Deus todas estas palavras: Eu sou o SENHOR, teu Deus, que te tirei da terra do Egito, da casa da servidão. Não terás outros deuses diante de mim (Êx 19.3-6; 20.1-3).

Mas Deus não apenas cria a nação. Deus também promete estabelecer o povo de Israel em uma terra que mana leite e mel. Ela é descrita como um verdadeiro jardim do Éden, um lugar onde os ex-escravos podem finalmente descansar na presença de seu Deus.

Incrivelmente, o povo se rebelou, não apenas uma vez, mas de novo e de novo (Êx 32; Nm 11-14, 16, 21, 25). Deus julga uma geração, deixando-os morrer no deserto. Então ele recria a nação com seus filhos. Ele os estabelece em sua própria terra, a terra prometida de descanso, e por fim levanta para eles um grande rei, Davi, que oferece trégua a eles em relação a todos os seus inimigos. Mas eles também acabam pecando, e assim a história continua. Como as gerações anteriores a eles, como Adão e Eva no princípio, a nação se rebela. Isso leva primeiro à divisão e, finalmente, ao julgamento e ao exílio. Espalhados entre nações cuja fala não compreende, Israel recapitulou em sua própria história os onze primeiros capítulos do Gênesis.

Mais uma vez, a graça criadora de Deus intervém. Um remanescente do povo é trazido de volta do exílio. O templo é reconstruído e as muralhas de Jerusalém são restauradas. Mas algo está faltando. O templo é reconstruído, mas está vazio. Deus não está lá. As muralhas de Jerusalém são restauradas, mas o trono de Davi é uma sombra de sua antiga glória e logo fica vago. No momento em que o Novo Testamento começa, o povo de Israel é novamente escravizado, só que, desta vez, eles são escravos em sua própria terra. E não há um profeta há séculos. O Deus que fala e cria se calou.

A inauguração de uma nova criação

Deus permanece em silêncio, até um dia incrível — o próprio Criador aparece na forma de um homem. Ecoando Gênesis 1, o apóstolo João nos diz:

> No princípio era o Verbo, e o Verbo estava com Deus, e o Verbo era Deus. Ele estava no princípio com Deus. Todas as coisas foram feitas por intermédio dele, e, sem ele, nada do que foi feito se fez. A vida estava nele e a vida era a luz dos homens. [...] E o Verbo se fez carne e habitou entre nós, cheio de graça e de verdade, e vimos a sua glória, glória como do unigênito do Pai (Jo 1.1-4, 14).

Essa Palavra era Jesus, Deus encarnado. Em sua vida, ele falou e o cego passou a ver, o surdo passou a ouvir. E embora os homens maus o tenham crucificado e sepultado, ele ressuscitou dos mortos e, com sua ressurreição, inaugurou a nova criação, uma obra que continua até hoje. Por meio de sua Palavra, o evangelho, Jesus ressuscita os pecadores mortos para novidade de vida e os faz novas criaturas (Ef 2.1-9). Por meio de sua Palavra, o evangelho, ele chama seu povo para uma nova humanidade, uma nação santa. O autor aos Hebreus, ecoando Êxodo 19 e 20, chama esse povo de "assembleia e igreja dos primogênitos" (Hb 12.22, 23).

A nova criação consumada

E por meio de sua Palavra, o evangelho, Jesus, o Criador, terminará seu trabalho de nova criação. O mal e o pecado serão final e eternamente julgados, e o povo de Deus será purificado de toda a sua maldade e habitará com ele em descanso para sempre em novos céus e nova terra. Como João viu:

> Vi novo céu e nova terra, pois o primeiro céu e a primeira terra passaram, e o mar já não existe. Vi também a cidade santa, a nova Jerusalém, que descia do céu, da parte de Deus, ataviada como noiva adornada para o seu esposo. Então, ouvi grande voz vinda do trono, dizendo: Eis o tabernáculo de Deus com os homens. Deus habitará com eles. Eles serão povos de Deus, e Deus mesmo estará com eles.

E lhes enxugará dos olhos toda lágrima, e a morte já não existirá, já não haverá luto, nem pranto, nem dor, porque as primeiras coisas passaram. E aquele que está assentado no trono disse: Eis que faço novas todas as coisas. E acrescentou: Escreve, porque estas palavras são fiéis e verdadeiras (Ap. 21.1-5).

PADRÕES NO ENREDO

Essa foi uma rápida visão geral do enredo da criação e recriação. Eu estou contando com o fato de que você conhece pelo menos alguns dos detalhes da história que eu não tive tempo de descrever.

Mas antes de considerarmos o que a história nos ensina, pense em *como* ela nos ensina.

Primeiro, observe o que eu já disse — a coisa toda se desenrola como uma história. Agora, quando digo história, não quero dizer que seja fictício, assim como a história de sua vida não é fictícia. O que quero dizer é que, como todas as histórias, a história da criação de Deus tem uma estrutura narrativa. Há um começo — criação. A tensão entra no enredo com a queda. No meio, a trama fica interessante por todos os ciclos de criação, pecado, julgamento, recriação e assim por diante. Ao longo do caminho, esses ciclos proporcionam pequenos clímax e novos desenvolvimentos. Finalmente, há um final verdadeiramente culminante — novos céus e nova terra.

Segundo, há um padrão claro de promessa e cumprimento por todo o caminho. Deus prometeu a Abraão muitos descendentes, uma terra, e que ele seria uma bênção. Claramente, Deus cumpriu essa promessa com Isaque, depois com os doze filhos de Israel e depois com a nação inteira. Mas essa promessa foi cumprida em vários níveis. Esses muitos descendentes não incluem apenas a nação de Israel, da antiga aliança, eles incluem a igreja da nova aliança. E a Terra Prometida acaba por ser não apenas a Palestina, mas a própria nova criação.

Terceiro, encontramos o enredo da aliança das Escrituras aqui também. De fato, se tivesse tempo, eu teria explicado as alianças com Noé, Abraão e Davi. Tomar nota de todas essas alianças é importante porque a nossa localização precisa no enredo da aliança afetará nossas conclusões da teologia sistemática. Por exemplo, suponha que alguém quisesse argumentar pela legalização da maconha dizendo que tudo que Deus criou "era bom". Portanto, plantas como a maconha são boas. Bem, tudo que Deus criou *era* bom... em Gênesis 1. Mas Gênesis 3 aconteceu, e isso mudou não apenas a nós, como também mudou significativamente o mundo. Você não pode simplesmente usar um texto como prova desta maneira.

Quarto, observe também o uso que Deus faz da tipologia no enredo da criação. A recriação após o dilúvio foi um tipo da criação. Chamar a nação de Israel da escravidão para a Terra Prometida foi um tipo da criação. Mas esses tipos sempre apontavam para o antítipo, a nova criação inaugurada por Cristo. Por meio da repetição dos tipos, aprendemos algo sobre como Deus trabalha e com o que ele se importa.

Quinto, você provavelmente notou outros padrões nessa história também. Por exemplo, o fato de que Deus sempre cria e recria por meio de sua Palavra, ou que ele cria e recria para sua glória. Você também deve ter notado que a recriação sempre gira em torno de um único homem representativo, independentemente de quantas pessoas possam estar envolvidas. Esse homem sempre se coloca como Adão, sendo um mediador representante daqueles que o seguem. A história da criação e a história do filho de Deus estão indissociavelmente interligadas. Meu objetivo aqui não é, portanto, listar exaustivamente todos os padrões, mas motivar você a começar a procurá-los.

SISTEMATIZANDO TUDO

Nós ouvimos a história. Consideramos brevemente como a história funciona. Como então organizamos tudo isso e aplicamos ao cristão e à igreja?

Quando pensamos sobre o significado da história da criação, creio que várias doutrinas se tornam aparentes. Quero destacar algumas delas e considerar como podemos pensar sobre elas à luz de como a história funciona.

1. Deus cria do nada
Para começar, *Deus criou tudo do nada*.

> No princípio, criou Deus os céus e a terra (Gn 1.1).
> Todas as coisas foram feitas por intermédio dele, e, sem ele, nada do que foi feito se fez (Jo 1.3).

O que isso significa é que Deus é o dono da criação. Ele a fez, então ela pertence a ele. Isso significa que você e eu somos dele também.

Considere as aplicações sistemáticas que podemos tirar disso.

1. *Deus é todo-poderoso. Ele é criativo. Ele é Criador. E ele é Senhor*. Isso tem aplicação real em nosso evangelismo. Em um contexto pós-moderno, as pessoas não se importam se acreditamos em Deus. Se isso funciona para você, ótimo. O que os incomoda é a nossa tentativa de impor nossa crença a eles. Então devemos ser claros: não estamos impondo nada. O cristianismo não é um projeto social que visa à hegemonia cultural. É uma declaração de que Deus tem uma reivindicação legítima sobre todas as nossas vidas. É por isso que há tanto calor no debate público sobre evolução e *design* inteligente. Fundamentalmente, não é uma batalha pela ciência; é uma batalha pela independência de Deus. O problema é que independência de Deus significa escravidão a tudo o mais — nossas paixões, nossos desejos, nossos fracassos. A história da criação deixa isso claro.

2. *A criação teve um começo. Tem um propósito. É boa*. Isso tem aplicação para o cuidado com o ambiente, o tratamento humano dos animais e a possibilidade e legitimidade da pesquisa científica. Mas também tem

aplicação para nossa adoração. A criação não é a realidade última, e Deus não é o mesmo que a sua criação. Qualquer modo de vida que busque encontrar sua realização final na criatura e não no Criador é idólatra e, com razão, atrai o julgamento de Deus.

No entanto, é quando estamos considerando o padrão tipológico de criação ao longo do enredo que percebemos que não estamos falando apenas de uma doutrina da criação. Quando chegamos ao Novo Testamento, também estamos falando sobre a doutrina da salvação. Deus cria a nossa salvação do nada, por assim dizer. Nós estávamos mortos, mas ele nos faz viver. Então, somos chamados de "novas criações". Veja como Paulo descreve:

> Porque Deus, que disse: Das trevas resplandecerá a luz [criação], ele mesmo resplandeceu em nosso coração, para iluminação do conhecimento da glória de Deus, na face de Cristo [nova criação] (2Co 4.6).

Você percebe? Deus nos ensina sobre a nossa salvação e como ela funciona por meio dos padrões de criação do Antigo Testamento. Você está tentado a pensar que escolheu Deus ou que se salvou de alguma forma? Você pode até ter um texto-prova do Novo Testamento para defendê-lo. Mas espere; veja o enredo de toda a Bíblia. Considere o fato de que Deus cria do *nada* e como isso pode afetar sua compreensão da salvação. É exatamente o que Paulo quer que você faça em 2 Coríntios 4.6.

2. Deus cria pela sua palavra

Aqui está outro tema digno de reflexão. Deus não apenas criou tudo do nada; *Deus também criou tudo pela sua Palavra.*

> Disse Deus: Haja luz; e houve luz (Gn 1.3).

A história da criação

Se você e eu fazemos alguma coisa, precisamos de matéria-prima para trabalhar. Não é assim com Deus. Como Paulo diz em Romanos 4.17, ele "chama à existência as coisas que não existem", e elas passam a existir. Deus cria falando.

Sempre, tudo o que Deus cria, é um ato de graça poderosa e irresistível. Nada força Deus a falar. Ele só fala quando quer. Mas quando ele fala, as coisas acontecem. E não é só porque ele cria a potencialidade das coisas. Não, as coisas acontecem. Como dissemos na introdução, as palavras de Deus não são apenas verdadeiras, elas são eficazes. Deus falando é Deus agindo.

- Em Gênesis 1, o vazio não pôde resistir a ele.
- Em Ezequiel 37, quando Ezequiel invoca o vale dos ossos secos com a Palavra e o Espírito de Deus, os ossos não dizem a Ezequiel: "Não queremos nos levantar".
- Em João 11, quando Jesus chama o cadáver de Lázaro, Lázaro não diz a Jesus: "Agora não, pergunte-me novamente ano que vem". Não, quando a voz de Deus ressoa em poder criativo e gracioso, nem mesmo a morte ou a incredulidade podem resistir a ele.

A voz de Deus é irresistível porque é poderosa e porque é a voz do amor. Você vê um padrão tipológico se desenvolvendo aqui? Será que Deus está fazendo coisas em realidades físicas para nos ensinar algo sobre realidades espirituais? Se a Palavra de Deus cria eficazmente todas as vezes, o que você acha que acontece quando Jesus chama pecadores para se aproximarem dele em arrependimento e fé? Sua Palavra de repente se torna menos eficaz, menos poderosa, só porque ele está falando conosco?

Além disso, se a Palavra de Deus cria eficazmente todas as vezes — "assim será a palavra que sair da minha boca: não voltará para mim vazia", ele diz em Isaías 55.11 — o que você acha que as igrejas deveriam fazer quando se reúnem? Deveriam se concentrar em entretenimento ou em pregar a Palavra? Eu suponho que isso depende se eles querem um ministério destinado a divertir os que estão morrendo ou um ministério que quer ressuscitar os mortos.

Observe o que está acontecendo com esses vários exemplos que estou dando a você. Eu contei uma história sobre criação. Então apontei *como* a história se desenrola. E fazendo isso, somos capazes de tirar conclusões de teologia sistemática. Mais precisamente, podemos aplicar essa história em nossas vidas pessoais e em nossa vida na igreja hoje.

3. Deus cria para sua glória

Outro tema na história da criação que devemos notar é que *Deus cria tudo para a sua glória*.

Deus não precisava criar nada. Este universo não é necessário em si mesmo. Mas em amor e graça, ele escolheu criar tudo para que sua glória fosse a alegria e o deleite dos outros. Como Apocalipse 4.11 declara: "Tu és digno, Senhor e Deus nosso, de receber a glória, a honra e o poder, porque todas as coisas tu criaste, sim, *por causa da tua vontade* vieram a existir e foram criadas".

Agora, é fácil ler esse versículo e pensar: "Deus criou as coisas para a sua glória. Isso faz sentido. Nós vamos à igreja todos os domingos e cantamos hinos de louvor. Deus quer ser adorado. Pronto.". Mas se pararmos aí, realmente não compreendemos o que essa doutrina está nos dizendo.

Volte e olhe toda a história novamente. Em Gênesis 1, é-nos dito que a criação de seres humanos foi diferente do restante da criação. Diferentemente dos animais, as pessoas — isto é, você e eu — foram criadas para refletir o próprio caráter e glória de Deus.

> Também disse Deus: Façamos o homem à nossa imagem, conforme a nossa semelhança; tenha ele domínio... (Gn 1.26).

Nossas vidas foram criadas e destinadas a refletir a glória de Deus. É por isso que nós existimos. De fato, a queda, a entrega da lei, o reino de Davi, o exílio de Israel e a vinda de Cristo, tudo isso tem a ver com este enredo particular, que é resumido em Apocalipse 4. Toda a vida e a história são para glorificar a Deus. Minha razão para respirar hoje é glorificar a Deus.

Quando construo minha teologia sistemática em uma teologia bíblica mais abrangente, descubro que Apocalipse 4.11 ensina muito mais do que cantar no domingo de manhã ou o que cantarei na eternidade. Tudo se aprofunda e se amplia, incorporando toda a história e toda a nossa vida. O fato de que nós e todo o resto da criação existimos para a glória de Deus ofende você? Isso certamente vai contra tudo dentro de nós.

Mas quando entendemos que Deus nos criou livremente para sua glória, finalmente percebemos que a história da criação é fundamentalmente uma história de amor. Deus não precisava nos criar, mas criou. Ele não precisava nos criar como portadores de sua imagem, mas nos criou assim. E ao fazê-lo, ele nos deu uma capacidade única — a capacidade de ter alegria na coisa mais alta, mais desejável e mais bela imaginável, a glória de Deus. O próprio Deus não ama nada mais que sua própria glória. Não há nada melhor ou maior para amar. Não há nada mais belo com o que se apaixonar.

O que é surpreendente é que, por esse mesmo amor, ele criou você e eu para participarmos de sua glória carregando sua imagem. Nossas próprias histórias são inseridas na maior história de amor já conhecida, a história da infindável e insuperável glória de Deus.

4. A criação é frustrada em seu propósito e submetida à morte

Há um último tema que quero que notemos nesta história da criação. Se quisermos entender a história da criação, precisamos entender o efeito que nossa rebelião teve sobre ela.

TEOLOGIA BÍBLICA PRÁTICA

1. *Por causa do pecado, a criação é frustrada em seu propósito de mostrar a glória de Deus.* Paulo coloca desta forma em Romanos 8.20:

> Pois a criação está sujeita à vaidade, não voluntariamente, mas por causa daquele que a sujeitou.

Quem sujeitou a criação? Deus. Em resposta ao pecado de Adão e Eva, a criação não é mais o cenário puro da glória de Deus. Em vez disso, a criação se tornou o contexto do nosso julgamento e por vezes um agente da ira de Deus contra nós. Longe de ser um jardim do Éden em constante expansão, o mundo se tornou um lugar de ervas daninhas e espinhos, esforço e frustração.

Mas a maldição de Deus sobre a criação vai além de frustrar seu propósito.

2. *Por causa do pecado, a criação também foi sujeita à morte.* Esta é precisamente a sentença que Deus declarou.

> Porque tu és pó e ao pó tornarás (Gn 3.19).

Paulo afirma desta maneira:

> Portanto, assim como por um só homem entrou o pecado no mundo, e pelo pecado, a morte, assim também a morte passou a todos os homens, porque todos pecaram (Rm 5.12).

Este mundo não é como deveria ser. Deus o criou para ser um lugar de alegria; em vez disso, nós o conhecemos como uma fonte de constante frustração. Deus o criou para ser um *habitat* da vida; nós o conhecemos como um lugar de morte. Deus o criou para ser nosso lar; nós o conhecemos como nosso cemitério.

Estamos mortos espiritualmente e vamos morrer fisicamente. Não há nada que possamos fazer para mudar isso. E não temos ninguém para culpar além de nós mesmos.

Agora, todas essas más notícias estavam ao menos latentes, se não explícitas em Gênesis 3. Mas o enredo desenvolve esses temas de frustração e morte mais e mais conforme a história continua:

- Caim assassinou Abel em Gênesis 4;
- o mundo dos dias de Noé é destruído em Gênesis 6–8;
- a Torre de Babel leva à divisão em Gênesis 11, e assim por diante.

De certa forma, o enredo de todo o Antigo Testamento se concentra em explicar a pecaminosidade da humanidade e a futilidade absoluta de qualquer solução para a morte da criação e o pecado humano que possamos planejar — torres, nações poderosas ou autodisciplina rigorosa.

E de tudo isso, tiramos conclusões para nossa teologia. Ela nos ajuda a entender a natureza humana, a futilidade do trabalho, até o governo e a influência corruptora do poder. Poderíamos obter uma doutrina do pecado simplesmente olhando para Romanos 3.23 — "todos pecaram", diz ali. Aí está. Não é isso, no fim das contas?

Bem, você se lembra do que eu disse no início sobre o fato de a Bíblia nos dar a oportunidade de caminhar junto com Deus e a humanidade, a fim de que possamos aprender a ver como ele é e como nós somos? Leia o livro de Números e coloque-se no lugar de Deus quando os israelitas queixam-se repetidas vezes e não confiam nele, quando ele provou repetidas vezes ser digno de confiança. Leia as histórias de 1 Reis e 2 Reis, e observe a nação se afastar de Deus várias vezes, enquanto ele envia amorosamente profeta após profeta a fim de adverti-los. Seguir o enredo dessa forma aprofunda e amplia a conclusão da sua teologia, porque aprofunda e amplia sua compreensão de Deus, de você mesmo e do mundo em que você vive agora. Você verá padrões surgirem e se repetirem diversas vezes, e esses padrões mudarão a maneira como você pensa e a maneira como você vê.

Então, quando seu próprio filho faz dois anos e começa a fazer birra quando não consegue o que quer, você pode pensar em Romanos 3.23. Mas você também vai pensar no livro de Números e em milhares de anos da história israelita, e você saberá o que está por trás de Romanos 3.23 e o que exatamente seu filho está fazendo. Ele está adorando um ídolo. Seu nome não é Baal, mas poderia ser. Claro, isso não é útil apenas para explicar o coração de seu filho de dois anos; é útil para explicar seu próprio coração também.

Ao mesmo tempo, o Antigo Testamento nos oferece uma promessa daquele que viria libertar a criação de seu cativeiro. Um tempo em que o lobo se deitaria com o cordeiro e o leopardo com o jovem bezerro nos é prometido. E também um rei que virá para inaugurar esta nova criação. Como o rei realizará esse grande resgate?

3. *Por causa do pecado, o Criador morre como substituto de suas criaturas.* Dado o escopo do problema, não ficamos realmente surpresos quando o Rei que aparece é o próprio Criador. Notavelmente, o Criador-Rei vem e morre a fim de inaugurar sua nova criação.

Sua morte é totalmente inesperada? Não se você estiver lendo sua Bíblia tipologicamente. A ideia está lá desde o começo:

- Deus mata animais para cobrir (mesma palavra que expiar) a nudez de Adão e Eva;
- Deus chama Abraão para sacrificar seu filho, mas oferece um carneiro;
- José foi deixado para morrer e seu "sacrifício" foi usado para salvar o mundo;

- o cordeiro pascal é sacrificado para que o primogênito israelita seja poupado;
- os sacrifícios levíticos são oferecidos repetidamente para o perdão dos pecados.

A ideia de substituição estava lá desde o começo. A reviravolta surpreendente e inesperada da história é que o substituto final é o próprio Criador. Nós não poderíamos ter inventado essa ideia, mesmo se tivéssemos tentado.

Eu poderia continuar. Ao longo da história, Deus estava ensinando sobre si mesmo, sobre nós e sobre como a salvação viria. Ele poderia ter simplesmente nos dado a conclusão. Mas ele não fez assim porque queria nos dar muito mais. Ele queria nos dar a si mesmo.

CONCLUSÃO: O OBJETIVO DA CRIAÇÃO

Como eu disse antes, a história da criação é realmente uma história de amor, a história de um noivo que não desiste por nada, nem mesmo ao custo de sua própria vida, para ganhar para si uma noiva, e para apresentá-la a si mesmo deslumbrantemente linda, imaculada e pura. A história termina com o noivo preparando um novo lar para o novo casal — um novo céu e uma nova terra. Ao contrário de Adão com sua noiva, esse noivo promete que excluirá tudo da nova casa que possa estragar ou desvirtuar seu amor.

Nesse lugar, não haverá mais choro ou dor, porque não haverá mais pecado e mal. Somente o amor estará lá, quando Cristo e sua esposa mostrarem a glória da graça redentora de Deus, com os anjos contemplando em admiração.

Ainda não estamos lá. Mas estaremos. Você está vivendo para esse dia? Sua história será incluída nessa história? Pode ser. A graça de Deus é suficiente e o chamado de seu amor é irresistível. Ore para que você tenha ouvidos para ouvir a voz de amor de Deus em Cristo. Pastor, ore para que seu povo tenha esses ouvidos. Não se contente até ter certeza de que a única voz que eles ouvem do seu púlpito é aquela voz singular, aquela voz incomparável e irresistível de amor.

CAPÍTULO 7

A HISTÓRIA DA QUEDA

Suponha que um amigo ou membro da igreja fizesse estas perguntas a você:

> O que há de errado com esse mundo — por que minha sobrinha tem câncer?
> Por que as pessoas fazem coisas ruins, como os terroristas sobre os quais lemos no jornal?
> As pessoas são basicamente boas ou más? Eu sinto que sou bom, mas às vezes faço coisas de que me arrependo.
> Por que as pessoas morrem? Minha mãe está à beira da morte.
> Por que parece que há tão pouca justiça de verdade neste mundo? Acabei de ler sobre todas aquelas pessoas passando fome no Sudão por causa de um governo injusto.
> Posso confiar no Deus que você diz que governa sobre este mundo?

Observe que essa pessoa está fazendo perguntas sobre crenças, perguntas que o ajudam saber no que acreditar sobre a vida aqui e agora. Ele não está apenas perguntando o que a Bíblia diz. Ele está pedindo para você se envolver com a vida dele, com o que realmente importa para ele. Como passamos do que as Bíblias dizem para onde a vida é vivida?

TEOLOGIA BÍBLICA PRÁTICA

A Bíblia responde a esses tipos de perguntas em frases diretas aqui e ali. Mas na maioria das vezes, responde a essas questões com história — história e proposições, poesia, profecia e muito mais. Em outras palavras, oferece não apenas respostas, mas toda uma nova perspectiva e cosmovisão. E faz tudo isso contando a história da queda. Ela provavelmente é familiar para você, mas deixe-me contá-la novamente.

A HISTÓRIA DA QUEDA

A história da queda começa no Paraíso. Deus criou Adão e Eva e os colocou em um mundo perfeito para ser um reflexo de sua glória. Ele providenciou tudo o que eles precisavam. Ele deu a eles um trabalho significativo, agradável e satisfatório. Ele os deu um ao outro. E ele os estabeleceu como governantes abaixo dele sobre toda a criação. Ele colocou apenas um limite em sua liberdade e autoridade. Há uma árvore no jardim do Éden da qual eles não deveriam comer, a árvore conhecida como a "árvore do conhecimento do bem e do mal". Eis que entra Satanás, tentando Adão e Eva a fazer a única coisa, realmente a única coisa que eles não deveriam fazer. Incrivelmente, eles caem em sua trama. Eles escolhem desobedecer a Deus. Ao fazer isso, eles caem de um estado de inocência moral para um estado de vergonha, desgraça e condenação.

No dia em que dela comeres...
Imediatamente, tudo muda. Por causa de sua decisão de se rebelarem, Deus julga Adão e Eva. A vida agora será cheia de dor, esforço e tristeza. Além disso, eles são expulsos do Paraíso e exilados de seu lar. Um anjo empunhando uma espada flamejante é colocado no portão de entrada do jardim, para ter certeza de que eles nunca retornarão vivos. Mas sua expulsão física é apenas o prelúdio de um exílio muito mais profundo que afetará não apenas a eles, mas a todos os seus descendentes. Agora, aqueles que foram criados para viver para sempre, que foram desenhados

para a eternidade, como comentou Thomas Wolfe, estão sujeitos à morte — um exílio que nunca termina.

... certamente morrerás

À medida que a história avança, descobrimos que as consequências da rebelião de Adão e Eva são ainda mais profundas do que parecem a princípio. Os filhos nascem, mas não na inocência. A própria natureza de Adão e Eva foi corrompida e distorcida. Agostinho a descreveu como uma "reviravolta contra si mesma", de modo que agora a sua natureza já não reflete verdadeiramente a glória de Deus, mas está distorcida e estragada. Essa natureza, juntamente com a culpa que decorre dela, é passada para os filhos.

Assim, não houve simplesmente uma queda e depois tudo se seguiu normalmente. Antes, ela continua e se aprofunda à medida que a criação sucumbe à morte e à decadência. As coisas desmoronam. As pontas não se seguram.

Satanás conseguiu assassinar as almas de Adão e Eva.

Caim realmente mata seu irmão Abel.

Satanás conseguiu criar uma lacuna entre Adão e Eva.

Lameque abandona sua união conjugal e toma duas esposas.

Caim foi assassinado por paixão ciumenta.

Lameque assassina apenas porque um rapaz o feriu.

E assim vai, até que a maldade da humanidade se torna tão grande que "era continuamente mau todo desígnio do seu coração" (Gn 6.5). A paciência de Deus acaba se esgotando. Ele decide que deve finalmente julgar os mesmos homens e mulheres que criara à sua própria imagem.

O ciclo continua

Deus envia o dilúvio para destruir a humanidade, poupando apenas Noé e sua família. O mundo ganha um novo começo. Noé parece ser um novo Adão. O único problema é que Noé e sua família ainda têm a natureza caída que herdaram de Adão. Mais uma vez, o progresso do pecado retoma de onde parou e rapidamente ganha fôlego. Eventualmente, a humanidade está de volta a onde começou — bem, quase começou. Estamos de volta à véspera do dilúvio. Só agora Deus julga a humanidade não destruindo tudo isso, mas confundindo a linguagem da humanidade em Babel em Gênesis 11. Divididos um contra o outro, espalhados pela face da terra, o exílio da humanidade só se aprofundou.

Nesse contexto, Deus chama para si mesmo um povo especial. Começando com Abraão, Deus separa da massa da humanidade um povo próprio. Eles devem obedecer a ele e conhecê-lo como seu Deus. Mas mesmo aqui, a queda continua a se fazer sentir. Ló e sua família escolhem a maldade de Sodoma e Gomorra em vez de a sociedade piedosa de Abraão. Esaú escolhe o conforto deste mundo em vez de as promessas de Deus. Finalmente, a nação de Israel, mesmo depois de Deus resgatá-la da escravidão no Egito e prometer trazê-la para a Terra Prometida edênica, abandona a Deus por ídolos. E não conseguem sequer esperar que Moisés desça da montanha para fazê-lo.

Estamos de volta ao jardim mais uma vez. Quando Moisés desce e vê a idolatria do povo, ele chama os levitas para o seu lado na entrada do acampamento. O acampamento dos israelitas era para ser um lugar sagrado, um verdadeiro jardim do Éden em movimento. Mas o pecado agora invadiu o acampamento, assim como havia entrado no jardim do Éden. Lembrando a espada flamejante de Gênesis 3, Moisés diz a seus irmãos levitas para se armarem de espadas e irem por todo o acampamento executando o juízo de Deus.

Você poderia pensar que o povo de Deus aprendeu com isso. Ou com o fato de que ninguém daquela geração foi autorizado a entrar na Terra Prometida, mas morreu no deserto. Mas eles não aprenderam.

As gerações se seguiram e, às vezes, parecia que cada nova geração competia com a anterior para superá-los em maldade. Em resposta a isso, Deus finalmente exila os israelitas da Terra Prometida, assim como ele havia exilado Adão e Eva muito tempo atrás.

Setenta anos depois, o reino de Judá, no sul, retorna. Mas, embora o exílio físico tenha terminado, fica claro que o exílio espiritual deles continua. Deus não volta a habitar o templo; o Santo dos Santos permanece vazio. Com o tempo, até mesmo os profetas se calam. No final do Antigo Testamento, o povo visível de Deus não parece estar melhor que os gentios. Judeus e gentios estão igualmente sob ameaça do juízo de Deus. De fato, as palavras finais do Antigo Testamento são um eco de Gênesis 3, alertando que Deus virá e ferirá a terra com uma maldição.

O fim da queda

Quando o Novo Testamento começa, um novo profeta, João Batista, aparece em cena e continua onde Malaquias parou, advertindo as pessoas do juízo por vir. Mas parece que ninguém está escutando. Deus envia seu próprio Filho, Jesus, que leva uma vida de amor perfeito e obediência perfeita, uma vida que não deveria ofender ninguém. Mas a humanidade se tornou tão perversa que agora judeus e gentios conspiram juntos para levar à morte o único homem que nunca mereceu morrer. Eles o pregam numa cruz e declaram que seu único rei é César.

Isso foi há dois mil anos. Desde então, a corrupção e o mal da humanidade adquiriram um escopo mais amplo e mais eficiente. Mas nada realmente mudou. Todas as guerras, incluindo as que estão acontecendo agora, todos os assaltos e assassinatos, a escravidão, os genocídios que marcaram os últimos séculos, a exploração de mulheres e crianças para fins de satisfação sexual, até mesmo a cruel indiferença dos ricos com os pobres, tudo isso é apenas um comentário sobre a primeira declaração rebelde de independência em relação a Deus.

TEOLOGIA BÍBLICA PRÁTICA

Qual será o fim da queda? Qual será o fim desta história? Em Apocalipse 18, vemos a queda final. É um dia ainda no futuro quando este mundo cairá sob o julgamento final de Deus, para nunca mais se levantar novamente. Aqueles que escolheram adorar ídolos em lugar de Deus serão deixados fora do céu, e o tormento e a angústia de seu exílio no inferno durarão por toda a eternidade.

PADRÕES NO ENREDO

Essa é a história da queda como a Bíblia a conta. É uma história muito séria. Mas antes de considerarmos o que isso significa e como isso se aplica à nossa vida e ministério, queremos pensar novamente sobre o que podemos aprender sobre *como* a história é contada. Quais padrões nós vemos neste enredo?

Primeiro, os padrões de estrutura narrativa, promessa e cumprimento, aliança e tipologia que identifiquei no enredo da criação também estão presentes aqui. Não vou detalhar cada um desses. Mas quero ressaltar que a queda marca uma das divisões mais significativas da história, e todos nós estamos do lado errado dessa divisão. Muitas coisas acontecem na Bíblia que não têm um efeito universal. A queda não é uma delas.

Segundo, vemos um padrão de *causas* da queda.

Por um lado, a queda foi *instigada* pela malícia e engano de Satanás. Desde o início, a Bíblia deixa claro que Satanás tem uma hostilidade implacável para com Deus e um ódio interminável pela humanidade. E ele não parou seu trabalho de engano e tentação.

Por outro lado, a queda também foi *escolhida* livremente por Adão e Eva. A proposta de Satanás era tão ousada quanto falsa: "no dia em que dele comerdes se vos abrirão os olhos e, como Deus, sereis conhecedores do bem e do mal". Insatisfeitos por serem meras criaturas e em ter *apenas* um mero relacionamento com Deus, refletindo sua glória, Adão e Eva desejavam ser *como* Deus. Eles desejavam ser deuses. Isso não foi uma simples desobediência. À medida que a história continua, reconhecemos seu desejo como idolatria: a substituição da criatura pelo Criador como objeto de nossa lealdade, desejo e adoração. E a cada pequena queda depois disso, vemos a mesma coisa. De Babel aos bezerros de ouro, da desobediência de Moisés à queda de Davi, vemos o desejo de estabelecer nossas próprias regras e alcançar nossa própria glória. A queda é um evento histórico, mas também é o padrão de nossas vidas.

Terceiro, vemos um padrão de *efeitos* da queda.

Efeito 1: somos *banidos* da presença de Deus. A princípio, não estamos totalmente certos da razão disso. Mas conforme a história continua, aprendemos que Deus é um Deus santo. Nós aprendemos isso especialmente na Torá. Ele não pode tolerar o pecado em sua presença nem permitir que o pecado fique impune.

Efeito 2: somos também *corrompidos* em nossa natureza, o que, mais uma vez, se torna cada vez mais claro à medida que a história se desenvolve. Caim prova isso. A Torre de Babel prova isso. Israel, com todas as bênçãos de Deus, prova isso. O problema do pecado não é fundamentalmente de comportamento ou educação. É muito mais radical. O problema é o nosso coração. O salmista disse no salmo 51 que somos concebidos em iniquidade e nascidos em pecado (Sl 51.5). Nós saímos do ventre já como pecadores. Isso significa que não somos pecadores porque pecamos; pecamos porque somos pecadores por natureza!

Quarto, vemos o padrão do *progresso* da queda.

Fica claro a partir do enredo que a queda não foi *apenas* um evento único. Após o incêndio de Chicago em 1871, a cidade foi reconstruída. Mas depois de todos esses milênios, ainda não nos recuperamos da queda no princípio da criação.

Além do mais, a queda é *progressiva*, não estática. As coisas não simplesmente passaram de boas para ruins. Pelo contrário, as coisas continuam piorando. Elas não permanecem as mesmas e nem melhoram. É como uma doença fatal que começa em um ponto no tempo, e depois avança e segue seu curso cada vez mais destrutivo.

Antes de respondermos às perguntas com as quais começamos este capítulo, observe como estamos procurando por respostas. Estamos olhando para os personagens e o tema do enredo. Estamos considerando como isso se desenvolve. Estamos assumindo que, embora a história se estenda por milênios e tenha sido escrita por numerosos autores humanos, é uma mesma grande história, com um autor divino. Então, estamos atentos a seus padrões e ciclos através das palavras de múltiplos autores humanos. E estamos nos certificando de que sabemos onde estamos na história antes de tirar conclusões prontas e rápidas.

SISTEMATIZANDO TUDO

Vamos voltar às perguntas de nosso amigo hipotético do começo deste capítulo. Quer ele saiba ou não, está fazendo perguntas doutrinárias. Ele está perguntando qual o sentido da Bíblia para entender o mundo hoje. Nosso objetivo é ajudar a ele e aos outros a ver a perspectiva de Deus sobre Deus, sobre si mesmo e sobre o mundo ao seu redor.

Somente analisando com cuidado toda a história, podemos respondê-lo com responsabilidade. Com base na história e nos padrões que observamos, deixe-me tentar enunciar algumas lições básicas — doutrinas que nos dão a perspectiva de Deus sobre suas questões.

1. Não vivemos em um universo espiritualmente neutro

Este mundo e nossas vidas são um campo de batalha, não um parque de diversões. Fiel ao seu papel de mentiroso desde o início, Satanás nos enganou fazendo-nos pensar que não há nada errado, pelo menos nada que nós mesmos não possamos resolver. Ele nos fez pensar que estamos melhores sem Deus, que nossos melhores interesses são atendidos pela busca de nossos próprios desejos e ampliando nossa liberdade de qualquer coisa que nos impeça de cumprir esses desejos. Mas Satanás estava mentindo naquele dia quando enganou Adão e Eva, e mente ainda hoje. Satanás deseja nossa escravidão, não nossa liberdade. Ele não deseja melhorar nossas vidas; deseja apressar a nossa morte.

Precisamos alertar as pessoas para não serem seduzidas por uma falsa sensação de paz neste mundo. A paz que as pessoas sentem não é a paz do paraíso, mas a paz do necrotério. Nossos ouvidos precisam estar saturados com a Bíblia e nossas mentes moldadas pela cosmovisão que a Bíblia cria, para que possamos reconhecer a mentira quando ela é sussurrada suave e docemente em nossos ouvidos.

2. Deus não é moralmente culpado por este mundo caído, nós somos

Muitos são tentados a culpar Deus pela desordem deste mundo. Eu entendo o sentimento, mas precisamos saber que, de acordo com as Escrituras, essa é apenas mais uma das mentiras sutis de Satanás. Adão e Eva foram criados de tal maneira que podiam dizer não ao pecado e à tentação de Satanás. Eles tinham toda ajuda natural que alguém poderia querer. Eles estavam no Paraíso. Eles tinham um ao outro. Eles tinham um comando claro, inequívoco e simples de Deus. Não era difícil de entender. E eles escolheram, em total liberdade, pecar. É isso. Os melhores exemplares da raça humana que já viveram fizeram dela um completo desastre.

Essa percepção deve nos levar a uma profunda humildade. É apenas a arrogância que sussurra no coração: "Se eu estivesse lá, teria feito melhor. Eu teria escolhido de forma diferente". Não, não teria. Estamos nesse caos porque nos colocamos nele. E assim, quando testemunhamos o pecado de outra pessoa, concordamos com as palavras de Lutero: "Ali vou eu, se não for pela graça de Deus".

3. As pessoas fazem coisas ruins porque querem ser Deus, e ele é justo ao condená-las

Como Adão e Eva, na maioria das vezes o objeto real de nossa adoração não é alguma criatura lá fora, é esta criatura bem aqui. No final, minha idolatria se concentra em mim. Além do mais, se eu puder persuadir você, intimidá-lo ou manipulá-lo, minha idolatria incluirá você me adorando também.

Enquanto pensarmos no pecado como simples quebra de regras, nunca entenderemos a enormidade do pecado, a incrível ofensa que ele é contra Deus e a justiça de sua resposta. Fundamentalmente, o pecado não é uma questão do nosso comportamento, embora eventualmente apareça em nossas ações. Fundamentalmente, o pecado é uma questão de nossos corações, pois, como criaturas caídas, nosso desejo dominante é remover Deus de seu trono e sentar-se nele.

Se não fosse tão devastadoramente real, seria risível, como uma criança brincando de fantasiar-se no armário de seu pai. Se não fosse algo tão mau, seria patético, como Dom Quixote lutando contra os moinhos de vento. Mas a idolatria não é risível nem patética, pois seus efeitos são devastadores e seu curso é aterrorizante. O pecado não é uma questão trivial. Não há outra mentira mais mortal que Satanás quer que você acredite do que essa.

4. Deus é santo e não pode ter algo a ver com o pecado

As pessoas não estão sendo ajudadas se nossas igrejas e pregações permitem que elas pensem em Deus como gostariam de pensar nele. As pessoas precisam pensar em Deus como ele realmente é, um Deus santo que julga o pecado com justiça. É por isso que o Novo Testamento leva tão a sério o caráter de nossa comunhão na igreja local. Paulo pergunta em 2 Coríntios 6.14: "que sociedade pode haver entre a justiça e a iniquidade? Ou que comunhão, da luz com as trevas?". Não é que Paulo não queria que os crentes conversassem com os incrédulos. Muito pelo contrário.

Em todas as conversas, em todas as interações, em todos os encontros, ele queria que os incrédulos vissem a diferença entre a igreja e o mundo, de modo que o caráter de Deus fosse exposto e conhecido com precisão. Um ponto óbvio de aplicação aqui é a necessidade de termos cuidado em nossas práticas de membresia. Quando recebemos na igreja alguém que dá pouca ou nenhuma evidência de ser regenerado, ou quando permitimos que alguém continue como um membro apesar da persistência no pecado sem arrependimento, nós enfraquecemos a linha entre o mundo e a igreja, e obscurecemos nossa exibição da glória de Deus.

5. Não há área de nossas vidas que não seja afetada pelo pecado; somos escravizados por ele

Isso não significa que a Bíblia ensine que somos tão maus quanto poderíamos ser. Mas isso significa que não há nenhum aspecto de nossas vidas, nenhum aspecto de nosso pensamento, desejos ou comportamento que não seja afetado pela mancha do pecado. Até mesmo nossas melhores obras, diz Isaías, são trapos imundos, pois vêm de corações comprometidos com a nossa própria glória, e não com a de Deus (Is 64.6).

Isso também nos ajuda a entender o que a Bíblia quer dizer quando diz que somos escravos do pecado —uma imagem usada por Paulo em Romanos 6 e 7. Algumas pessoas gostam de debater se temos ou não o livre arbítrio. A resposta da Bíblia é que depende do que você quer dizer com "livre". Se por "livre" você quer dizer que fazemos o que queremos, que nada nos obriga a acreditar ou agir contra a nossa vontade, então a resposta da Bíblia é "sim". Nossa vontade é sempre livre para agir de acordo com a nossa natureza. Mas se por "livre" você quer dizer que de alguma forma nossa vontade é moralmente neutra e acima das divisões, capaz de escolher entre o bem e o mal por seus próprios méritos, independente de predisposição ou motivação, então a resposta é um claro e inequívoco "não". Nossa natureza é corrompida e, como diz Paulo, somos vendidos como escravos do pecado. Não podemos escolher não sermos pecadores assim como um peixe não pode escolher não nadar. É a nossa natureza.

Esta doutrina da escravidão da vontade (ou a depravação da humanidade) tem enormes implicações para o nosso evangelismo. Ao contrário do que muitos pensam, isso não nos leva a desistir do evangelismo. Pelo contrário, leva-nos a desistir de práticas manipuladoras que visam conseguir uma decisão. Isso nos encoraja a compartilhar as boas novas e orar para que Deus mude os corações por meio da pregação de sua Palavra pelo poder de seu Espírito. Em última análise, compreender nossa incapacidade de escolher a Deus a menos que Deus primeiro nos escolha realmente liberta o evangelista para evangelizar e deixa a conversão para Deus!

Nós não podemos nos salvar; precisamos de um salvador

Precisamos de mais do que um programa de autoajuda. Precisamos de algo muito mais radical do que uma transformação que nos ajude a arrumar nossas vidas. Os programas de autoajuda e transformações só nos tornam escravos mais bonitos e mais apresentáveis. O que precisamos é de liberdade. Precisamos de novas naturezas que sejam livres da corrupção e escravidão do pecado. Não podemos nos consertar, assim como um escravo não pode se libertar. Um escravo deve ser libertado, e assim também nós.

Isso tem aplicação em tudo, desde o nosso evangelismo e pregação até a nossa compreensão da vida cristã. Significa que a conversão é uma obra do Espírito Santo, mudando nossa natureza, não o resultado de alguém que está buscando algo e toma uma decisão. Isso significa que os verdadeiros cristãos têm uma nova natureza e nova vida que parecem cada vez mais diferentes do mundo ao seu redor, uma natureza que diz "não" ao pecado. Isso também significa que a vida cristã é uma vida de conflito, com a nova natureza lutando contra a antiga.

A Bíblia chama essas duas naturezas de "velho homem" e "novo homem", e elas estão em conflito mortal entre si. Acho que muitas vezes ficamos desanimados por essa guerra continuar, mas o que precisamos entender é que essa guerra não está acontecendo no coração de alguém que não nasceu de novo. Conflito com o pecado é uma das melhores evidências de que alguém recebeu vida espiritual. Esse é o ponto de Paulo em Romanos 7.

Em vez de fingir que não há luta, nossas igrejas devem ser lugares que encorajam esse conflito. Em vez de atirar nos feridos, nossas igrejas devem ser lugares que auxiliem aqueles que são feridos na luta. Acima de tudo, nossas igrejas devem ser comunidades que mantêm a esperança de Cristo, o único que pode nos libertar desses corpos de morte.

Deus restaurará toda justiça ao universo julgando o pecado

Jesus diz que o dia do juízo já foi estabelecido na mente de Deus. A visão daquele dia, revelada em Apocalipse 18, é terrível. A queda não termina em reabilitação ou reforma gradual, à medida que as coisas melhoram lentamente em uma visão interminável de progresso. Não, a queda chega a um julgamento final. Retratada como uma grande cidade, a criação pecaminosa cai sob o julgamento de Deus, para *nunca mais* se levantar novamente.

> Então, um anjo forte levantou uma pedra como grande pedra de moinho e arrojou-a para dentro do mar, dizendo: Assim, com ímpeto, será arrojada Babilônia, a grande cidade, e nunca jamais será achada. E voz de harpistas, de músicos, de tocadores de flautas e de clarins jamais em ti se ouvirá, nem artífice algum de qualquer arte jamais em ti se achará, e nunca jamais em ti se ouvirá o ruído de pedra de moinho. Também jamais em ti brilhará luz de candeia; nem voz de noivo ou de noiva jamais em ti se ouvirá, pois os teus mercadores foram os grandes da terra, porque todas as nações foram seduzidas pela tua feitiçaria (Ap. 18.21-23).

Esse julgamento será não apenas final, mas *justo*. O mesmo capítulo nos diz que Deus se lembrará dos crimes desse mundo idólatra e ele o retribuirá por seus crimes. Ele dará a cada um de nós exatamente o que merecemos.

Então, como respondemos ao nosso amigo que pergunta sobre o câncer, a morte e o terrorismo? Como respondemos ao amigo que está apreensivo com a degradação ambiental ou o colapso econômico? O que dizemos quando as pessoas nos perguntam por que não há justiça no mundo?

Se queremos nos esquivar e fugir e ainda parecermos intelectualmente honestos, tomamos a rota do teísmo aberto: afirmamos que Deus não quis que fosse assim, e que ele não sabia que aconteceria assim. Se quisermos evitar completamente a responsabilidade, culpamos alguém ou outra coisa por tudo: Satanás, capitalismo, comunismo, feminismo, patriarcado, progressistas, conservadores etc.

Mas se quisermos ser justos com a Bíblia e honestos com o nosso amigo, diremos as coisas como elas são. Deus não criou o mundo para ser devastado por coisas como câncer e terrorismo. Mas ele amaldiçoou o bom mundo que ele fez. Por que ele faria tal coisa? Por que ele ordenaria coisas como câncer e mães que morrem jovens demais? Por que ele amaldiçoaria o solo, para que as colheitas fracassassem e os terremotos destruíssem as cidades? Ele fez isso por causa do nosso pecado. Isso não quer dizer que o câncer de uma pessoa seja um julgamento específico para um pecado específico. Pelo contrário, é reconhecer que todos nós nos colocamos como deuses no lugar dele e, ao fazê-lo, atraímos sua justa ira. Deus corretamente amaldiçoou este mundo por nossa causa. Não temos ninguém para culpar além de nós mesmos.

Mas isso não é tudo o que temos a dizer em resposta a tais questões. Há um aspecto importante na história que ainda precisamos considerar, e é esse aspecto que nos permite explicar por que, no meio de um mundo decaído, podemos confiar no Deus sob cujo juízo nós estamos.

CONCLUSÃO: A CURA PARA A QUEDA

Quando entendemos a história da queda (e apenas assim), entendemos por que a mensagem do cristianismo é uma boa notícia. No evangelho, Deus conquistou uma *cura* para a queda, um resgate desta aterradora e acelerada descida ao inferno.

Essa cura é Jesus. Em Mateus 4, vemos algo absolutamente extraordinário. O Filho de Deus se tornou um homem. Como Adão antes da queda, Jesus não nasceu em pecado, mas foi concebido diretamente pelo Espírito Santo. Também como Adão antes da queda, Jesus é chamado a obedecer a Deus diante de um ataque satânico extraordinário. Mas é aí que as semelhanças com Adão terminam. Enquanto Adão estava no Paraíso com o estômago cheio, Jesus estava no deserto do nosso exílio de Deus com um estômago encolhido por quarenta dias de jejum. Enquanto Adão teve a ajuda de uma esposa, Jesus ficou sozinho. Enquanto Adão tinha um único mandamento para obedecer, Jesus tinha toda a lei para guardar e cumprir.

Começando lá no deserto e continuando até o Calvário, Jesus fez o que Adão fracassou em fazer. Ele resistiu à tentação de Satanás de se exaltar em seus próprios termos, fosse transformando pedras em pães ou descendo da cruz. Jesus escolheu livremente obedecer a Deus, até o ponto da morte (Jo 10.18). "Não se faça a minha vontade, e sim a tua", disse ele.

Ao contrário de Adão, Jesus não perseguiu sua própria glória, mas a deixou de lado para glorificar seu pai. A ironia é profunda e rica, pois, diferentemente de Adão, Jesus era Deus em sua própria natureza. Ele tinha todo o direito de perseguir sua glória. No entanto, como Paulo nos diz em Filipenses 2.6, Jesus "não julgou como usurpação o ser igual a Deus; antes, a si mesmo se esvaziou, assumindo a forma de servo, tornando-se em semelhança de homens". E então ele levou o nosso pecado e sofreu o julgamento de Deus por isso. Ele não merecia esse julgamento. Em vez disso, ele sofreu em nome daqueles que mereciam.

Na cruz, Jesus enfrentou a espada flamejante de Deus, guardando o caminho de volta ao jardim e à presença de Deus. Ele passou por esse portal ao custo de sua própria vida. Ele fez isso para que qualquer um que se arrependa de sua idolatria e se converta em fé a Cristo possa encontrar perdão pelos pecados e reconciliação com Deus. Ele fez isso para nos receber em casa.

Paulo diz em Romanos 5: "se, pela ofensa de um só, morreram muitos, muito mais a graça de Deus e o dom pela graça de um só homem, Jesus Cristo, foram abundantes sobre muitos". Esse dom é o oposto da maldição: perdão em vez de condenação, vida em vez de morte, reconciliação em vez de exílio.

Aqui está a resposta para como podemos confiar em Deus diante de tanto mal e sofrimento neste mundo. Aqui está a resposta de como podemos confiar no Deus que nos amaldiçoou pelo nosso pecado. Ele é o mesmo Deus que sofreu por nós para vencer o mal e o pecado. Ele é o mesmo Deus que suportou a maldição por nós, para que pudéssemos conhecer sua bênção.

Pense em como isso é incrível. A cruz não era "plano B" para Deus. Foi *o* plano desde o início.

No dia no jardim quando Deus declarou que o julgamento pelo pecado era a morte, no dia em que a espada flamejante foi colocada no lugar, prefigurando o julgamento que cada um de nós deve enfrentar, *naquele* dia, o Filho de Deus estava lá participando da decisão. Foi uma decisão da Trindade de banir Adão e Eva do jardim. Foi um ato de julgamento, sim, mas também um ato de misericórdia. Permanecer na presença de Deus como pecador era morrer. O banimento adiou esta sentença. E foi uma decisão da Trindade de negar a Árvore da Vida à humanidade caída. Mais uma vez, foi um ato de julgamento, mas também um ato de misericórdia. Viver para sempre como um pecador não redimido é certamente a definição do inferno. Mais uma vez, o julgamento final foi adiado. Por quê?

Deus não pretendia que essa história fosse levada a uma conclusão prematura. Se a história da queda revela nosso próprio pecado e culpa, certamente também revela as profundezas surpreendentes do amor e da misericórdia de Deus. Foi o Filho de Deus que colocou uma espada na entrada do jardim do Éden. Ele fez isso não apenas para manter Adão fora. Ele fez isso para que, na hora certa, ele pudesse caminhar em nosso lugar, para satisfazer a ira justa de Deus e fazer um caminho para nós entrarmos novamente, através do portão, para comer da Árvore da Vida e viver para sempre na gloriosa presença de Deus.

Aqui está a resposta para como podemos confiar em Deus em um mundo caído. Ele não é outro senão "o Cordeiro que foi morto desde a fundação do mundo" por pecadores como eu.

CAPÍTULO 8

A HISTÓRIA DO AMOR

Eu pastoreio uma igreja cheia de solteiros de vinte a trinta e poucos anos, e a questão do amor surge com bastante frequência. Como você sabe quando alguém o ama? Está em suas mentes. Uma criança sabe que seus pais o amam quando eles oferecem provisão a ela. Você sabe que seus amigos o amam quando eles defendem sua causa contra seus detratores. Mas como você *sabe* se aquela pessoa especial ama você?

O fato é que a maneira mais poderosa da maioria de nós saber que somos realmente amados é o casamento. Em um dia de casamento, um homem diz para uma mulher e uma mulher para um homem que, dentre todas as possibilidades e opções, "eu escolho você". As famílias têm que nos amar e os amigos podem ir à nossa casa à noite. Mas os cônjuges são totalmente diferentes. Minha esposa poderia ter se casado com qualquer outra pessoa, ou mesmo escolhido não se casar, em vez de se casar comigo. Mas ela me escolheu até que a morte nos separe, e se você me conhecesse, saberia que isso é amor verdadeiro.

No fundo da *psiquê* humana, todos nós desejamos ser escolhidos por amor. Dói, porque sabemos que não merecemos, mas queremos mesmo assim. É realmente isso que confere poder a todas as melhores histórias sobre o amor. Seja a comédia de escolhas confusas de *Muito barulho por nada*, de Shakespeare, ou o sofrimento de uma escolha condenada em *Romeu e Julieta*, o poder vem do quanto se aposta na escolha do amor e de quão misteriosa é essa escolha. Como Pascal disse: "O amor tem razões que a própria razão desconhece".

Certamente, a maior história de amor de todas é a história do amor de Deus, uma história tão vasta quanto a criação, tão dramática quanto qualquer coisa que Shakespeare tenha pensado, e tão pessoal quanto você e eu. Pois nossas próprias histórias de amor são realmente ecos da história muito maior do amor de Deus pelo mundo.

É por isso que é especialmente importante para nós entendermos corretamente nossa teologia bíblica do amor. Queremos saber no que acreditar sobre o amor de Deus por nós e o amor que devemos ter pelos outros. Afinal de contas, todos nós podemos ter o nosso "texto-prova" favorito sobre amor e usá-lo para dizer: "o amor é assim", ou "Deus é assim".

Para alguns, João 3.16 é um texto-prova favorito: "Porque Deus amou ao mundo de tal maneira que deu o seu Filho unigênito...". O que eles geralmente querem dizer é: "Deus ama a todos igualmente. Ele não escolhe uns em detrimento de outros para a salvação". Amor significa igualdade de oportunidades.

Provavelmente, um dos textos-prova mais populares na Bíblia deve ser 1 João 4.16 — "Deus é amor". Por que ele é tão popular? Porque podemos usá-lo para dizer o que quisermos sobre o amor de Deus.

O teólogo Kevin Vanhoozer observou que o tema do amor, tanto quanto qualquer outro tópico, é suscetível à tentação de projetar nossos desejos em Deus.[75] Mas o que a Bíblia quer dizer quando diz "Deus é amor"? Para responder a essa pergunta, precisamos olhar, não para um verso, mas para toda a história do amor como Deus a revela nas Escrituras.

---

[75] Kevin Vanhoozer, *Nothing greater, nothing better: theological essays on the love of God* (Grand Rapids, MI: Eerdmans, 2001), p. 2. n. 1.

A HISTÓRIA DO AMOR

A história do amor de Deus é uma história bastante simples, como a história de um homem escolhendo uma mulher para ser sua noiva. É a história de Deus escolhendo amar o seu povo, e essa escolha é repetida e esclarecida à medida que a história se desenrola.

No começo, Deus mostra seu amor por toda a humanidade, proporcionando um mundo perfeito e belo para nós. A beleza não é necessária para o funcionamento de tudo, mas o amor de Deus foi além do pragmático. Ele criou um mundo belo e nos criou para sermos atraídos por essa beleza. Adão e Eva se amavam, mas em última análise foram criados para serem atraídos para Deus, a pessoa mais bela em sua experiência.

Incrivelmente, Adão e Eva rejeitam o amor de Deus quando decidem rejeitar sua Palavra. O que é verdadeiramente inacreditável, porém, é que a rejeição do amor de Deus não acaba com a história. Deus os exclui do jardim, mas continua a amá-los. Ele coloca inimizade entre eles e seu maior inimigo, a serpente que os enganou (Gn 3.15). Ele reúne os dois em amor. De forma prática, ele os ama no simples ato de cobrir sua nudez vergonhosa com roupas.

Deus continua a amar os descendentes daqueles que primeiro o rejeitaram. Embora Caim e seus herdeiros sejam rejeitados por Deus, Sete e seus filhos depois dele são amados por Deus, passando as longas gerações até Noé. Enquanto o ódio perverso da humanidade por Deus finalmente culmina no dilúvio, ainda assim o amor de Deus não se extingue completamente. Ele escolhe salvar Noé e sua família da destruição, e então abençoa particularmente o filho de Noé, Sem, e a linhagem que descende dele.

Observe o padrão aqui. Deus ama a *todos*, dando vida a eles. Mas ele também parece amar *alguns* especialmente. Sete, e não Caim. Noé, e não os outros ao redor. Sem, e não Cam.

Em Gênesis 12, a história destaca o chamado de Deus para que Abrão deixe a idolatria e faça amizade e aliança com ele. Deus promete a Abrão que ele o escolheu e que seus descendentes se tornarão uma grande nação. E Deus cumpre essa promessa. Ele põe seu amor sobre Isaque, depois sobre Jacó e, finalmente, sobre os descendentes de Jacó, a nação de Israel. Ele os resgata da escravidão no Egito e os separa. Ele também dá a essa nação uma aliança e a chama para ser bênção, uma expressão de amor para o mundo inteiro. No Monte Sinai, Deus compromete a nação de Israel consigo mesmo como seu próprio povo especial e unicamente amado.

Novamente, observe o padrão: uma aliança é dada àqueles a quem ele ama especialmente.

Como Adão, Israel se rebela contra Deus, voltando-se para outros amantes, ídolos que suas próprias mãos fizeram. Deus responde julgando Israel. Mas durante todo o julgamento, Deus continua amando o seu povo. Talvez a melhor imagem do amor reconciliador, paciente e perdoador de Deus ocorra no livro de Oseias. Lá Deus diz ao profeta para tomar uma esposa chamada Gômer. Ela é uma prostituta. Quando ela retorna à sua prostituição pouco depois do dia do casamento, Deus diz a Oseias para ir e se reconciliar com ela. Essa atitude, diz o Senhor, é comparável ao seu amor pelo seu povo.

Incrivelmente, o povo de Deus continua a desprezar seu amor, preferindo os ídolos. Então Deus os deixa. Ele se recusa a morar na casa com ela e seus amantes, como um marido ciumento pelas afeições de sua esposa rebelde. Ezequiel recebe uma visão desse evento doloroso — Deus deixa o templo. Quando o Antigo Testamento chega ao fim, o templo fica vazio, os profetas se calam e o trono está vazio. Quando o Novo Testamento começa, quase todos os sinais do amor de Deus se foram.

De repente, nesta imagem que parece ser de um amor jogado fora, vem a maior demonstração de amor que o mundo já viu. Deus envia Jesus, o Filho que ele amou desde toda a eternidade.

Jesus vive a vida de obediência amorosa para com Deus que nós devemos viver, mas não vivemos. Então ele toma sobre si a nossa penalidade por rejeitar o amor de Deus e morre nossa morte na cruz. Ele chama isso de uma nova aliança em seu sangue. Maravilhosamente, a morte não pode segurá-lo, pois "o amor é forte como a morte" (Ct 8.6). Em amor, Jesus ressuscita dos mortos, para que todo aquele que se arrepende de seus pecados e se volta em fé a esse Salvador seja perdoado de seus pecados e seja recebido de volta no abraço amoroso de Deus. Por intermédio de Jesus, Deus prova seu amor fiel ao seu povo infiel. Mais uma vez, há uma aliança para o povo especial de Deus.

Curiosamente, o Novo Testamento, especialmente o Evangelho de João, nos permite espiar a história por trás da história. A história do amor de Deus não começa com a criação, mas com o amor eterno que o Deus Pai tem pelo Filho, e que o Deus Filho tem pelo Pai. Jesus diz em João 5: "o Pai ama ao Filho, e lhe mostra tudo o que faz" e em João 17: "glorifica-me, ó Pai, contigo mesmo, com a glória que eu tive junto de ti, antes que houvesse mundo". O amor de Deus por um povo especial, como se vê, está envolvido pelo seu amor por seu Filho.

Hoje esse amor ainda transforma pessoas não amáveis, pecadoras como você e eu, na deslumbrante noiva de Cristo, a igreja. Agora esperamos mais uma vez pelo retorno da demonstração do amor de Deus. Naquele dia, Jesus levará sua noiva para um novo céu e uma nova terra, verdadeiramente um mundo de amor.

Essa é a história do amor de Deus. O que ela nos ensina sobre quem Deus ama, como ele ama e por que ele ama? Vamos considerar alguns padrões na história.

PADRÕES NO ENREDO

A história é sobre casamento

Notamos antes como a Bíblia começa e termina com um casamento. Em Gênesis, vemos Adão e Eva estabelecidos como marido e mulher. Na história de Israel, ouvimos Deus descrever seu relacionamento com a nação de Israel como uma aliança de casamento. Os mesmos termos são usados para Cristo e a igreja: "Maridos, amai vossa mulher, como também Cristo amou a igreja". O próprio céu é descrito como uma festa de casamento.

Antes mesmo de chegarmos à nossa aplicação sistemática, aqui está um ponto importante de significado contemporâneo. O casamento, uma imagem de amor entre um homem e uma mulher, está no coração da história bíblica do amor de Deus. Logo, o casamento é importante por uma série de razões. É importante porque Deus o criou, não a sociedade e, portanto, Deus, e somente Deus, pode defini-lo. É importante porque é uma imagem do amor de Deus no evangelho, ligado à criação. Mude ou redefina o casamento, e você terá se esforçado para desfigurar e obscurecer um dos indicadores mais significativos da graça comum ao amor de Deus em Cristo.

Então, enquanto nós queremos defender o casamento por todas as razões típicas que você ouve nos círculos conservadores cristãos — segurança e cuidado para as crianças, reprodução e estabilidade para a sociedade, e assim por diante — talvez a razão mais importante seja esta: é uma das primeiras imagens do evangelho. A história do amor de Deus é uma história sobre casamento.

A história foi estruturada em alianças

Considerando que a história era sobre casamento, não é surpreendente vê-la estruturada em alianças. O casamento em si é uma aliança. E o amor de Deus é retratado como um amor que cria vínculos. Então Deus deu uma aliança a Israel; Cristo dá uma aliança à igreja.

O que isso deveria nos dizer sobre o amor de Deus? Mais uma vez, ainda não tiramos nossas conclusões sistemáticas, mas casamentos e alianças falam de um amor distinto e particular, não é mesmo? Por um lado, devo amar ao meu próximo como a mim mesmo, o que significa que há um sentido no qual eu devo amar todas as pessoas, até mesmo todas as mulheres. Por outro lado, fiz uma aliança com minha esposa porque a amo de uma maneira que é diferente de todas as outras e é particular apenas a ela.

Vemos a distinção começar em Gênesis 3, quando Deus colocou inimizade entre a descendência da serpente e a descendência da mulher — o mundo e o povo de Deus. A distinção então ocorre em Gênesis 4, quando Deus rejeita a linhagem de Caim, mas ama a linhagem de Sete. Vemos isso novamente com os filhos de Noé, quando Deus rejeita a linhagem de Cam e escolhe abençoar a linhagem de Sem. Em última análise, vemos isso na escolha de Abraão e seus descendentes em Gênesis 12. Mas mesmo assim, nem todos os descendentes de Abraão são escolhidos em amor por Deus. Ismael, filho de Abraão com Agar, é rejeitado, mas Isaque é escolhido. Esaú é rejeitado, mas Jacó, seu irmão gêmeo, é escolhido. O rei Saul é rejeitado; o rei Davi é escolhido. Mais tarde, todo o reino do norte é rejeitado, enquanto o reino do sul é escolhido.

Toda vez que Deus faz sua escolha, as bênçãos de seu amor estão ligadas ao seu amado, excluindo todos os outros. Podemos não gostar do padrão, mas os padrões são claros.

A história tem descontinuidade e continuidade

A história do amor na Bíblia também contém elementos de continuidade e descontinuidade à medida que nos movemos de uma era para outra. Uma das descontinuidades mais significativas na história do amor de Deus tem a ver com esse padrão de amor distintivo. O amor distintivo de Deus *continua* em toda a história, do Gênesis ao Apocalipse; mas seu amor pela nação étnica se *interrompe*. Eventualmente, é dado aos crentes de todas as nações e de todas as idades. Paulo diz em Efésios 1:

> Bendito o Deus e Pai de nosso Senhor Jesus Cristo, que nos tem abençoado com toda sorte de bênção espiritual nas regiões celestiais

em Cristo, [Como podemos saber disso?] assim como nos escolheu, nele, antes da fundação do mundo, para sermos santos e irrepreensíveis perante ele; e em amor nos predestinou para ele, para a adoção de filhos, por meio de Jesus Cristo, segundo o beneplácito de sua vontade (Ef 1.3-5).

Entre outras coisas, essa mudança ressalta o movimento entre as alianças, do físico ao espiritual, do externo ao interno. O povo de Deus ao longo das alianças deve ser conhecido por sua santidade, sendo separado para Deus. No Antigo Testamento, isso era particularmente marcado por sua etnicidade distinta, sua vestimenta distinta e sua comida distinta. Sob a aliança do Novo Testamento, no entanto, a santidade não é marcada pela comida que comemos, mas pelas vidas que vivemos em distinção do mundo ao nosso redor.

A HISTÓRIA ESTÁ REPLETA DE PADRÕES (TIPOLOGIA)

Todas essas observações que estamos fazendo dependem dos padrões que estamos vendo. Isso é chamado de tipologia. No jardim, você percebe um tipo de algo — um casamento. Então esse tipo é repetido, mas desta vez entre Deus e um grupo de pessoas — Israel. Então, quando o Novo Testamento aparece e usa essa mesma linguagem sobre o amor de Cristo pela igreja, instantaneamente, por assim dizer, temos muitos dados históricos para nos ajudar a entender o que esse amor significa. O que significa dizer que Cristo ama a igreja como um noivo? Bem, volte para os tipos do Antigo Testamento. Veja o que se diz sobre casamento em Gênesis e até mesmo em Cântico dos Cânticos. Então olhe para o amor especial de Deus por seu povo no Antigo Testamento. Tudo isso informará o que significa dizer que Cristo ama a igreja.

O mesmo é verdadeiro para declarações do Novo Testamento como "Deus é amor". O que isso significa? Volte e olhe todo o enredo.

Quem Deus amou, como ele os amou e por quê? As respostas que encontramos no Antigo Testamento — lidas através das lentes de Cristo — nos dirão o que desejamos saber.

Sistematizando tudo

À medida que observamos todas essas coisas, podemos ver que o tema do amor pode não ser tão simples quanto muitas vezes pensamos ser. Na verdade, é bastante complexo e Deus parece amar pessoas diferentes de maneiras diferentes. É por isso que D. A. Carson chegou a escrever um livro sobre *A difícil doutrina do amor de Deus*.[76]

Deus é amor. Mas o que isso significa? Vamos fazer nosso trabalho sistemático organizando nossas doutrinas sob as três perguntas que já levantamos: quem Deus ama, como ele ama e por que ele ama?

QUEM DEUS AMA?

O Pai ama o Filho

Não podemos finalmente explicar o que significa "Deus é amor" até que tenhamos trabalhado com a aplicação sistemática de toda a história bíblica do amor. Mas é igualmente verdade que não podemos começar a explorar a história sem pelo menos uma explicação parcial do que significa Deus ser amor. Por que o enigma? Pela simples razão de que nunca houve um tempo em que Deus não expressasse amor para com alguém e recebesse amor de alguém. O Pai ama o Filho e o Filho ama o Pai. O amor está ligado à própria natureza da Trindade. Deus não pode ser Deus sem amor, porque Deus é amor.

Não é só porque um dos atributos de Deus é o amor. Por exemplo, Deus é irado contra o pecado, mas a Escritura nunca diz que Deus é ira, porque sua ira tem referência a algo fora de si mesmo — nosso pecado.

---

[76] D. A. Carson, *A difícil doutrina do amor de Deus* (Rio de Janeiro: CPAD, 2008).

Houve um tempo na eternidade passada em que a ira de Deus não tinha expressão. Mas nunca houve um tempo em que Deus não fosse amor, pois o amor do Pai pelo Filho e do Filho pelo Pai é eterno.

Sem o pecado, Deus ainda poderia ser Deus sem ira. Sem o pecado, Deus ainda poderia ser Deus sem misericórdia. Sem o pecado, Deus ainda poderia ser Deus sem paciência. Mas Deus não pode ser Deus sem amor, pois Deus é amor, e nunca houve um momento, e nunca haverá um momento, em que ele não o seja.

Essa ideia é nova no Novo Testamento? Sim, mas o Antigo Testamento nos prepara para essa ideia e até nos ensina sobre ela por meio do amor de Deus por Davi. Veja os Salmos 2, 20, 110 e mais. Deus dá uma aliança especial de amor a Davi, que nos ajuda a entender a aliança de amor entre o Pai e o Filho divinos quando finalmente é revelada no Novo Testamento.

Que diferença isso faz para o ministério? Para começar, coloca-nos em profunda humildade, e é incrivelmente reconfortante.

Para alguns de nós, é fácil pensar que Deus e seu amor devem girar em torno de mim e dos meus problemas, e nós avaliamos o amor dele baseado em como achamos que ele está nos amando. Mas o amor de Deus era perfeito antes de aparecermos em cena, e permanecerá perfeito muito depois de partirmos. O amor eterno e, portanto, anterior do Pai e do Filho um pelo outro nos lembra de que, no fim das contas, a vida e o amor não se referem a mim. Embora o amor de Deus por mim seja real, também é derivativo, um transbordamento desse amor mais fundamental dentro da própria Trindade. Isso fará uma grande diferença em nossa pregação e ensino.

Também é reconfortante. Alguns de nós olham ao redor e se perguntam se João estava certo. Como ele poderia dizer "Deus é amor" diante das tragédias deste mundo? A resposta para a pergunta não é encontrada se procurarmos por evidências no mundo. A resposta é encontrada olhando para Deus e para a revelação de seu amor por seu Filho, Jesus Cristo. Se encontramos o amor firmemente estabelecido na natureza de Deus, há esperança, apesar do que encontramos aqui. Afinal, a realidade última do universo é Deus, e Deus é amor.

Deus ama o mundo
Segundo, Deus ama o mundo de duas maneiras.

Primeiro, Deus ama a criação, o trabalho de suas mãos. Provérbios 8 nos diz que ele se deleita em todas as partes da criação. Jesus nos diz que um pardal não cai no chão sem o consentimento amoroso de Deus e afirma que ele veste as flores em beleza (Mt 6).

Segundo, Deus ama a humanidade rebelde. Mesmo em sua ira inabalável contra o pecado, Deus ama este mundo que o odeia. Ezequiel declara: "Dize-lhes: Tão certo como eu vivo, diz o SENHOR Deus, não tenho prazer na morte do perverso, mas em que o perverso se converta do seu caminho e viva. Convertei-vos, convertei-vos dos vossos maus caminhos; pois por que haveis de morrer, ó casa de Israel?" (Ez 33.11). Lemos no Evangelho de João a prova de que Deus ama o mundo: "Porque Deus amou ao mundo de tal maneira que deu o seu Filho unigênito, para que todo o que nele crê não pereça, mas tenha a vida eterna" (Jo 3.16).

Jesus é a demonstração e prova do amor de Deus pelos pecadores. Se alguém quiser conhecer o amor de Deus, precisa conhecer Jesus.

Que implicação isso tem para o ministério? Dentre outras coisas, ensina-nos a fazer a pergunta: "Eu amo o mundo da maneira como Deus ama o mundo, ou eu amo o mundo da maneira como o mundo quer ser amado?". Existe uma distinção crucial, você sabe. Uma leva à salvação do mundo; a outra leva à sua destruição.

Deus ama seu próprio povo distintamente
Deus não apenas ama o mundo, mas ama seu povo. Ao longo da história do amor de Deus, Deus faz uma distinção entre pessoas e depois coloca seu amor naquelas que ele escolheu.

TEOLOGIA BÍBLICA PRÁTICA

A linguagem bíblica para o amor de Deus por seu povo é a *eleição*, a linguagem da escolha. Às vezes as pessoas se retraem com essa palavra porque parece tornar Deus mesquinho, restritivo e sem amor. Mas na Bíblia, ser escolhido é a própria natureza do que significa ser amado por Deus, da mesma forma que um homem ama uma mulher ao escolhê-la.

Em Deuteronômio 7, Israel está à beira da Terra Prometida. Moisés explica que Deus dará a terra a eles. Ele também os adverte para permanecerem fiéis a Deus. Então, no versículo 6, Moisés diz:

> Porque tu és povo santo [que significa separado] ao Senhor, teu Deus; o Senhor, teu Deus, te escolheu, para que lhe fosses o seu povo próprio, de todos os povos que há sobre a terra. Não vos teve o Senhor afeição, nem vos escolheu porque fôsseis mais numerosos do que qualquer povo, pois éreis o menor de todos os povos, mas porque o Senhor vos amava e, para guardar o juramento que fizera a vossos pais, o Senhor vos tirou com mão poderosa e vos resgatou da casa da servidão, do poder de Faraó, rei do Egito (Dt 7.6-8).

Por que Deus escolheu Israel? Ele os escolheu porque eram melhores que todos os outros? Porque eles eram maiores que todos os outros? Porque eles eram mais justos que todos os outros? Não. Não. Não. Deus os escolheu simplesmente porque os amava. E ele os amava simplesmente porque amava.

Deus ama pecadores

O que tudo isso nos leva a perceber é que Deus ama pecadores. Paulo diz em Tito 3.4, 5: "Quando, porém, se manifestou a benignidade de Deus, nosso Salvador, e o seu amor para com todos, não por obras de justiça praticadas por nós, mas segundo sua misericórdia, ele nos salvou". A salvação e eleição amorosa de Deus, não é apenas *não* merecida, é dada, apesar das razões em contrário. Nós merecemos justamente o oposto — a ira de Deus. "Mas Deus prova o seu próprio amor para conosco pelo fato de ter Cristo morrido por nós, sendo nós ainda pecadores" (Rm 5.8).

Deus não é como nós. Nós amamos pessoas que merecem ser amadas. Deus não. O amor de Deus é livre, é gratuito, é incondicional. Você não pode conquistá-lo. Você só pode recebê-lo pela fé em Cristo Jesus.

Aqui, meu amigo ministro, está um bálsamo para a alma ansiosa e perturbada. E aqui está o verdadeiro apelo que devemos fazer aos pecadores. Não para a necessidade sentida de significado, paz ou felicidade. Mas para a sua real necessidade de perdão. O amor de Deus em Cristo é *mais amplo* do que a brecha que seu pecado fez para com Deus; é *longo* o suficiente para voltar ao seu passado e avançar para um futuro eterno; é *alto* o suficiente para levar você a Deus; e é tão *profundo* que nunca se esgotará (veja Ef 3.18). Em Cristo, Deus ama os pecadores.

COMO DEUS AMA?

Se são esses que Deus ama, precisamos considerar com mais cuidado *como* Deus ama.

Deus ama providencialmente

Para começar, Deus ama a todos *providencialmente*. Isto é, ele mostra isso provendo para todos. Jesus observou que Deus "faz nascer o seu sol sobre maus e bons e vir chuvas sobre justos e injustos". Seu amor providencial é generoso e imparcial (Mt 5.45-48). Esse é claramente um ponto de continuidade entre o Antigo Testamento e o Novo.

Se quisermos entender o sofrimento nesta vida, devemos entendê-lo no contexto do amor providencial de Deus. Este mundo não é uma piada cruel. Pelo contrário, Deus ordena as nossas vidas para que possamos aprender a valorizar a ele mais do que este mundo, ou ficaremos sem desculpas para a nossa incredulidade. O sofrimento nesta vida é, pelo menos em parte, uma advertência para nós, uma antecipação do sofrimento eterno que merecemos fora de Cristo.

Deus ama sacrificialmente

Deus também ama *sacrificialmente*. Nós vemos isso tipologicamente no Antigo Testamento (Abraão e Isaque, os sacrifícios levíticos etc.). Mas todas essas imagens nos apontam e nos ensinam sobre o amor mais caro que esse universo já viu. Na cruz fora de Jerusalém, Deus derramou sua justa ira sobre o Filho a quem ele amou eternamente. Cristo se tornou um substituto para pagar a penalidade pelos nossos pecados. Por que Deus fez isso? Ele fez isso por seus inimigos. Ele fez isso por pessoas que o odeiam, por pecadores como você e eu.

Nós, como seres humanos, encontramos mais claramente o maravilhoso amor de Deus no sacrifício vicário, substitutivo e propiciador de Cristo. Apenas o amor sacrificial nos salva, pois somente ele expia nossos pecados. Mas também, apenas o amor sacrificial nos dá segurança — já que não o conquistamos, não podemos perdê-lo.

Como esse amor é diferente de como as pessoas pensam que Deus ama os pecadores! Eles imaginam que ele ama com uma piscadela de aprovação, e uma varrida rápida de nossas ações inomináveis para debaixo do tapete. Nada poderia estar mais longe da verdade ou ser mais indigno do Deus que ama os pecadores ao custo incalculável do sangue de seu Filho.

DEUS AMA PERFEITAMENTE

Finalmente, Deus nos ama *perfeitamente*. A Bíblia descreve Deus como um Pai perfeito, que em amor nos adotou em Cristo, e que sempre ama seus filhos exatamente da maneira que eles precisam ser amados. Nesse processo, seu amor os aperfeiçoa. João expressa desta forma:

> Vede que grande amor nos tem concedido o Pai, a ponto de sermos chamados filhos de Deus; e, de fato, somos filhos de Deus. [...] Amados, agora, somos filhos de Deus, e ainda não se manifestou o que haveremos de ser. Sabemos que, quando ele se manifestar, seremos semelhantes a ele, porque haveremos de vê-lo como ele é. E a si mesmo se purifica todo o que nele tem esta esperança, assim como ele é puro (1Jo 3.1-3).

O amor de Deus em Cristo está nos transformando para sermos como Cristo. Muitas vezes, as pessoas que aconselhamos no ministério são tentadas a questionar a sabedoria do amor de Deus com base nas circunstâncias de suas vidas. Certamente, se Deus me amasse, ele não deixaria meu marido me abandonar. Certamente, se Deus me amasse, ele não deixaria meu filho se envolver com a turma errada na escola. Certamente, se Deus me amasse, ele não teria me deixado neste emprego sem futuro.

Mas, de fato, a perfeição do amor de Deus por nós não é medida por como ele está administrando nossa agenda para a vida. Não, a perfeição do amor de Deus por nós é vista no objetivo que ele estabeleceu para a nossa vida, e esse objetivo é nada menos que a semelhança com o Filho que ele ama.

POR QUE DEUS AMA?

Por que Deus ama pessoas como nós dessa maneira extraordinária? A resposta não é difícil de encontrar. Mas pode ser surpreendente, porque no final não tem nada a ver conosco.

Porque Deus escolhe amar

Para responder a essa pergunta, Paulo claramente faz uso das ferramentas tipológicas da Bíblia. Em Romanos 9, ele aponta para o exemplo de Jacó e Esaú, irmãos gêmeos. Ele lembra:

E ainda não eram os gêmeos nascidos, nem tinham praticado o bem ou o mal (para que o propósito de Deus, quanto à eleição, prevalecesse, não por obras, mas por aquele que chama), já fora dito a ela: O mais velho será servo do mais moço. Como está escrito: Amei Jacó, porém me aborreci de Esaú (Rm 9.13).

Por que Deus escolheu amar a Jacó e não a Esaú? Pela mesma razão que Deus escolhe amar qualquer um. Não porque ele vê algo de antemão que é amável e atraente. Não porque haja algo em nós que possa coagir ou exigir seu amor. Deus ama o seu povo... porque ele escolhe amar. E nessa escolha livre e incondicionada, as glórias do amor eletivo de Deus são exibidas.

Porque Deus ama seu Filho

Em Efésios 1, Paulo diz que a razão pela qual Deus elege alguns para adoção é "para louvor da glória de sua graça, que ele nos concedeu gratuitamente no Amado". Essa é uma afirmação de fato surpreendente. Deus nos ama, porque no fim Deus ama o seu Filho. Não há nada que ele deseje mais do que exibir sua glória em seu Filho e por meio dele, o que ele realiza por meio de nossa salvação.

CONCLUSÃO: DEUS É AMOR

O que a Bíblia quer dizer quando diz que Deus é amor? Para responder a essa pergunta, precisamos ler a história bíblica do amor. E nessa história vemos que um Deus santo escolheu amar um povo pecador ao preço incalculável da vida do Filho que ele amou desde toda a eternidade. Ele fez isso para transformar um povo desagradável numa linda noiva radiante para aquele Filho.

Nossa salvação não é finalmente sobre nós. Nossa salvação é, em último plano, sobre a exibição da glória de Deus neste eterno amor do

Pai pelo Filho e do Filho pelo Pai, enquanto cada um deles tenta superar o outro em amor. Para nossa eterna alegria e felicidade, a boa notícia é que nossas vidas podem ser apanhadas nessa incrível história de amor.

Como essa história entra na história de nossas vidas? Notamos anteriormente que a Bíblia começa e termina com um casamento. No entanto, se realmente queremos entender o amor de Deus por nós, precisamos notar uma diferença importante entre esses dois casamentos. Você percebe que o primeiro casamento da Bíblia foi arranjado? Adão não teve escolha no assunto. Deus simplesmente o presenteou com sua esposa.

Mas o último casamento é diferente. O último casamento é o casamento entre Cristo e seu povo. E como vimos, fomos escolhidos desde antes da fundação do mundo. O último casamento na Bíblia, o último casamento em toda a história, não é um casamento arranjado. É um casamento por amor.

Se você é um cristão, você é amado. Seu cônjuge pode não amar você. Você pode nem sequer ter um cônjuge. Seus amigos podem ser inconstantes e sua família pode ser prejudicial. Você pode não se sentir amado. Mas você é amado. Cristo escolheu você.

Porque Deus é amor.

CAPÍTULO 9

A HISTÓRIA DO SACRIFÍCIO

Como pastor ou presbítero, uma de minhas responsabilidades regulares é entrevistar pessoas para serem membros de nossa igreja. Talvez a parte mais importante dessa entrevista seja pedir à pessoa que explique brevemente o evangelho para mim. Eu peço isso por duas razões. Primeiro, quero saber se ela entende e crê no evangelho. Isso é fundamental para participar de uma igreja cristã. Se um membro em potencial está confiando em algo diferente do evangelho, como "ser muito bom", quero saber disso logo de cara. Isso me permite saber que o próximo passo não é ser membro, mas participar de um estudo bíblico sobre o evangelho.

Em segundo lugar, quero ter certeza de que cada membro da igreja saiba como explicar o evangelho para que possa compartilhar as boas novas com os outros. Às vezes parece que os membros estão confiando no evangelho, mesmo que não consigam explicar bem o que faz do evangelho uma boa notícia. Eles vão falar sobre "crer em Jesus" ou "perdão pelo pecado". Mas ficará faltando o que Jesus fez para conquistar nosso perdão. Então eu tenho que arrancar isso deles, perguntando: "O que a cruz tem a ver com o perdão que Jesus nos oferece?".

Parece que em boa parte do evangelicalismo atual, a cruz é dada como conhecida (e amplamente ignorada) ou redefinida em termos menos ofensivos às sensibilidades modernas. Nós falamos sobre Jesus como nosso amigo e ajudador. Falamos sobre sua vitória sobre a morte e o pecado, seguida por nossa reconciliação com Deus. Nós falamos sobre a cura e o propósito que ele traz para nossas vidas. Mas não falamos muito sobre como ele fez todas essas coisas por nós. Para fazer isso, teríamos que falar sobre a cruz sangrenta. Se as minhas entrevistas de membresia revelam algo, é mais provável que você veja uma cruz em um colar ou tatuada em um braço do que ouvi-la em um sermão.

Como isso é diferente do ministério apostólico. Ouça a pregação de Pedro, Paulo, João e o autor aos Hebreus.

- "Esteja absolutamente certa, pois, toda a casa de Israel de que a este Jesus, que vós crucificastes, Deus o fez Senhor e Cristo" (At 2.36).
- "Porque tanto os judeus pedem sinais, como os gregos buscam sabedoria; mas nós pregamos a Cristo crucificado" (1Co 1.22, 23).
- "Porque decidi nada saber entre vós, senão a Jesus Cristo e este crucificado" (1Co 2.2).
- "Vós outros, ante cujos olhos foi Jesus Cristo exposto como crucificado" (Gl 3.1).
- "Olhando firmemente para o Autor e Consumador da fé, Jesus, o qual, em troca da alegria que lhe estava proposta, suportou a cruz, não fazendo caso da ignomínia, e está assentado à destra do trono de Deus" (Hb 12.2).
- "Carregando ele mesmo em seu corpo, sobre o madeiro, os nossos pecados, para que nós, mortos para os pecados, vivamos para a justiça; por suas chagas, fostes sarados" (1Pe 2.24).
- "Nisto consiste o amor: não em que nós tenhamos amado a Deus, mas em que ele nos amou e enviou o seu Filho como propiciação pelos nossos pecados" (1Jo 4.10).

A cruz de Jesus Cristo foi o centro da pregação apostólica do evangelho.[77]

O que o sacrifício de Cristo conquistou? O que ele estava fazendo na cruz? As respostas a essas perguntas estão no coração do cristianismo, portanto você pode ter certeza de que a doutrina da expiação sacrificial de Cristo é o alvo número um do diabo. Você também pode ter certeza de que todo tipo de controvérsia cercará o significado desse evento central do cristianismo.

De fato, muitas respostas mais convincentes dadas à pergunta "o que Cristo estava fazendo na cruz?" serão verdadeiras; mas elas simplesmente não serão toda a verdade. Por exemplo, Cristo morreu para demonstrar o amor de Deus por nós? Sim! Mas isso é tudo?

Se vamos pregar e ensinar o evangelho em nossas igrejas, o evangelho que salva os pecadores, em vez de outro evangelho; se vamos treinar nossos membros para compartilhar o evangelho fielmente; se queremos receber como membros pessoas que confiam no evangelho, e não em outra coisa, precisamos entender o que Jesus estava fazendo na cruz. A cruz faz do evangelho uma boa notícia.

Para entender a cruz, precisamos entender a história bíblica do sacrifício. Embora o sacrifício de Cristo tenha sido o sacrifício mais importante já feito, não foi o primeiro da Bíblia. E os sacrifícios que vieram antes foram dados para que pudéssemos entender o que aconteceu no Calvário.

A HISTÓRIA DO SACRIFÍCIO

Quando pensamos em sacrifício, muitas vezes pensamos em termos de abnegação. Ironicamente, a história bíblica do sacrifício começa com uma enorme falha de abnegação.

---

[77] Para uma forte defesa desta afirmação, veja Leon Morris, *The apostolic preaching of the cross*, 3ª ed. rev. (Grand Rapids, MI: Eerdmans, 1965, reed. 2001).

TEOLOGIA BÍBLICA PRÁTICA

Quando Adão e Eva se entregaram ao seu desejo de serem iguais a Deus, eles mergulharam todos nós em um mundo sob a maldição de Deus, um mundo no qual o sacrifício se tornaria a ordem do dia. A humanidade precisaria abraçar não apenas o autossacrifício, mas um sacrifício judicial, que consertaria a brecha em nosso relacionamento com Deus feita pelo pecado. À medida que a narrativa das Escrituras se desenrola, a necessidade, a natureza e os efeitos do sacrifício são revelados lentamente. Vou dividir o enredo em seis episódios.

1. O primeiro sacrifício é oferecido por Caim e Abel em Gênesis 4. Não há menção de pecado ou sangue nesse sacrifício. A Bíblia chama isso de oferta, de presente, e a ideia é de homenagem a um grande rei e submissão ao seu senhorio. Bem aqui no quarto capítulo da Bíblia, Deus nos revela o que deve ser a ideia mais básica relacionada ao sacrifício: no sacrifício, oferecemos de volta a Deus o que já é seu por direito.

2. O próximo sacrifício registrado ocorre em Gênesis 8. Após o dilúvio, Noé oferece uma variedade de animais puros como holocaustos. O contexto é ação de graças, e o fato de que eles são animais completamente queimados comunica a ideia de um presente, porque todo o animal é dado a Deus. As Escrituras dizem que esse presente tem um efeito sobre Deus. A Bíblia nos diz que:

> O SENHOR aspirou o suave cheiro e disse consigo mesmo: Não tornarei a amaldiçoar a terra por causa do homem, porque é mau o desígnio íntimo do homem desde a sua mocidade; nem tornarei a ferir todo vivente, como fiz (Gn 8.21).

O pecado que motivou o julgamento de Deus permaneceu nos corações de Noé e seus filhos, mas Deus promete nunca mais destruir toda a humanidade. Aqui no capítulo 8, então, vemos algo novo na história do sacrifício: alguns sacrifícios têm um efeito sobre Deus e sua atitude em relação a nós.

3. Apesar de ocasionalmente vermos altares sendo construídos, a Bíblia não registra outro sacrifício até Gênesis 22.2, quando Deus fala estas palavras chocantes sobre a descendência de Abraão, por meio de quem ele prometeu abençoar as nações:

> Toma teu filho, teu único filho, Isaque, a quem amas, e vai-te à terra de Moriá; oferece-o ali em holocausto, sobre um dos montes, que eu te mostrarei.

Mais uma vez, por mais horrível que pareça, a ideia parece ser de tributo e senhorio. Tudo pertence a Deus e ele tem o direito de tomar de volta, mesmo que seja seu único filho. No último segundo, Deus interrompe a ação de Abraão e oferece um carneiro. O teste da devoção de Abraão acabou, mas não o sacrifício. Um carneiro é sacrificado, Isaque é poupado e a história do sacrifício se desenvolve ainda mais. Acontece que Deus aceita um substituto para a vida que ele tem o direito de reivindicar. Além disso, ele mesmo fornece esse substituto.

4. A história da família de Abraão continua, mas o sacrifício novamente desaparece nos bastidores até que nos encontramos no Egito, com os descendentes de Abraão escravizados e oprimidos. O Faraó se recusa a libertar o povo, e assim Deus avisa que enviará o anjo da morte que matará o primogênito de todas as criaturas do Egito. E agora um novo sacrifício é introduzido: o cordeiro pascal. Em Êxodo 12, o Senhor promete poupar os primogênitos de Israel se cada família pegar um cordeiro de um ano sem defeito, sacrificá-lo e passar o seu sangue no batente de suas portas. Deus diz que verá o sangue do sacrifício e passará por cima de suas casas, poupando-lhes do julgamento que o Egito enfrentaria.

Além do mais, Deus diz que essa refeição sacrificial será um sinal que os diferencia, pois Deus faz uma distinção entre Israel e o resto do mundo, consagrando-os como seu povo especial. Naquela mesma noite,

Israel é poupado por causa do sacrifício. Moisés tira o povo do Egito para o Monte Sinai, onde Deus firma a aliança de ser seu Deus, e dá a eles sua Lei, para que eles sejam um povo santo, separado para Deus. Aqui está outro desenvolvimento na história. Aqueles que são poupados por um substituto sacrificial agora estão separados para Deus, consagrados por ele e para ele.

5. Até este ponto, houve menos de uma dúzia de casos de sacrifício registrados na Bíblia. Não parece ser um tema importante. Mas isso muda com a entrega da lei. Um livro inteiro da Bíblia, Levítico, é amplamente dedicado a detalhar todos os diferentes sacrifícios que Israel deve oferecer a Deus. Há ofertas de comunhão e ofertas totalmente queimadas, que já vimos. Mas agora há mais, os mais importantes sendo os sacrifícios para expiar o pecado e a culpa. Agora, todas as peças que foram lentamente reveladas se juntam.

- Somente animais puros e sem defeito podem ser sacrificados.
- Todo primogênito israelita, que representa a nação como um todo, deve ser redimido com um substituto sacrificial.
- A ideia de tirar a vida e derramar o sangue de uma vítima inocente é proeminente.
- A ideia de uma substituição também é proeminente. É dito que, se alguém trouxer um sacrifício, "porá a mão sobre a cabeça do holocausto, para que seja aceito a favor dele, para a sua expiação" (Lv 1.4). É uma maneira de dizer: "Esse sacrifício me representa; o que está prestes a acontecer com ele deveria acontecer comigo".
- Os sacrifícios agora começam e terminam todos os dias no templo de Deus, apresentados por sacerdotes que servem como intermediários entre Deus e seu povo pecador.
- Há sacrifícios adicionais que marcam o início de cada semana, cada mês e cada estação.

- E no clímax de todo este sistema de sacrifício estava o Dia da Expiação. Só o sumo sacerdote levava o sangue do sacrifício para o Santo dos Santos e aspergia o sangue no propiciatório, o trono simbólico de Deus, para fazer expiação pelos seus próprios pecados e pelos pecados do povo.

É nesse ponto da história da redenção que a história do sacrifício para, ou pelo menos é pausada. Séculos e séculos, e nada muda. Nenhum novo sacrifício é apresentado; os antigos são infinitamente repetidos, dia após dia, semana após semana, ano após ano. E aí está o problema: esses sacrifícios não estão livrando as pessoas do pecado delas. Na verdade, eles cada vez mais se tornam um lembrete nauseante de como o povo continua pecaminoso. Por meio dos profetas, Deus denunciou a oferta mecânica e superficial desses sacrifícios. O arrependimento, não o ritual, é o que Deus desejava. Mas para Israel, o arrependimento havia desaparecido e o ritual era tudo o que restava. E assim Deus baniu a nação para o exílio. Sem o templo, não poderia haver sacrifício. Talvez assim as pessoas aprendessem que o que Deus queria era o arrependimento.

Quando Deus traz o povo de volta da Babilônia, e o templo é reconstruído, os sacrifícios são retomados. Mas as pessoas não mudaram. Outras coisas mudaram, contudo. O Santo dos Santos está vazio. Não há propiciatório diante do qual o sumo sacerdote poderia aparecer e pedir perdão. Há apenas uma sala vazia. Malaquias, o último dos profetas do Antigo Testamento, declara: "Tomara houvesse entre vós quem feche as portas, para que não acendêsseis, debalde, o fogo do meu altar. Eu não tenho prazer em vós, diz o Senhor dos Exércitos, nem aceitarei da vossa mão a oferta" (Ml 1.10). Essas são palavras assustadoras. Se não há sacrifício que Deus aceite, então o povo de Deus está tão exposto ao juízo de Deus quanto o Egito na noite da Páscoa, ou como Isaque estava quando estava preso naquele altar.

6. Então algo incrível acontece: um sexto sacrifício digno de nota, um sacrifício como nenhum antes, e um que tornará desnecessário todo sacrifício futuro. Deus é fiel à sua palavra para Abraão. Ele não aceitará um sacrifício das mãos de seu povo pecador, por isso ele mesmo provê um sacrifício no lugar. Ele envia seu Filho, que assume a carne, e oferece sua própria vida e sangue como um sacrifício aceitável, como um substituto para seu povo — um povo que pertence não apenas a uma nação, mas a todas as nações.

Lá no Calvário, Cristo cumpriu tudo o que os sacrifícios do Antigo Testamento significavam e realizou o que eles eram incapazes de fazer. Por meio do seu sangue, Cristo fez expiação pelos pecados do seu povo e os reconciliou com Deus. E para demonstrar que Deus havia aceitado esse sacrifício, ele ressuscitou Jesus dos mortos, de modo que — começando agora e continuando na eternidade — todo aquele que se arrepender de seus pecados e colocar sua fé no sacrifício de Cristo é redimido da escravidão ao pecado e se torna livre para viver uma vida de honra e louvor a Deus.

PADRÕES NO ENREDO

Essa é a história do sacrifício. Quais padrões nós vemos? O que aprendemos sobre o sacrifício de Cristo a partir de como a história do sacrifício é contada?

Tipologia do sacrifício

O primeiro padrão a ser notado é o próprio padrão — o padrão de sacrifício. Mais uma vez, estamos olhando para tipologia. Há um tipo de alguma coisa, depois outro, depois outro. Deus está nos dizendo para fixar nossa atenção nisso. O derramamento de sangue não é algo em que pensemos muito hoje, mas a Bíblia está obviamente interessada nisso. Por quê? O que ela diz?

Além disso, notamos uma tendência crescente com esses tipos. O sacrifício de Abel foi de ação de graças. O sacrifício de Noé foi de ação de graças com o intuito de apaziguar o Senhor. O episódio de Abraão e Isaque incluiu tudo isso, mas também as ideias de total devoção e de um substituto. O sacrifício da Páscoa introduziu as ideias de um cordeiro imaculado, o papel representativo do Filho primogênito e a distinção de um povo. Então os sacrifícios levíticos enfatizavam a expiação pelo pecado.

Portanto, um padrão ou tipo é repetido. Mas há uma crescente dentro do padrão.

Descontinuidade no padrão

Mas não há apenas crescente e continuidade. Há descontinuidade, especialmente quando chegamos a Cristo. Os sacrifícios levíticos eram repetidos incessantemente, mas Cristo foi sacrificado uma vez. Os sacrifícios levíticos eram por uma nação étnica, mas Cristo foi sacrificado por todas as nações.

Promessa e cumprimento

Outro padrão a ser notado neste enredo é o da promessa/cumprimento. Há muitas promessas que eu poderia destacar, como a promessa de Deus a Noé. Deixe-me apontar duas.

Primeiro, há uma conexão entre a promessa de Deus de punir o pecado por meio da morte, a promessa de Deus de resgatar seu povo da serpente e o estabelecimento do sacrifício. Os sacrifícios oferecem um cumprimento vicário (experimentado por intermédio de outro) da promessa de Deus de punir o pecado. Mas porque são vicários, eles realizam o resgate prometido, pelo menos temporariamente. Assim, o sacrifício de fato une múltiplas promessas nas Escrituras.

Segundo, há uma conexão entre a promessa de Deus a Abraão — que a descendência dele seria uma bênção para todas as nações — e o sacrifício de Cristo. Cristo cumpriu esta promessa a Abraão não apenas por meio do seu nascimento e ministério como um descendente genealógico de Abraão, mas especialmente em seu sacrifício. Portanto, a cruz de Cristo, e não apenas sua pessoa, é uma bênção para todas as nações e está no coração das boas novas do evangelho.

SISTEMATIZANDO TUDO

Qual é o propósito de apontar esses padrões? Eles são fundamentais para nos ajudar a entender quem é Jesus, o que seu sacrifício conquistou e a necessidade que temos desse sacrifício. Todos esses padrões apontam para Jesus e nos ajudam a entender Jesus. Eles definem o contexto para sua vinda. Eles nos dão a "pré-interpretação", por assim dizer.

Ao longo dos anos, alguns sugeriram que Cristo morreu principalmente como um exemplo para nós, para nos inspirar um amor maior por Deus. Outros sugeriram que a morte de Cristo era apenas uma demonstração do ódio de Deus pelo pecado. Outros ainda disseram que era uma demonstração de sua compaixão e identificação com os pecadores.

Hoje em dia, alguns dizem que Jesus morreu simplesmente para declarar vitória sobre o pecado e a morte e para demonstrar seu senhorio. E podemos apontar versículos do Novo Testamento que dizem todas essas coisas — que Jesus morreu como exemplo, para demonstrar o ódio de Deus pelo pecado e para declarar vitória sobre o pecado e a morte. Bem, tudo isso compreende *uma parte* da razão pela qual Jesus morreu. Isso abarca uma parte do que há de errado em nós. Precisamos de alguém que nos dê um bom exemplo. Precisamos que alguém se identifique com a nossa fraqueza e derrote a morte. Mas isso é tudo de que precisamos?

Além disso, um número crescente de pessoas que se dizem evangélicas não estão apenas dizendo essas coisas, mas também estão negando outras coisas sobre a cruz. Eles estão negando que Jesus morreu como um substituto — que ele morreu para suportar nosso pecado e sofrer nossa penalidade. Eles estão negando que houve um aspecto penal na cruz.[78]

Mas considerando o enredo e os padrões que observamos, tais explicações não são fiéis às Escrituras. Mais ainda, elas diminuem as boas novas do próprio evangelho. O que se segue, creio eu, é uma apresentação mais fiel do que toda a Bíblia diz sobre a cruz de Jesus Cristo.

1. O problema fundamental da humanidade: o pecado e a culpa que ele traz.

Não é a morte. Não é um relacionamento rompido. Não é a nossa necessidade de amor ou de um exemplo de amor. O problema fundamental com o mundo e a humanidade é o pecado, a culpa e a ira de Deus que o pecado gerou.

Eu estou falando aqui sobre a necessidade de sacrifício. Antes da queda, Adão e Eva não precisavam matar um animal e oferecê-lo a Deus. Eles estavam em um relacionamento correto com um Deus bom e santo. Mas no momento em que o pecado entrou, as vidas de Adão e Eva foram perdidas por causa do pecado e da culpa. Romanos 6.23, ecoando as palavras de Deus para Adão em Gênesis 2, nos diz que o salário do pecado é a morte. O pecado veio primeiro, depois a morte.

Aqui está o problema que o sacrifício na Bíblia é projetado para resolver. Nós não precisamos principalmente de um exemplo inspirador de amor, de vitória sobre os poderes das trevas, ou de vitória sobre a morte. Antes, o eterno e santo Deus está justamente irado conosco por nossa rebelião, e precisamos de um meio de escapar da penalidade de sua justiça, porque nós mesmos não podemos suportar essa penalidade. De acordo com as Escrituras, precisamos de um sacrifício.

---

78 Um tratamento minucioso dessas críticas pode ser encontrado em Steve Jeffery, et al, *Pierced for our transgressions: rediscovering the glory of penal substitution* (Nottingham, Reino Unido: Inter-Varsity Press, 2007; Wheaton, IL: Crossway, 2007). Para uma extensa resposta exegética, ver Mark Dever e Michael Lawrence, *It is well: a series of expositional sermons on substitutionary atonement* (Wheaton, IL: Crossway, 2010).

2. Cristo veio para morrer como substituto

Um sacrifício eficaz é substitutivo. Nós vimos um carneiro morto no lugar de Isaque. Vimos o cordeiro da Páscoa morto no lugar do primogênito. E vimos o mesmo tipo de substituto retratado no livro de Levítico — um ponto ressaltado quando a pessoa coloca a mão sobre o animal. Da mesma forma, Jesus providenciou um sacrifício eficaz por nós, oferecendo-se a Deus como substituto.

3. Cristo veio para morrer como um substituto penal

A vítima recebe a penalidade que o pecador merece. A vítima sacrificial não apenas morre; é judicialmente executada no lugar do pecador.

Tanto o Antigo como o Novo Testamentos ensinam claramente que, na cruz, Cristo morreu como um substituto penal, recebendo o castigo que seu povo merecia. É isso que o profeta Isaías predisse. Falando do Messias, Isaías diz:

> Certamente, ele tomou sobre si as nossas enfermidades e as nossas dores levou sobre si; e nós o reputávamos por aflito, ferido de Deus e oprimido. Mas ele foi traspassado pelas nossas transgressões e moído pelas nossas iniquidades; o castigo que nos traz a paz estava sobre ele, e pelas suas pisaduras fomos sarados. [...] o SENHOR fez cair sobre ele a iniquidade de nós todos (Is 53.4-6).

Jesus disse a mesma coisa de si mesmo: "Eu sou o bom pastor. O bom pastor dá a vida pelas ovelhas." (Jo 10.11). Jesus não entendia sua própria morte como um exemplo, ou como uma demonstração, ou mesmo como uma morte geral aberta sem referência a ninguém em particular. Não, Jesus entregou sua vida como um sacrifício eficaz, um substituto penal por suas ovelhas.

Paulo afirma o mesmo ponto: "a quem Deus propôs, no seu sangue, como propiciação, mediante a fé, [...] tendo em vista a manifestação da sua justiça no tempo presente, para ele mesmo ser justo e o justificador daquele que tem fé em Jesus" (Rm 3.25, 26). Isso nos leva à próxima lição.

4. Cristo veio para morrer como um substituto penal para propiciar a ira de Deus

O sacrifício de Cristo propicia a ira de Deus. O que eu quero dizer com isso? Quero dizer simplesmente que, ao suportar a penalidade que nosso pecado merece, um sacrifício eficaz realmente satisfaz as exigências de justiça, removendo a razão da ira de Deus contra o pecador. Pensando na história do sacrifício, vimos uma sugestão de propiciação no sacrifício de Noé. O sacrifício de Noé foi agradável ao Senhor. Também vemos isso na referência repetida ao longo de Levítico, de que o aroma de um sacrifício queimado era "agradável ao Senhor".

5. Cristo veio para morrer como um substituto penal para propiciar a ira de Deus e fazer expiação por seu povo

O afastamento da ira de Deus leva a outro efeito do sacrifício. Um sacrifício eficaz expia o pecado. Já vimos que o ponto alto do ano judaico era o Dia da Expiação. O que exatamente é expiação? A palavra hebraica para expiar significa "cobrir". Assim, um sacrifício, você poderia dizer, cobre nosso pecado e nos une novamente com Deus. Tendo apaziguado a ira de Deus, o sacrifício obtém o perdão pelo pecado que causou a ira de Deus em primeiro lugar, e remove a culpa que o pecado havia trazido.

6. Cristo veio para morrer como um substituto penal eficaz para propiciar a ira de Deus e fazer expiação por seu povo

Enquanto os sacrifícios levíticos eram repetidos incessantemente, a carta aos Hebreus chama nossa atenção para o fato de que Cristo foi sacrificado uma só vez.

[...] Não tem necessidade, como os sumos sacerdotes, de oferecer todos os dias sacrifícios, primeiro, por seus próprios pecados, depois, pelos do povo; porque fez isto uma vez por todas, quando a si mesmo se ofereceu (Hb 7.27).

[...] Pelo seu próprio sangue, entrou no Santo dos Santos, uma vez por todas, tendo obtido eterna redenção (Hb 9.12).

[...] Agora, porém, ao se cumprirem os tempos, se manifestou uma vez por todas, para aniquilar, pelo sacrifício de si mesmo, o pecado (Hb 9.26).

Todo o sistema de sacrifícios tinha sido apenas uma figura, um aio, projetado, como Paulo diz em Gálatas, para nos conduzir a Cristo e reconhecê-lo quando ele aparecesse. Agora que ele havia chegado, a figura não era mais necessária. A morte de Jesus Cristo na cruz efetivamente afastou a ira de Deus e a satisfez. Como diz o escritor aos Hebreus, "porque é impossível que o sangue de touros e de bodes remova pecados" (Hb 10.4). Mas ele prossegue, dizendo: "temos sido santificados, mediante a oferta do corpo de Jesus Cristo, uma vez por todas" (Hb 10.10).

A boa notícia do cristianismo é que na cruz Jesus Cristo conquistou a salvação. Ele desviou a ira de Deus. Ele fez expiação pelo pecado.

A única questão é: ele fez isso por você? Jesus disse que deu sua vida como resgate por muitos. Você está entre os muitos? Jesus disse que ele dá a vida por suas ovelhas. Quem são suas ovelhas? São aqueles que ouvem a sua voz, que respondem ao seu chamado. João colocou desta forma em João 3.36: "Por isso, quem crê no Filho tem a vida eterna; o que, todavia, se mantém rebelde contra o Filho não verá a vida, mas sobre ele permanece a ira de Deus".

Jesus Cristo conquistou redenção para todos os que ouvem seu chamado para se arrepender e crer. Nós não pregamos uma potencialidade ou possibilidade. Nós certamente não pregamos uma expiação que precisa ser completada com nossa resposta. Pelo contrário, pregamos uma salvação conquistada na cruz, e chamamos homens e mulheres em toda parte para se apoiarem firmemente em Jesus com arrependimento e fé.

Isso nos leva ao fim do sacrifício na Bíblia. Em uma história saturada com o sangue de sacrifício repetidamente derramado, fica evidente que o sacrifício chega ao fim na cruz. Não há nenhum outro sacrifício que as pessoas possam dar para pagar pelos nossos pecados diante de um Deus santo.

7. Somos salvos pela fé somente

É por isso que a Bíblia fala sobre a necessidade da fé pessoal em um Cristo crucificado e ressuscitado para a salvação. Não é que a fé em si seja salvadora. É que a fé é o meio pelo qual você reconhece a Cristo como seu substituto. Como o israelita do Antigo Testamento, que impunha as mãos sobre a vítima do sacrifício, a fé também se apoia em Cristo e confia que, quando Cristo morreu na cruz, ele estava morrendo em seu lugar, por você. Não é suficiente nascer em uma família cristã, ser batizado, ir à igreja ou qualquer outra coisa. Não, pela fé você deve crer que Cristo foi sacrificado por você.

8. Somos salvos pela fé somente em Cristo somente

Não é que Cristo seja o melhor exemplo de um substituto — ele é o único substituto, pois ninguém mais viveu uma vida perfeita. Não é que a sua morte se aproxime do juízo que merecemos — é que na cruz Cristo suportou o holocausto da ira de Deus contra o nosso pecado e o esgotou. Ele é o último sacrifício, porque na realidade ele é o primeiro sacrifício verdadeiro e o único sacrifício eficaz que já foi ou será feito.

A exclusividade deste sacrifício é significativa. Não haverá segundas chances após a morte, nenhum meio alternativo de chegar ao céu. Há apenas um sacrifício que reconcilia os pecadores com Deus e, portanto, há apenas um nome debaixo do céu pelo qual podemos ser salvos.

Todos nós precisamos de um sacrifício. A boa notícia do cristianismo é que o próprio Deus providenciou esse sacrifício. Seu nome é Jesus, e para nossa alegria eterna nós o pregamos crucificado.

CONCLUSÃO: MAIS UM SACRIFÍCIO?

Há, no entanto, mais um sacrifício a ser observado na Bíblia. Não é algum que conquiste salvação ou acrescente nada à salvação. É um que segue a salvação. Quando Jesus chama uma pessoa, ele o chama para tomar sua cruz e segui-lo. Paulo usa uma linguagem semelhante quando diz em Romanos 12.1 que os cristãos devem se oferecer como "sacrifícios vivos". O que Paulo quer dizer?

Antes da queda, Adão e Eva foram feitos à imagem de Deus. Suas vidas deveriam ser um tributo, uma oferta de louvor a Deus. Em última análise, o fim ou propósito do sacrifício de Cristo é podermos mais uma vez oferecer nossas vidas de volta a Deus como sacrifícios, não como pagamento pelo pecado, mas como sacrifícios vivos de louvor à sua graça gloriosa.

Eu acho que a maioria de nós tem dificuldades com sacrifício. É difícil dar a vida pelos outros, amar seus inimigos, retribuir insultos com gentileza e abandonar as riquezas deste mundo pelo tesouro do céu. Enquanto tentarmos oferecer esses sacrifícios como pagamento pelo pecado, para apaziguar a Deus e fazê-lo feliz, fracassaremos. Mas quando fielmente ensinamos a nós mesmos e aos nossos rebanhos que Deus não está mais irado porque Cristo pagou a penalidade, algo muda. Agora, esses sacrifícios vivos não são oferecidos com medo, mas com amor. Em certo sentido, eles nem mesmo são sacrifícios. Eles são simplesmente evidência de que fomos amados em Cristo e estamos agora sendo conformados à imagem de Cristo como sacrifícios vivos, tributos de louvor a Deus.

Uma das imagens bíblicas mais surpreendentes do sacrifício é encontrada em Apocalipse 5. Lá aprendemos que Jesus Cristo, cuja morte foi planejada por Deus desde antes da fundação do mundo, terá por toda a eternidade as marcas de seu sacrifício. Mais do que qualquer outra coisa, essas marcas serão o objeto de nosso eterno fascínio, adoração e louvor, já que são as marcas de nossa salvação. O Cordeiro que foi morto é a imagem à qual estamos sendo conformados. Ele é o destino para o qual estamos indo. Por causa do sacrifício de Cristo, seremos um eterno sacrifício vivo de louvor àquele que é o único digno de louvor, Cristo, nossa Páscoa, o Cordeiro que foi morto, mas agora vive para todo o sempre.

CAPÍTULO 10
A HISTÓRIA DA PROMESSA

Algumas das situações mais difíceis com que lido como pastor envolvem as promessas que as pessoas fazem. De grandes promessas como "até que a morte nos separe" até as pequenas como "eu vou estar em casa às sete". Não apenas as pessoas fazem essas promessas, como outras pessoas contam com elas e constroem suas vidas ao seu redor delas. No entanto, inevitavelmente, as pessoas quebram as promessas que fizeram. Por isso, relacionamentos são quebrados, sentimentos feridos e recriminações iradas. Não poucas pessoas sofrem com uma promessa quebrada e acabam no meu escritório, buscando ajuda para colocar as coisas de volta no lugar.

Nós habitualmente construímos nossas vidas em torno de promessas. De hipotecas a votos de casamento, da *Netflix* a tratados internacionais, grandes ou pequenas, todo o nosso mundo é construído em torno da ideia de que promessas são feitas para serem honradas. O dr. Martin Luther King Jr. tocou a consciência dos Estados Unidos quando disse: "Agora é a hora de concretizar as promessas da democracia".[79] E o general MacArthur instilou esperança em milhares quando prometeu: "Eu voltarei!".[80]

---

79 Palavras do pastor batista americano Martin Luther King Jr., famoso por sua atuação no movimento pelo fim das leis de segregação racial nos Estados Unidos, durante seu discurso "Eu tenho um sonho", em 28/8/1963 [N. do E.].

80 O general Douglas MacArthur foi uma das principais lideranças do exército americano no front do Oceano Pacífico durante a Segunda Guerra Mundial. Sua frase diz respeito à retomada das Filipinas, então invadida por tropas japonesas [N. do E.]

TEOLOGIA BÍBLICA PRÁTICA

Por que fazemos promessas? No texto perspicaz de Hannah Arendt, "as promessas são a forma distintamente humana de ordenar o futuro, tornando-o previsível e confiável na medida em que isso é humanamente possível".[81] As promessas nos unem uns aos outros e a um compromisso comum para o futuro. Assim, conforme a citação frequentemente atribuída ao jornalista americano Herbert Agar: "A civilização está firmada em um conjunto de promessas".

Que fundação frágil para algo tão importante. O fato de que nossas vidas, individual e coletivamente, dependem de promessas significa que nossas vidas são gastas esperando, aguardando e acreditando. Entre uma promessa e seu cumprimento há uma demora, e essa demora exige que vivamos por fé.

O que torna isso tão difícil, claro, é que sabemos que as promessas são quebradas com muita frequência. Quando crianças, nossos amigos quebraram promessas para nós. Assim também nossos pais. Como adultos, é mais do mesmo; contudo, os riscos são maiores, quando casamentos e acordos de emprego se desfazem.

Mas o mais surpreendente é que para cada divórcio, cada traição, cada contrato quebrado ou aliança sabotada, nós nos levantamos no dia seguinte e fazemos promessas de novo. De um jeito ou de outro, a história de nossas vidas é a história de promessas feitas, promessas cumpridas e promessas quebradas.

Por quê?

Fundamentalmente, fazemos promessas porque vivemos em um universo criado por um Deus que faz promessas. Se quisermos conhecer esse Deus, devemos entender a história bíblica da promessa e nosso Deus que faz promessas. Em um sentido muito profundo, a história da Bíblia nada mais é do que a história de uma única promessa, feita pelo

---

[81] Hannah Arendt, *Crises of the Republic: lying in politics, civil disobedience, on violence, thoughts on politics and revolution* (New York: Houghton Mifflin Harcourt, 1972), 92–93 [Em português: *Crises da república*. (São Paulo: Perspectiva, 2017)].

próprio Deus, e de como ele cumpriu e cumprirá essa promessa. Quando entendemos essa história, também estamos em posição de poder ajudar aqueles cujas vidas foram feridas pela dor de promessas não cumpridas.

A HISTÓRIA DA PROMESSA

Qual é a história bíblica da promessa de Deus? Ela começa no mais improvável dos lugares. Começa nas palavras da maldição de Deus depois da queda. Adão e Eva escolheram desobedecer a Deus, e assim ele trouxe sobre eles a justa punição por seus pecados. Mas na própria sentença de condenação, Deus faz uma promessa: "Porei inimizade entre ti e a mulher, entre a tua descendência e o seu descendente. Este te ferirá a cabeça, e tu lhe ferirás o calcanhar" (Gn 3.15). Deus promete criar divisão e oposição entre seu povo, a descendência da mulher, e o povo de Satanás, a descendência da serpente. E ele promete que um dia nascerá um filho que derrotará Satanás e livrará seu povo do pecado. A promessa vem do nada. Adão e Eva não fizeram nada para merecê-la, mas ainda assim ele a faz.

Observe que a promessa tem dois lados: a descendência da serpente atacará a descendência da mulher; mas a descendência da mulher triunfará. Essa promessa e seus vários cumprimentos recorrentes passam a caracterizar a história da redenção. Continuamente, a promessa será desafiada, e até mesmo aparentemente derrotada; mas a promessa prevalecerá.

Caim assassina Abel, mas Deus preserva a linhagem de Adão na pessoa de Sete.

A humanidade é capturada pelo pecado e merecedora do juízo de Deus, mas a promessa de Deus perdura e ele preserva Noé e sua família. Para garantir que sua promessa de libertação seja mantida, Deus faz outra promessa: nunca mais destruir toda a humanidade pelo dilúvio.

Séculos passam. A humanidade não é melhor do que era antes do dilúvio, mas Deus não esqueceu sua promessa. Em Gênesis 12, ele toma a promessa original e começa a dar contornos a ela. Ele escolhe Abrão, um homem idoso sem filhos, e faz uma promessa a ele:

> De ti farei uma grande nação, e te abençoarei, e te engrandecerei o nome. Sê tu uma bênção! Abençoarei os que te abençoarem e amaldiçoarei os que te amaldiçoarem; em ti serão benditas todas as famílias da terra. [...] Darei à tua descendência esta terra (Gn 12.2, 3, 7).

A ameaça da serpente se ergue novamente quando Abrão decide tomar a promessa de uma descendência em suas próprias mãos e produz um descendente, Ismael, por meio de um relacionamento ilícito. Mas Deus não precisa da ajuda de Abrão, e é inflexível no cumprimento de sua promessa pela graça, não pelo esforço humano. Ele renova sua promessa e muda o nome de Abrão para Abraão. Então, "visitou o SENHOR a Sara, como lhe dissera, e o SENHOR cumpriu o que lhe havia prometido" (Gn 21.1). A estéril Sara dá à luz Isaque, o bebê milagroso.

Uma geração depois, uma rivalidade surge entre os dois filhos de Isaque, Jacó e Esaú, com Esaú tentando destruir Jacó. Mas Jacó é a descendência escolhida e o Senhor o preserva. Jacó tem doze filhos, e parece que a promessa de se tornar uma grande nação segue adiante.

Mas, mais uma vez, a promessa de Deus é desafiada por inveja e tentativa de assassinato, pela escravidão e pelo aprisionamento de José, e por uma fome que ameaça destruir toda a família. Mas Deus é fiel. Ele soberanamente usa o sofrimento de José, que seus irmãos intentaram para o mal, como o próprio meio de salvação e libertação não apenas para a família escolhida, mas também para as nações vizinhas.

Novamente, a descendência da serpente levanta a cabeça quando os descendentes de Jacó são escravizados pelo Egito, e toda uma geração de meninos é abatida sob o comando do Faraó. Mais uma vez, Deus é fiel e se lembra de sua aliança com Abraão (Êx 6.5-8). Ele preserva a vida de Moisés e depois o usa para libertar seu povo da escravidão.

No Monte Sinai, Deus faz uma aliança com Israel, da mesma forma que fez com Adão e Eva antes da queda. Se o povo obedecer, permanecerá na Terra Prometida. Mas se eles se rebelarem, Deus os expulsará. Claro, sua rebelião começa quase imediatamente. Deus julga seu povo, mas permanece fiel à sua promessa a Abraão (Êx 33.1).

Uma nova geração, liderada por Josué, é levantada e Deus dá ao povo a terra que prometera a seus antepassados. Contra todas as probabilidades, eles conquistam os cananeus. Embora o povo continue a se rebelar, e Deus continue a castigá-lo, ele também levanta juízes, sucessores de Moisés e Josué, que resgatam o povo e vencem seus inimigos.

Finalmente, em um ato final de rebelião, a nação de Israel rejeita Deus como seu Rei, e pede por um rei como todas as outras nações (1Sm 8). Por misericórdia, Deus unge um rei segundo seu próprio coração, Davi, que será como um filho para ele. Mas a serpente tenta perseguir e destruir Davi até mesmo de dentro de Israel — primeiro por meio de Saul e depois por meio do filho de Davi, Absalão.

No entanto, Deus, que é gracioso e fiel, faz ainda outra promessa a Davi, uma promessa que é apenas uma extensão de sua promessa a Abraão e que dá mais forma à promessa de Gênesis 3. Deus promete a Davi que ele sempre terá um filho para governar seu trono, e esse filho governará em retidão (2Sm 7.11-16). A descendência prometida de Gênesis 3 e Gênesis 15 é, na verdade, um rei que libertará seu povo.

A princípio, parece que esse filho é Salomão. Mas não é. Salomão se mostra infiel e o juízo de Deus continua. Primeiro vem a divisão. Os reis no norte são cada vez mais perversos, até que Deus envia o reino do norte para um exílio do qual nunca mais retornam. No sul, há renovações periódicas, mas as renovações nunca são completas e nunca duram muito. Finalmente, Deus envia Judá ao exílio e parece que sua promessa falhou.

Mas mesmo no contexto de julgamento e exílio, Deus mostra que não esqueceu e não falhou. Os profetas recebem uma mensagem de esperança, que Deus fará uma nova aliança com seu povo (Jr 31.31-34).

Depois de setenta anos no exílio, Judá retorna à Terra Prometida. O templo é reconstruído e as muralhas de Jerusalém são restauradas. Mas a nova aliança ainda não chegou. Quando Deus finalmente cumprirá sua promessa?

A resposta vem muitos anos depois, em uma noite em Belém, a cidade de Davi. Nasce um bebê cujo nome é Jesus. Anjos assistem seu nascimento. Reis vêm de longe para honrar o menino. Poderia ele ser o filho prometido, o tão esperado rei que libertaria seu povo?

Novamente, a serpente ataca e toda uma geração de meninos é morta. No entanto, o Senhor preserva Jesus. Tudo sobre sua vida sugere que Jesus é o tão esperado cumprimento de todas as promessas de Deus. Suas palavras têm autoridade, e seu trabalho de cura e exorcismo é nada menos que milagroso. Parece que Deus não esqueceu e está finalmente cumprindo sua palavra.

Então o impensável acontece. Mais uma vez, o pecado e a rebelião da serpente parecem ganhar vantagem. Os líderes religiosos de Israel rejeitam Jesus e as autoridades romanas o crucificam. Em um túmulo frio e escuro fora de Jerusalém, a promessa de Deus parece ter morrido completa e definitivamente.

Mas nada poderia estar mais longe da verdade. Três dias depois, Jesus se levantou dos mortos e demonstrou, sem sombra de dúvida, que Deus cumpre suas promessas. Por meio de sua morte sacrificial na cruz, Jesus havia esmagado o poder de Satanás e libertado seu povo da escravidão do pecado (Cl 2.14, 15). Por meio de sua ressurreição, Jesus garantiu que a nova vida do reino de Deus havia finalmente surgido (Rm 4.25).

PADRÕES NO ENREDO

Essa é a história bíblica da promessa. Quais padrões nós vemos? Como aprendemos sobre o Deus que faz promessas a partir de como a história é contada?

O primeiro padrão a notar é a própria promessa. Desde as páginas iniciais da Escritura até seu final, a história da atividade redentora de Deus é estruturada por promessas feitas e promessas cumpridas. Você pode até dizer que fazer e cumprir promessas é o principal recurso narrativo da Bíblia. Sem a promessa de Deus, não há história depois de Gênesis 3.

Mas não é só que a promessa e o cumprimento levam a história adiante. Há também aparente demora no cumprimento da promessa de Deus, e é isso que traz tensão e desenvolvimento à história. Deus não resolveu as coisas ali mesmo no jardim. Ele não enviou Jesus antes do dilúvio. E Deus não enviou Jesus de volta hoje... ainda não, pelo menos. O que é impressionante quando você considera que Deus é um Deus de promessas é que isso significa que nossas vidas são, por definição, vidas de espera. Uma das principais perguntas que a Bíblia faz, e depois responde em parte, é "por que a demora?".

Segundo, observe que as promessas que Deus faz não são do tipo que fazemos todos os dias: "Chegarei a casa cedo" ou "Eu vou à sua festa". Em vez disso, essas promessas sempre tomam a forma de alianças. Não é que Deus não faça o tipo de promessas simples que fazemos. Ele faz, e há exemplos delas por toda a Escritura. Mas as promessas realmente grandes, as promessas que dão forma a toda a história, essas são diferentes. São promessas que não só o comprometem com uma ação futura, mas que o ligam em um relacionamento com um povo em particular.

Isso nos diz algo sobre Deus. Ele não é apenas fiel, mantendo sua palavra; ele também é pessoal, entrando em relacionamento com os outros. Também nos diz algo sobre o seu propósito em fazer promessas em primeiro lugar. A história das ações de Deus na história não é simplesmente uma história de Deus cumprindo seus planos. É uma história de misericórdia e amor, ao criar e redimir um povo para si mesmo.

Finalmente, observe que esta história, como todas as outras histórias que consideramos, tem continuidade e descontinuidade. A promessa de redenção por meio de um filho continua. A promessa de oposição satânica continua. E a promessa do triunfo da descendência sobre Satanás continua. Mas a forma e dimensão completa da promessa de redenção não são reveladas de uma só vez.

Há muitas descontinuidades também, e é por meio delas que a promessa de redenção se desenrola lentamente. Numa fase inicial, a promessa está confinada a um povo étnico em particular. A divisão é essencialmente étnica. Mas em Cristo, essa divisão étnica foi apagada e a promessa se estende a todas as nações. No começo, o filho é apenas um filho. Mais tarde, o filho não é apenas um filho, mas um rei. No final, ele não é apenas um rei, mas o próprio Deus. Essas descontinuidades não apenas ajudam a história a se desenvolver e avançar; também revelam cada vez mais o que Deus pretendia desde o início. É como se a história estivesse progredindo lentamente de parábola para realidade. A história toda é histórica, mas a realidade última para a qual ela apontava não aparece até perto do fim.

SISTEMATIZANDO TUDO

Se esses são alguns dos padrões da história, que aplicação esta história tem para nossas vidas e ministério? Por que Deus coloca uma espera em nossas vidas e em suas relações conosco? Que diferença faz para a nossa vida Deus ser um Deus que faz promessas?

O homem é pecador

Primeiro, toda a história da redenção é estruturada por uma dinâmica de promessa e cumprimento porque o homem é pecador. Nós precisamos ser redimidos. A própria estrutura da Bíblia diz que há um problema a ser resolvido.

No entanto, o fato de a história da redenção ser estruturada por uma dinâmica de promessa e cumprimento não nos ensina sobre nós mesmos, nos ensina sobre Deus. Ela nos ensina que ele é um Deus de misericórdia e de justiça, um Deus de amor e de ira.

Nós vivemos em meio a uma guerra espiritual

O enredo da promessa nos ensina que vivemos em uma guerra espiritual. Paulo poderia muito bem estar resumindo o enredo quando escreve:

> Porque a nossa luta não é contra o sangue e a carne, e sim contra os principados e potestades, contra os dominadores deste mundo tenebroso, contra as forças espirituais do mal, nas regiões celestes (Ef 6.12).

Eu não indico a realidade da guerra espiritual para nos absolvermos da culpa pelo pecado. Não, é simplesmente porque precisamos reconhecer que este mundo, seus poderes e culturas, não são neutros. Vimos repetidamente na história a serpente atacar os bons propósitos de Deus. Satanás está trabalhando por meio das forças aparentemente inocentes deste mundo, bem como por meio de nossa natureza pecaminosa. Portanto, precisamos estar atentos e cautelosos com o mundanismo em nossos corações.

Deus é paciente e chama todas as pessoas ao arrependimento

Lutamos com o que parece ser a demora de Deus em cumprir suas promessas. Mas o fato é que a demora demonstra a paciência de Deus, pois ele deseja que todos cheguem ao arrependimento. Pedro coloca desta forma:

> Para o Senhor, um dia é como mil anos, e mil anos, como um dia. Não retarda o Senhor a sua promessa, como alguns a julgam demorada; pelo contrário, ele é longânimo para convosco, não querendo que nenhum pereça, senão que todos cheguem ao arrependimento (2Pe 3.8).

Já faz dois mil anos e Jesus ainda não voltou. Alguns diriam que os cristãos são simplesmente crédulos. Afinal, quanto tempo leva para provar que uma promessa é falsa? Essa é uma maneira de olhar para a demora. Mas há outra maneira. É que Deus está sendo paciente e misericordioso com os pecadores.

Olhando para a paciência de Deus com o Israel rebelde, a carta aos Hebreus defende: "Hoje, se ouvirdes a sua voz, não endureçais o vosso coração" (Hb 4.7). Isso deve dar urgência ao nosso evangelismo. Não sabemos quando a paciência de Deus chegará ao fim. Hoje, neste momento, sua mão está contida; ele está exercitando paciência. Portanto, hoje, neste momento, é a hora de conclamar as pessoas a se arrependerem de seus pecados e colocarem sua fé em Cristo.

Deus é gracioso e toma iniciativa para a salvação pela graça

Deus não é apenas paciente; ele é gracioso. Ele não nos deixa correr atrás sozinhos. Ele toma a iniciativa da salvação. A promessa de Deus em Gênesis 3.15, juntamente com todas as outras promessas que ele profere, é inteiramente iniciativa de Deus; é graça pura e simples.

Você notou o padrão quando contei a história? Adão e Eva acabaram de rejeitar Deus em face de sua bondade abundante, mas Deus promete libertar tanto eles quanto seus descendentes. O que era Abraão quando Deus prometeu torná-lo uma bênção para as nações? Um idólatra. O que era Moisés quando Deus o chamou? Um assassino e fugitivo da justiça. O que era Davi quando Deus o ungiu como rei? Um pastorzinho que cresceria para se tornar um assassino e adúltero.

E o que você era quando a promessa de Deus foi oferecida no evangelho de Jesus Cristo a você? Como Paulo diz, "todos nós andamos outrora, segundo as inclinações da nossa carne, fazendo a vontade da carne e dos pensamentos; e éramos, por natureza, filhos da ira" (Ef 2.3). Deus não nos deve a salvação. A promessa de salvação que Deus nos faz é uma promessa de graça pura.

Deus é fiel e cumpre suas promessas

Vemos Deus *fielmente* cumprindo suas promessas do Antigo Testamento de pelo menos três maneiras. Primeiro, ele fez isso mediante a morte e ressurreição de Jesus Cristo. Longe de ser apenas a obra trágica de homens maus, longe de ser o triunfo de Satanás sobre Jesus, a cruz foi a vitória triunfante de Deus sobre o pecado e o poder de Satanás. Esta foi a conclusão de Pedro no final de seu sermão no Pentecostes (At 2.36). E foi a conclusão de Paulo também: "Porque quantas são as promessas de Deus, tantas têm nele o sim; porquanto também por ele é o amém para glória de Deus, por nosso intermédio" (2Co 1.20).

Segundo, Deus continua a aplicar sua promessa a nós por intermédio do Espírito Santo, a quem Jesus enviou como sinal e penhor de que as boas coisas prometidas são verdade e já estão aqui. Paulo continua em 2 Coríntios 1.21, 22: "Mas aquele que nos confirma convosco em Cristo e nos ungiu é Deus, que também nos selou e nos deu o penhor do Espírito em nosso coração".

Como o Espírito Santo faz isso? Ele aplica a vida do céu às nossas vidas aqui na terra. Ele produz em nós o fruto do Espírito, que é fruto celestial. Ele confirma para nós que somos de fato filhos de Deus, assim como testifica aos nossos próprios espíritos e nos leva a chamar Deus de Aba, Pai (Rm 8.15).

Como ajudamos os crentes que lutam com a dúvida? Uma maneira é apontar para a evidência do Espírito em sua vida. Não estou falando de dons espetaculares, mas do fruto do Espírito: "amor, alegria, paz, longanimidade, benignidade, bondade, fidelidade, mansidão, domínio próprio" (Gl 5.22). Quando isso está presente, e em crescimento, o crente que professa sua fé pode ser encorajado, pois é obra do Espírito nos dar confiança de que Deus cumpre e está cumprindo sua promessa, e que chegará o dia em que ele resgatará seu penhor com pagamento integral.

Terceiro, vemos Deus fielmente cumprindo as promessas do Antigo Testamento, porque ele já deteve Satanás (Ap 20.2). Satanás não pode enganar os eleitos de Deus, mesmo que tente (Mc 13.22). Nós também sabemos que Deus finalmente derrotará Satanás e os poderes deste mundo. Como João profetizou: "O diabo, o sedutor deles, foi lançado para dentro do lago de fogo e enxofre, onde já se encontram não só a besta como também o falso profeta; e serão atormentados de dia e de noite, pelos séculos dos séculos" (Ap 20.10).

Deus é digno de confiança e cumprirá o que promete

Também aprendemos que Deus é absolutamente *confiável*. O problema com as promessas que fazemos é que elas são tão boas quanto nossas intenções, e confiáveis até quanto somos capazes de realizá-las. Isso significa que mesmo os melhores de nós são, por natureza, quebradores de promessas. Deus não. Quando Deus faz uma promessa, você pode confiar nela. Deus não pode mentir, por isso suas promessas nunca enganam. Deus é todo-poderoso, então suas promessas nunca falham. Considere as palavras de Jesus em João 10.27-30:

> As minhas ovelhas ouvem a minha voz; eu as conheço, e elas me seguem. Eu lhes dou a vida eterna; jamais perecerão, e ninguém as arrebatará da minha mão. Aquilo que meu Pai me deu é maior do que tudo; e da mão do Pai ninguém pode arrebatar. Eu e o Pai somos um.

Qualquer um que verdadeiramente se arrepende do pecado e confia em Cristo pode ter certeza de que Deus o preservará até o fim. Essa certeza não tem nada a ver com a força da fé ou a justiça da vida de alguém. Tem tudo a ver com o poder e a fidelidade de Deus. Como Paulo diz: "aquele que começou boa obra em vós há de completá-la até ao Dia de Cristo Jesus" (Fp 1.6). Deus honra suas promessas. Sempre. Você pode contar com isso.

Isso significa que não importa o modo como vivemos? Basta tomar uma decisão por Jesus e continuar vivendo como antes? De modo algum.

Ao considerarmos o fato de que a história da redenção é estruturada por esse padrão de promessa e cumprimento e que a história é toda sobre essa demora entre os dois, não apenas aprendemos sobre Deus, como também aprendemos sobre o que ele pretende para nós enquanto cristãos. Aprendemos que importa o modo como vivemos.

Deus pretende que seu povo seja purificado

Um dos constantes refrões no Antigo Testamento é que Deus usa o sofrimento, e até o castigo, para purificar seu povo. É a imagem da fundição, na qual a escória é removida e o metal puro permanece. Por exemplo, o salmista olha para a peregrinação no deserto e para os dias difíceis dos juízes e reconhece: "Pois tu, ó Deus, nos provaste; acrisolaste-nos como se acrisola a prata" (Sl 66.10). Zacarias, ansioso pelo Messias, diz a mesma coisa. Deus diz: "Farei passar a terceira parte pelo fogo, e a purificarei como se purifica a prata, e a provarei como se prova o ouro" (Zc 13.9).

Ao ministrarmos aos cristãos que estão sofrendo, não faremos bem a eles se os levarmos a acreditar que Deus está, em última instância, preocupado com sua tranquilidade e felicidade nesta vida. Ele não está. Embora este mundo veja o mal no sofrimento, Deus intenta o sofrimento em nossas vidas para o bem. Ele não está interessado na escória do nosso pecado, ou no inútil metal dos nossos próprios esforços. Não, ele deseja o ouro puro da nossa confiança refinada nele. Por meio do sofrimento ele nos santifica. Assim como Cristo "aprendeu a obediência pelas coisas que sofreu" (Hb 5.8), assim como ele se confiou a Deus na tentação do deserto, nós também aprendemos a colocar nossa fé unicamente em Deus por meio do nosso sofrimento. "Toda disciplina [...] produz fruto pacífico aos que têm sido por ela exercitados, fruto de justiça" (Hb 12.11).

TEOLOGIA BÍBLICA PRÁTICA

Mas Deus não busca apenas nossa purificação. Ele também é paciente em cumprir sua promessa porque quer reorientar nossa esperança.

Deus pretende reorientar nossas esperanças

Este mundo constantemente canta em nossos ouvidos um canto da sereia de esperança, nos encorajando a investirmos aqui, a viver por esta vida, a guardar o tesouro terrestre, a cultivar o louvor dos homens. É uma música linda, mas como a música que cativou Ulisses,[82] é uma música que nos levará à destruição. Deus sabe disso e quer que cheguemos à mesma conclusão. Quando ele nos salva, portanto, ele não nos leva de uma vez para o céu. Ele nos deixa aqui, em parte para aprender que este mundo não é nosso lar e para desenvolver nossa aspiração "a uma pátria superior, isto é, celestial" (Hb 11.16). Seu desejo é que nos cansemos das mentiras, pretextos e promessas quebradas que este mundo nos oferece, e, em vez disso, com Abraão, vivamos aqui todo o tempo como estrangeiros, "porque aguardava a cidade que tem fundamentos, da qual Deus é o arquiteto e edificador" (Hb 11.10).

Deus pretende que seu povo persevere até o fim

A promessa de Deus significa que importa o modo como vivemos. Jesus disse que suas ovelhas ouvem a sua voz e o seguem. Isso significa que é da própria natureza de um cristão se arrepender e seguir. Cristãos verdadeiros podem cair em pecado real e grave. Cristãos verdadeiros podem entristecer o Espírito Santo, ferir sua consciência e até mesmo perder toda a experiência da graça de Deus. E esse é um lugar terrível e perigoso para se estar, um lugar sem segurança. Ainda assim, pela graça de Deus, cristãos verdadeiros não caem total ou finalmente. Afinal, cristãos verdadeiros são pessoas que, pela graça de Deus e por causa de sua promessa inquebrantável, se arrependem e seguem a Cristo. Jesus nos diz: "aquele, porém, que perseverar até ao fim, esse será salvo" (Mt 10.22).

---

82 Personagem de *Ilíada* e *Odisseia*, de Homero, que é seduzido por uma sereia [N. do E.].

É a grande marca de um cristão: não que ele não peca, mas que persevera até o fim. Portanto, não devemos ensinar nosso povo a confiar em alguma decisão tomada ontem ou há dez anos. Antes, devemos ensiná-los, como Paulo fez aos coríntios, a "examinai-vos a vós mesmos se realmente estais na fé; provai-vos a vós mesmos" (2Co 13.5). Toda essa conversa de perseverança sugere que a fé cristã depende de nossos próprios esforços? Não, tudo depende de Deus. No entanto, Deus decidiu usar nossos esforços para que nossas esperanças fossem reorientadas e para que pudéssemos crescer em santidade: "desenvolvei a vossa salvação com temor e tremor; porque Deus é quem efetua em vós tanto o querer como o realizar, segundo a sua boa vontade" (Fp 2.12, 13).

Deus pretende que trabalhemos

O que é santidade? Não é simplesmente ser separado do pecado. É ser separado para a glória, amor e obra de Deus. Paulo coloca nossas vidas à luz da história da promessa de Deus quando escreve:

> Ora, o Senhor é o Espírito; e, onde está o Espírito do Senhor, aí há liberdade. E todos nós, com o rosto desvendado, contemplando, como por espelho, a glória do Senhor, somos transformados, de glória em glória, na sua própria imagem, como pelo Senhor, o Espírito (2Co 3.17, 18).

O que é essa liberdade que nos foi dada? Não é uma liberdade para viver como quisermos, mas uma liberdade para glorificar a Deus por meio de vidas que refletem sua glória. Nós recebemos trabalho para fazer (Mt 9.38). Nós recebemos nossas ordens para marchar (Mt 28.18-20). Uma mensagem foi confiada a nós (2Co 5.14-21). E, como resultado, nossas vidas encontram um propósito na demora de Deus, pois:

Nós, na qualidade de cooperadores com ele, também vos exortamos a que não recebais em vão a graça de Deus (porque ele diz: Eu te ouvi no tempo da oportunidade e te socorri no dia da salvação; eis, agora, o tempo sobremodo oportuno, eis, agora, o dia da salvação) (2Co 6.1, 2).

CONCLUSÃO: O FIM DA DEMORA

Deus cumpriu suas promessas em Jesus Cristo. Mas há uma promessa que ainda estamos esperando que ele cumpra. É um dia pelo qual ainda esperamos — o dia em que Cristo retornará e entraremos na redenção completa, não apenas de nossas almas, mas também de nossos corpos. Embora Deus esteja usando a demora para o nosso bem, ainda desejamos que isso termine. Pois Deus pretende libertar total e finalmente seu povo, não apenas da culpa e condenação de seus pecados, mas deste próprio corpo de morte.

Cristo está voltando. E nesse dia a trombeta de Deus soará, os mortos ressuscitarão incorruptíveis e seremos transformados. A escória sumirá. O pecado desaparecerá. A santificação e o sofrimento darão lugar à glorificação e alegria. Nesse dia, seremos como ele, pois o veremos como ele é. Como Paulo declara com um grito de alegria: "Graças a Deus, que nos dá a vitória por intermédio de nosso Senhor Jesus Cristo" (1Co 15.57).

Portanto, cristão, fique firme. Persevere. Sua fé e trabalho não são em vão. Cristo cumpriu a promessa: ele livrou você do pecado e do poder de Satanás. E prometeu nunca deixar você, nem mesmo no fim dos tempos. É uma promessa que ele certamente cumprirá. "Aquele que não poupou o seu próprio Filho, antes, por todos nós o entregou, porventura, não nos dará graciosamente com ele todas as coisas?" (Rm 8.32). Não há ninguém que faça promessas melhores; não há mais ninguém que cumpra todas elas.

SEÇÃO 3

ORGANIZANDO TUDO PARA A IGREJA

CAPÍTULO 11

PREGAÇÃO E ENSINO (ESTUDOS DE CASO)

Nós passamos os últimos dez capítulos pensando em como construir uma teologia bíblica (toda a história de toda a Bíblia) e como extrair lições (teologia que é bíblica) daquela história. Mas agora que construímos uma teologia bíblica, o que fazemos com ela? Deixamos na prateleira, pronta para ser retirada da próxima vez que estivermos perto de um campus do seminário ou num debate? Eu certamente espero que não!

INTRODUÇÃO: O QUE A TEOLOGIA BÍBLICA TEM A VER COM A IGREJA?

Como todo operário sabe, algumas ferramentas ficam guardadas na prateleira e outras ficam penduradas no cinto de trabalho. As ferramentas altamente especializadas e caras têm um lugar na prateleira. Elas são importantes, mas você não as usa todos os dias. As ferramentas penduradas no cinto de trabalho, por outro lado, não são tão caras ou chamativas, mas você as usa em quase todos os serviços. A teologia bíblica é como uma ferramenta pendurada em seu cinto de trabalho. É uma das ferramentas mais práticas que um ministro pode ter. Neste capítulo e no próximo, quero que consideremos como podemos colocar nossa teologia bíblica para trabalhar na igreja local.

No capítulo 12, vamos pensar em como usar a nossa teologia bíblica em tudo, desde o aconselhamento até as missões mundiais, e muitas outras questões entre elas. Mas primeiro queremos pensar sobre o principal uso da teologia bíblica na igreja, que é em nossa pregação e ensino. Para fazer isso, vamos trabalhar com uma série de estudos de caso em diferentes seções e gêneros das Escrituras. Mas, antes de fazermos isso, quero resumir o que fizemos até agora e, em seguida, analisar mais de perto onde a teoria encontra a realidade: a aplicação.

UMA REVISÃO RÁPIDA DE NOSSA JORNADA

Nos últimos cinco capítulos eu contei toda a história de toda a Bíblia, cada vez selecionando um tema diferente e contando a história daquele ângulo. Nós olhamos para a criação, a queda, o amor, o sacrifício e a promessa. Esses não são os únicos temas que eu poderia ter usado. Por exemplo, eu poderia ter contado a história da Bíblia a partir do tema do filho/descendente, ligando Gênesis 3.15 a Abraão, ao nascimento de Moisés, a Davi e finalmente a Cristo, a verdadeira descendência e Filho divino por meio de quem nós também somos adotados como filhos e filhas de Deus. É assim que Paulo conta a história de maneira bastante resumida em Gálatas 3 e 4.

Existem ainda muitos outros temas. Toda a história de toda a Bíblia pode ser contada a partir do tema do sacerdócio, do rei, da noiva, do jardim e do templo, só para citar alguns. Há muitos temas, muitos tópicos que são entremeados em toda a tapeçaria das Escrituras que permitem contar toda a história. Escolhi esses cinco temas porque, juntos, eles permitiram que eu considerasse a doutrina da salvação de várias perspectivas diferentes.

Tendo contado a história e percebido sua estrutura e seus padrões, também tentei aplicar a história em nossas vidas. Usando a teologia sistemática, fiz as perguntas: (1) o que essa história nos ensina sobre Deus, sobre nós mesmos e sobre a igreja? e (2) como isso se aplica à nossa vida nesse momento? As respostas são os pontos em que a história bíblica toca e cruza a nossa história contemporânea. Ou, melhor ainda, as respostas nos mostraram as muitas maneiras pelas quais nossa história já é incorporada e interpretada pela história bíblica, como uma cosmovisão abrangente que desafia as cosmovisões idólatras de nossa época.

Cada vez que eu contei toda a história, havia duas etapas: (1) teologia bíblica — entender corretamente toda a história e (2) teologia sistemática — aplicar essa história em nossas vidas. Na verdade, todas as vezes havia um passo anterior sobre o qual não falei. Eu simplesmente anunciei o tema que eu iria seguir ao longo da Bíblia, e pedi que você confiasse que eu havia acertado o tema. Mas, antes de mais nada, como cheguei ao tema? Como pensei nos temas adicionais que acabei de mencionar? Será que isso não é realmente nada mais do que uma versão mais sofisticada da pregação temática? E o que aconteceu com a prioridade de expor uma passagem da Escritura, por onde este livro começou?

COMO VAMOS DAQUI (TEXTO BÍBLICO) ATÉ LÁ (TEOLOGIA BÍBLICA)?

De fato, como observamos no capítulo 1, a teologia bíblica fiel não começa com um tema ou uma grande história, mas com um texto. Provavelmente é exatamente onde você começa em seu próprio estudo bíblico pessoal, e onde eu começo a cada semana que estou preparando um sermão ou um estudo bíblico. Você começa com um texto e se pergunta: qual é o sentido desse texto? Prestando atenção à gramática e sintaxe, gênero e cenário histórico, você tenta entender a intenção original do autor.

Mas agora eu espero que você veja que a pergunta "qual é o sentido?" é uma questão maior do que parece a princípio. Usando as ferramentas da exegese, procuramos o sentido no contexto da passagem maior ou do livro bíblico. Usando as ferramentas da teologia bíblica, consideramos o sentido do texto à luz de onde o texto recai na história da redenção. Em que era da obra salvadora de Deus ele ocorre? Há algo novo ou distinto acontecendo em relação ao que aconteceu antes? Uma promessa foi cumprida em um nível? Um tipo foi desenvolvido ou mais claramente identificado?

Então, usando essas mesmas ferramentas da teologia bíblica, perguntamos qual é o sentido do texto à luz de todo o cânon; isto é, à luz da obra de Cristo na cruz e de seu retorno prometido. Nós vemos um cumprimento final de uma promessa ou de um tipo? A descontinuidade apresentada marca uma mudança, desenvolvimento ou expansão de uma promessa anterior? De que maneira a continuidade é mantida?

É precisamente neste ponto que os temas bíblico-teológicos se tornam aparentes, quando perguntamos como o evento ou ensino específico se relaciona com a revelação final de Jesus Cristo, sua obra salvadora e seu reino prometido. Quando identificamos os principais temas ou tópicos que estão sendo executados em nosso texto específico, quando temos certeza de onde na história da redenção nosso texto se encaixa, temos condições de traçar o tema por toda a Bíblia. O resultado é que agora somos capazes de ensinar ou pregar em nosso texto, não como se fosse uma pérola em um colar, sem relação com o restante das Escrituras, mas como realmente é: uma seção de uma tapeçaria inteira que é inextricável e organicamente conectada ao todo.

Finalmente, após colocar e explicar nosso texto em seu contexto histórico-redentivo, fazemos a pergunta: qual é o sentido do texto para os cristãos e a igreja hoje? E respondemos a essa pergunta usando as ferramentas da teologia sistemática, aplicando o texto não apenas à nossa vida individual, mas à nossa existência comunitária como igreja local.

Além disso, uma vez que a teologia sistemática nos permite desenvolver uma cosmovisão bíblica, podemos aplicar nosso texto a não cristãos, a questões da sociedade e do governo e a questões apologéticas levantadas por cosmovisões conflitantes. É assim que chegamos do texto bíblico ao enredo bíblico e à vida cristã bíblica.

Agora, quero conduzi-lo por esse processo com quatro exemplos diferentes das Escrituras. Se você quiser, pode simplesmente ler diretamente os estudos de caso a seguir. Ou, se você quiser tornar o exercício ainda mais útil, tire um momento agora e pense em cada um dos textos a seguir por conta própria e, depois, leia os estudos de caso:

1. As leis levíticas de alimentação e pureza encontradas, por exemplo, em Levítico 11;
2. O livro de Josué;
3. Salmos 1 e 2;
4. Marcos 1.14, 15.

Pegue um bloco de folhas e escreva o que você acha que é o ponto principal de cada texto, e como você o ensinaria ou pregaria à luz de todo o cânon das Escrituras. Como você abordaria cada texto de uma maneira sensível à teologia bíblica, a partir do que falamos sobre isso? O que você enfatizaria? O que você evitaria? Como você demonstraria a verdade do ponto principal e aplicaria isso à sua igreja hoje?

Antes de entrar no primeiro estudo de caso, deixe-me apontar alguns passos que serão comuns a todos eles. Primeiro, sempre comece com oração. No Antigo Testamento, vemos que é o Espírito de Deus que dá habilidade ao artífice. Presumivelmente, Bezalel e Aoliabe já conheciam as técnicas básicas de seu ofício. Mas quando chegou a hora de trabalhar no tabernáculo, o Espírito de Deus os encheu de "habilidade, de inteligência e de conhecimento". Se a intercessão do

Espírito foi necessária para produzir o que a carta aos Hebreus chama de mera "cópia" das coisas celestiais, quanto mais a oração precederá nosso manejo das próprias palavras de Deus, à medida que buscamos de Deus a sabedoria e habilidade necessárias para alimentar fielmente suas ovelhas!

Segundo, reserve o tempo necessário para observar e interrogar o texto a fim de fazer com precisão a exegese da passagem e, assim, entender a intenção original do autor em seu contexto imediato (ver capítulo 1). É tentador, especialmente com passagens familiares, pular direto à aplicação, presumindo que já sabemos o que ela significa. Mas a Palavra de Deus é imensamente rica e imensuravelmente profunda. Mesmo passagens familiares merecem mais uma observação cuidadosa para obter novas percepções exegéticas.

Terceiro, certifique-se de que você identificou corretamente em qual era histórico-redentiva sua passagem está localizada. Além disso, note se ela se refere direta ou indiretamente a outras eras distintas da sua própria (ver capítulo 2). Será difícil relacionar sua passagem com a história bíblica como um todo, e quase impossível aplicá-la corretamente, se você não reconhecer onde seu texto está no desenvolvimento da história da redenção (e onde você está em relação a ela).

Assim, considerando a oração, a exegese correta e cuidadosa e uma colocação precisa do texto dentro da linha do tempo da história da redenção, vamos pensar em como entendemos (teologia bíblica) e aplicamos (teologia sistemática) esses textos.

Uma grade de aplicação

Antes de chegarmos aos nossos estudos de caso, quero apresentar algumas ferramentas práticas que podem ajudá-lo a ser mais cuidadoso e deliberado em suas aplicações. Sem dúvida, há várias boas maneiras de pensar na aplicação. Uma abordagem que vários pastores da minha igreja consideram útil é chamada de "grade de aplicação de sermões" (veja a tabela 11.1). Alguns de nós realmente preenchem o quadro; outros simplesmente mantêm as categorias em nossa cabeça quando escrevemos nossos sermões. De qualquer forma, a grade nos ajuda a colocar as ferramentas da teologia bíblica e sistemática para trabalhar toda vez que pregamos ou ensinamos a Bíblia.

A grade é muito simples. No lado esquerdo da tabela estão os pontos do sermão ou aula. Eles surgem de nossa exegese, quando transformamos um esboço exegético em um esboço de pregação. Na parte superior da tabela, estão diferentes categorias úteis para pensar na aplicação.

- Onde esta passagem está localizada na história da redenção e como ela se relaciona conosco?
- O que esse ponto significa para os não cristãos?
- O que ele significa para nós como cidadãos, como empregados e assim por diante?
- O que ele nos ensina sobre Cristo?
- O que ele significa para nós como cristãos individuais?
- O que ele significa para a nossa igreja como um todo?

Essas certamente não são as únicas categorias que você poderia listar, mas são pelo menos as principais. Para cada ponto do sermão (à esquerda da tabela), tento pensar na resposta de cada uma dessas categorias (percorrendo a parte superior da tabela). Se eu tiver um sermão de três pontos, quando terminar com a grade, terei as ferramentas da teologia bíblica e sistemática para desenvolver pelo menos dezoito pontos diferentes de aplicação em potencial. Além do mais, não forcei nada no texto. Em vez disso, a aplicação surgiu diretamente do fruto do meu esboço exegético e, de fato, está ligado a ele.

Tabela 11.1: Grade de aplicação de sermões

Texto:

Ponto principal da passagem:

Categorias / Esboço	Era/ história da redenção	Não cristãos	Sociedade	Cristo	Cristãos	Igreja
Ponto 1						
Ponto 2						
Ponto 3						

Meu objetivo aqui não é tanto dizer que você deve usar a grade, mas nos ajudar a começar a pensar em tais categorias, para colocar as ferramentas da teologia bíblica em uso. Se você está interessado em usar uma grade, é o tipo de coisa que você deveria fazer *depois* de criar um esboço homilético, mas *antes* de escrever o corpo do sermão.

Agora, mesmo quando eu prego sermões de uma hora, eu nunca uso todos os pontos de aplicação desenvolvidos na grade. Mas tendo pensado em cada uma das categorias, é muito mais provável que eu evite repetições e minhas preferências pessoais. É mais provável que eu aplique o texto além da faixa muito estreita na qual a maioria dos que ensinam a Bíblia normalmente opera: aplicação ética à vida cristã individual e apelo do evangelho ao não cristão. E é mais provável que eu aplique o texto à vida comunitária de nossa igreja como um todo e considere as implicações da cosmovisão para os não cristãos. Mais importante, eu sou lembrado por essa grade que uma das mais importantes "aplicações" não é sobre mim ou sobre nós, mas simplesmente o que o texto nos ensina sobre o Pai, o Filho e o Espírito Santo, e como a Trindade operou em conjunto para planejar, realizar e aplicar a nossa salvação para sua glória eterna.

A taxonomia de um pastor

Mas não apenas queremos ser deliberados nas categorias de nossas aplicações, como também queremos considerar as pessoas que estão nos ouvindo. O que se segue é uma simples taxonomia das ovelhas (e dos bodes!), aqueles que ouvem você ensinar e pregar a cada semana. William Perkins, o puritano inglês do século XVI, desenvolveu um esquema de sete pontos em *A arte de profetizar*.[83] O que se segue aqui é bem menos complexo. De certo modo, estou tomando as categorias únicas de cristãos e não cristãos da grade e explorando-as um pouco mais.

---

[83] William Perkins, *The art of prophesying* (Londres, 1606; reimp. Edimburgo: Banner of Truth, 1996), p. 54–63 [Em português: *A arte de profetizar*. (Brasília: Monergismo, 2017)].

Primeiro, todos que ouvem você caem nos três pares seguintes:

- *Cristão ou não cristão*: quero abordar ambos em cada sermão.
- *Complacente ou ansioso*: o complacente precisa mais de alertas do que de promessas, porque as promessas de Deus não significam muito para ele. Ele está contente neste mundo, como o jovem rico (Mt 19). O ansioso precisa de promessas, pois já sente o que falta a ele, e precisa de esperança: "Eu creio! Ajuda-me na minha falta de fé!" (Mc 9.24). Eu não quero tentar com desânimo o amedrontado, nem com autossuficiência o orgulhoso.
- *Legalista ou licencioso*: o legalista ouvirá atentamente qualquer coisa que você disser sobre lei e regras, mas pode negligenciar as promessas do evangelho. O licencioso ficará ansioso para ouvir as promessas da graça do evangelho, mas talvez não aprecie seu ensinamento sobre o arrependimento e o senhorio de Cristo. Creio que todos tendem em uma direção ou outra. Devo aplicar o texto para ambos.

Em segundo lugar, considere que o seguinte seja verdadeiro para todos que ouvem:

- *Idolatria*: todos estão lutando contra a idolatria de uma forma ou de outra. Como João Calvino disse, nossos corações são fábricas de ídolos.[84] Portanto, tente identificar especificamente alguns dos ídolos sobre os quais sua passagem fala, conforme são expressos em nossa cultura — poder, prazer, orgulho, segurança, riqueza e assim por diante.
- *Autojustificação*: desde o Jardim do Éden, tentamos justificar nossos ídolos, nos desculpar de nossos pecados e nos mostrar agradáveis

---

[84] João Calvino, *Institutas da Religião Cristã*, Livro I, cap. XI.8.

a Deus. Vemos isso em nosso desejo por louvor deste mundo. Mas precisamos entender que nosso desejo pelo louvor dos homens é simplesmente parte de uma conspiração maior. Embora tenhamos sido feitos para louvar *a* Deus, em nossos corações ansiamos receber o louvor *de* Deus com base em nossos próprios méritos.

- *Amor ao mundo*: o amor ao mundo assume uma infinidade de formas: sexo, dinheiro, poder, posses, entretenimento, beleza e assim por diante. A lista é interminável, mas sob a variação está o tema constante da adoração da criatura em lugar do Criador (1Jo 2.15-17).

Terceiro, existem diferentes tipos de ovelhas errantes que precisam da Palavra (1Ts 5.12-14):

- *As insubmissas*: essas não são ovelhas preguiçosas, mas ovelhas teimosas e impulsivas; rejeitam a disciplina e insistem em seguir seu próprio caminho. Paulo diz que esses irmãos e irmãs do mundo precisam ser avisados. Isso pode incluir a pregação na segunda pessoa às vezes (você!), em vez de sempre usar a primeira pessoa do plural, mais branda e mais gentil (nós).
- *As desanimadas*: essas são ovelhas que não estão obedecendo à Palavra, mas não porque elas a rejeitaram completamente. Em vez disso, eles temem as consequências e, talvez, as responsabilidades que vêm com a obediência fiel. Essas ovelhas precisam ser encorajadas com as promessas do evangelho e o valor de nossa herança em Cristo.
- *As fracas*: em um sentido, todos nós somos fracos, mas aqui Paulo parece ter em mente aquelas cuja falta de fé e obediência vem da fraqueza espiritual que é resultado de um ensino deficiente. Uma dieta de leite sem carne pode manter uma ovelha viva, mas

não a faz crescer na força da maturidade. Essas ovelhas precisam ser ajudadas, diz Paulo, e nós as ajudamos mais por meio de instruções sadias.

Finalmente, preste atenção às circunstâncias físicas e espirituais de seus ouvintes. Como o texto fala especificamente, e talvez de forma diferente, a essas categorias?

- homens e mulheres;
- solteiros, casados e viúvos;
- idosos, pessoas de meia-idade e crianças;
- empregados, desempregados e aposentados;
- ricos e pobres;
- mais ou menos escolarizados;
- empregadores e empregados.

Como colocamos essas taxonomias para funcionar? Talvez a maneira mais fácil de responder a essa pergunta seja oferecendo um exemplo. Se estou pregando sobre Romanos 4.13-17, um dos meus principais pontos exegéticos e teológicos será a justificação pela fé e não pela lei. Ao aplicar isso, quero pensar cuidadosamente sobre como as pessoas em diferentes situações de vida em minha congregação podem ser tentadas a se justificar. Refletindo sobre a cultura americana, posso notar que os homens procuram justificar-se por meio de seu trabalho, enquanto as mulheres buscam se justificar por meio de seus relacionamentos. Homens *tendem* a idolatrar o trabalho; mulheres *tendem* a idolatrar relacionamentos. É claro que existem exceções a essas generalizações; por isso, não posso identificar essas tendências como masculinas ou femininas. Mas vou querer tratar dos dois tipos de pessoas. Eu quero brilhar a luz das Escrituras sobre a idolatria deles, e mostrar a elas as promessas melhores de

Deus no evangelho. As "leis" de como é um homem bem-sucedido e as "leis" do que constitui um relacionamento significativo, e como a lei de Deus do Antigo Testamento não justificam uma pessoa. Só a fé em Cristo somente é capaz disso.

O que eu não farei é apelar diretamente para seus desejos — de satisfação, de felicidade, de esperança — e depois convidá-los a encontrar isso em Jesus. Simplesmente oferecer um incentivo à congregação para aceitar Jesus pressupõe que seus desejos estão em bom estado de funcionamento — que eles já desejam as coisas certas. Mas se cremos em uma doutrina do pecado, não podemos presumir isso. Os não cristãos querem uma vida cheia de propósito? Claro que sim. O problema é que, como idólatras, eles querem que o propósito se concentre em si mesmos. E ficarão felizes em empregar Deus e Jesus para preencher esse propósito egocêntrico.

Tudo isso leva à conclusão de que queremos que nossa aplicação seja guiada pelo evangelho. Um religioso judeu ou muçulmano pode pregar sobre o oitavo mandamento e chegar à aplicação de que não devemos roubar, de que seremos pessoas mais felizes, mais bem ajustadas se não roubarmos, e de que ganhar uma renda honesta dá sentido e propósito para sua vida. Mas isso é um sermão cristão? Não!

Um sermão cristão sobre o oitavo mandamento aponta para o fato de que somos todos ladrões, mesmo sem nunca termos roubado um banco. Nós roubamos de nossos empregadores e de outras pessoas o que devemos a elas. Acima de tudo, roubamos de Deus, roubando a sua glória e a reivindicando para nós mesmos. E assim todos nós estamos condenados por Deus como ladrões, tanto material quanto espiritualmente. Um sermão cristão, portanto, explica ao crente que Jesus Cristo o tirou da morte para a vida e lhe deu uma herança no céu. Portanto, temos tudo o de que precisamos em Cristo. Não há razão para voltar aos velhos modos de roubar que levam apenas à pobreza espiritual e, portanto, condenação e morte diante de Deus.

TEOLOGIA BÍBLICA PRÁTICA

QUATRO ESTUDOS DE CASO

Como funciona a grade de aplicação e a taxonomia pastoral quando procuramos compreender e aplicar os quatro textos mencionados anteriormente neste capítulo? Vamos analisá-los um de cada vez. O que se segue são sugestões e linhas de abordagem, não respostas completas e definitivas. Ainda assim, espero que elas ajudem você a começar a pensar em usar as ferramentas da teologia bíblica e sistemática de maneiras novas e mais proveitosas à medida que busca aplicar as Escrituras sempre que ensina ou prega.

Leis levíticas de alimentação e pureza

O ponto principal

Primeiro, qual é o ponto dessas leis em seu contexto original? Levítico 11.44, 45 resume tudo. O povo deve se consagrar a Deus. Porque ele é santo, eles devem ser santos e separados para ele, distintos das nações vizinhas. O povo de Deus deve ser visível como povo de Deus, separado do mundo ao redor. Uma questão que queremos ter em mente é se esse é um ponto de continuidade ou descontinuidade à medida que nos movemos para o Novo Testamento, e de que maneira.

O enredo bíblico

Como esse texto se encaixa na história da redenção ou no enredo da Bíblia? É importante voltar para Êxodo 19, onde Deus prometeu fazer desse povo uma "nação santa", uma nação separada. Essas leis, portanto, representam Deus começando a cumprir sua promessa. Mas isso significa que os cristãos do Novo Testamento devem permanecer com a mesma dieta? A resposta é "não", e vários textos do Novo Testamento são importantes para entender o porquê. Um deles é Marcos 7.15. Comentando sobre essas mesmas leis, Jesus disse: "Nada há fora do homem que, entrando nele, o possa contaminar; mas o que sai do homem é o que o contamina". A santidade de Deus não desaparece no Novo Testamento, nem a necessidade de que o povo de Deus seja reconhecidamente santo. Antes, o código de santidade tornou-se interno em vez de externo, uma questão do coração, em vez de mero ritual e manutenção da lei. Certo. Então, de quais pontos de *descontinuidade* devemos nos lembrar? Essas leis não se aplicam diretamente à igreja hoje porque o código de santidade de Deus se tornou interno, não externo. As seguintes categorias, você pode dizer, apresentam diversos pontos de continuidade.

Não cristãos e cosmovisões

O que esse texto significa para os não cristãos e as cosmovisões reinantes atualmente? No mínimo, a própria especificidade dessas leis indica que Deus se preocupa com todos os aspectos de suas vidas: com quem as pessoas dormem, como elas tratam seus cônjuges e filhos, as ambições de seus corações, o que fazem com seu dinheiro. Não somos tão autônomos quanto pensamos que somos. Além disso, a santidade de Deus leva ao julgamento de tudo o que não é santo. Como uma expressão de toda a lei de Deus, as leis alimentares nos convencem de nossa própria falta de santidade e da justiça do julgamento e ira de Deus contra nós pessoalmente.

Sociedade

O que esse texto significa para nós como sociedade? Uma aplicação pode ser o que isso *não* significa para nós (outro ponto de descontinuidade). Deus estava fazendo algo único na nação política de Israel, separando uma família étnica como seu povo visível no mundo. Qualquer que seja sua escatologia e compreensão do relacionamento entre Israel e a igreja, pelo menos isso é claro. A América *não* é o novo Israel. Portanto, não temos um mandato para tentar implantar as leis do Antigo Testamento. No entanto, a lei de Deus, mesmo suas leis alimentares, é um reflexo de seu caráter e, portanto, pode haver princípios até mesmo aqui que beneficiem a nação. Deus ainda se importa com a maneira como as pessoas de todas as nações vivem. Finalmente, somos lembrados não apenas dos benefícios, mas das limitações da lei. A lei, na verdade, não pode nos tornar bons. Israel quebrou essas leis, ainda que dadas pelo próprio Deus. Em nossa própria sociedade, portanto, precisamos reconhecer que a transformação cultural acontece não apenas com a implantação de leis melhores, mas, em última análise, a partir de pessoas transformadas.

Cristo

O que aprendemos sobre Cristo? Cristo cumpriu essas leis (Mt 5.17). Ele era perfeitamente santo e não simplesmente porque comia os alimentos certos. Ele era santo porque seu coração era caracterizado pelo que essas leis externas apontavam — um amor a Deus e uma consagração a seus propósitos (ver Dt 6.5; 10.12; 11.1; Mt 22.37ss). Maravilhosamente, ao cumprir a lei, Cristo deixou de lado as particularidades externas e rituais do Sinai e nos ofereceu uma nova aliança. Este ponto foi afirmado dramaticamente para Pedro pelo próprio Cristo em Atos 10. Em Gálatas 2.11 em diante, lemos sobre a grave advertência de Paulo a Pedro de como isso era uma boa notícia. Como "judeus por natureza", eles sabiam muito bem que "o homem não é justificado por obras da lei, e sim mediante a fé em Cristo Jesus". Um sermão moralista sobre Levítico 11, portanto, enfocará a lei. Mas um sermão do evangelho apontará para Cristo que a cumpriu em nosso favor.

O cristão individual

O que podemos dizer para o cristão individual? Por meio de sua morte expiatória na cruz, Cristo nos tornou puros. Ele removeu a separação entre nós e Deus. No entanto, como a nação de Israel, o Novo Testamento nos chama a viver vidas distintas e santas que recomendam o caráter de Deus aos incrédulos (cf. 1Co 10; 2Co 6). Isso significa que cada área de nossas vidas conta — seja comer ou beber, ou o que quer que façamos, devemos dar glória a Deus.

A igreja

O que deve ser dito para a igreja como um todo? A igreja é precisamente o que Deus quer usar para nos levar à santidade. Devemos nos encorajar e repreender uns aos outros para sermos semelhantes a Cristo. Devemos edificar as vidas uns dos outros. Assim como vimos no Antigo Testamento, o Novo Testamento não tem uma categoria de "pertencer antes de crer" (significando que devemos deixar os não cristãos se sentirem pertencentes às nossas igrejas para que eles creiam), como alguns líderes de igrejas dizem hoje. A santidade continua a ter um caráter comunitário (1Pe 2). Portanto, a igreja é ensinada nas Escrituras para praticar a membresia bíblica e a disciplina na igreja (Mt 18 e 1Co 5). Temos que nos livrar uns aos outros do fogo (Jd 23).

A taxonomia pastoral

Quais são algumas das preocupações levantadas pela taxonomia pastoral? Talvez uma das mais importantes seja ser sensível ao fato de que, ao lidar com a lei, alguns serão facilmente condenados, derrotados e desencorajados por ela, enquanto outros facilmente a ignoram ou se sentem superiores ou mesmo justificados por ela. O complacente e o ansioso precisarão ser igualmente considerados. Além disso, uma vez que todos nós queremos justificar a nós mesmos, a luz do texto precisa brilhar sobre a inadequação de nossa própria santidade, bem como a suficiência de Cristo.

A conquista de Canaã por Josué

O ponto principal

Deus é fiel em julgar por meio de um homem que ele próprio nomeou, que (1) derrota seus inimigos e (2) liberta seu povo. Embora a narrativa muitas vezes se concentre nas ações das tribos, e não apenas em Josué, todo o livro é marcado pela fidelidade de Deus ao sucessor de Moisés, e por meio dele, a toda a nação. No final, profeticamente, Josué é até posto em contraste com a nação como alguém que fielmente serviu ao Senhor.

O enredo bíblico

Josué 24 começa o processo para nós. Ali, Josué olha para trás, para a promessa de Deus de dar descanso a Abraão, e como ele cumpriu essa promessa por meio da conquista. Mas mesmo em seu pronunciamento, fica claro que ele não entende que esse seja o cumprimento final. Israel é avisado do desastre que virá quando abandonarem a Deus. Claramente, uma libertação adicional e um descanso adicional são necessários. Depois de olhar para trás com Josué, o pregador deve então olhar à frente para o Novo Testamento, onde aprendemos que a promessa da terra é compreendida tipologicamente e também se intensifica em um cumprimento final. Hebreus explica que a promessa de descanso dada sob Josué nunca foi destinada a ser o descanso final para o povo de Deus (Hb 3.7-4.13). Isso significa que não estamos esperando por uma cidade terrena, mas uma celestial (Hb 11.10, 14-16; 13.14), que foi conquistada para nós por meio da vitória do Filho ungido de Deus — Cristo. Portanto, o cristão não tem justificativa para cruzadas ou o estabelecimento de reinos terrestres.

Não cristãos e cosmovisões

Deus pretende que seu juízo sobre Canaã seja um aviso para um julgamento ainda maior por vir. O que vemos na guerra santa de Josué é o que os teólogos chamam de julgamento proléptico (antecipatório). É como se o dia de julgamento final chegasse mais cedo para aquele canto do mundo. Como Pedro nos assegura, a história não é cíclica ou sem sentido. O que aconteceu antes é um aviso do que ainda está por vir (2Pe 3.3-7). A história tem um fim determinado, e esse fim inclui uma prestação final de contas diante de Deus, na qual será visto que a verdade não é relativa e que a justiça não é uma questão de perspectiva pessoal.

Sociedade

Deus pode e de fato entrega um povo ou uma nação a seu próprio pecado para juízo. Isso é parte do argumento de Paulo em Romanos 1.24 quando ele declara que Deus "entregou tais homens à imundícia, pelas concupiscências de seu próprio coração". A misericórdia tem um limite de tempo. Porém, embora o governo seja encarregado da espada para punição dos infratores da lei (Rm 13.1-5), nenhum governo terreno tem autoridade para se declarar o agente do julgamento final de Deus contra outro povo e seguir uma política de genocídio. A guerra santa de Josué foi única para a nação de Israel. Como veremos abaixo, a guerra santa que os cristãos são chamados a realizar é bem diferente, embora não menos radical.

Cristo

Josué é um tipo que nos aponta para Jesus Cristo, o juiz final e verdadeiro designado por Deus (Jo 5.27) que veio para derrotar e destruir toda a rebelião contra seu Pai no céu e assim libertar o povo de Deus. Em sua primeira vinda, Jesus realizou isso ironicamente na cruz (Cl 2.13-15). Em sua segunda vinda, ele irá realizá-lo em glória do seu trono (Ap 14.14ss).

O cristão individual

A guerra santa do Novo Testamento ocorre em nossos corações. "Porque a nossa luta não é contra o sangue e a carne, e sim contra os principados e potestades, contra os dominadores deste mundo tenebroso, contra as forças espirituais do mal, nas regiões celestes" (Ef 6.12). "Fazei, pois, morrer a vossa natureza terrena" (Cl 3.5). Como os israelitas da antiguidade, nós não devemos fazer acordos nem ceder espaço ao nosso pecado. Em vez disso, devemos matar o pecado em nossa vida, ou ele nos matará. Em uma perspectiva mais ampla, somos lembrados de que, embora a vitória tenha sido ganha por Cristo, esse mundo e nossas vidas individuais continuam sendo um campo de batalha, não um parque de diversões.

A igreja

Bons líderes e o ensino fiel da Palavra de Deus são de importância crítica em nossas igrejas, para não sermos atraídos pelos deuses da cultura circundante e cairmos como o Israel do Antigo Testamento (ver o livro de Juízes). Além disso, a batalha espiritual em que estamos envolvidos não deve ser travada sozinha. Há uma dimensão comunitária na batalha, assim como há uma dimensão comunitária no descanso prometido que ainda nos espera. Devemos ver isso em nossas igrejas locais, estimulando uns aos outros ao amor e às boas obras (Hb 10.24). E assim como as várias tribos israelitas se uniram para a conquista, devemos nos unir a outras igrejas evangélicas locais para o avanço do evangelho.

A taxonomia pastoral

Várias questões vêm imediatamente à mente. Em primeiro lugar, o problema do genocídio terá que ser tratado, tanto por causa da ofensa ao não cristão quanto pelas consciências de muitos cristãos. Em segundo lugar, a linguagem e as imagens de liderança e batalha proporcionam uma oportunidade real de falar poderosamente aos homens na congregação, a fim de dar a eles uma perspectiva de como realmente é a vida espiritual. Em terceiro lugar, haverá alguns na congregação que foram gravemente feridos na batalha e são tentados a desistir. A importância de ajudar os fracos, inclusive lembrando a eles de sua esperança no céu, é primordial.

Salmos 1 e 2

O ponto principal do Salmo 1

Há duas maneiras de viver, e o caminho da fidelidade à Palavra de Deus é o caminho da bênção.

O ponto principal do Salmo 2

Apesar da rejeição arrogante de Deus por parte das nações, Deus estabelecerá seu reino por meio de seu Filho, que por sua vez resgatará o povo de Deus e julgará seus inimigos.

Considerados em conjunto

O Saltério começa com as declarações paralelas de que a bênção vem por meio da Palavra de Deus e por intermédio do Filho de Deus.

O enredo bíblico

Olhando para trás, vemos que desde o princípio, o filho de Deus foi chamado para obedecer à Palavra de Deus e assim encontrar a bênção (Gn 2.15-17). Mas repetidas vezes, o filho desobedeceu e, por isso, conheceu o juízo de Deus. Vemos isso em Adão, Israel, Davi e Salomão, apenas para citar alguns. Jesus é o verdadeiro Filho, que se deleita na Palavra de Deus, derrota os inimigos de Deus, e assim é confirmado publicamente como o Filho que estabelece o reino de Deus e provê as bênçãos edênicas de uma árvore que dá frutos (Mt 3.13-17; 17.1-13). Somos levados a esse reino como a herança do Filho (Ef 1.18; cf. Sl 2.8). Mas também somos feitos filhos, não por meio de nossa própria obediência à lei, mas pela união com o Filho, que não apenas nos resgata da ira, mas nos prepara para andar na lei de Deus e desfrutar da árvore da vida (Gl 3.26-4.7; 5.13-26; Ap 22.14).

Não cristãos e cosmovisões

Existe uma aplicação universal da lei de Deus e do reino de Deus por meio do Filho. Portanto, existem apenas duas maneiras de viver, independentemente de quantas variações uma dessas formas apresente. Esses salmos juntos também apontam para a exclusividade de Cristo como o único caminho para o reino de Deus e o único escape do julgamento vindouro.

Sociedade

Qualquer sociedade é abençoada na medida em que reflete a Palavra de Deus agora. Nesse sentido, grande parte da bênção que o Ocidente desfruta em contraste com outras partes do mundo é derivada de uma herança cristã anterior. Assim, não há espaço para o orgulho cultural. Por outro lado, um dia as nações se tornarão o reino "de nosso Senhor e do seu Cristo" (Ap 11.15), quando ele sujeitar a criação ao juízo final. Portanto, os governos devem ser encorajados a promover e defender a liberdade religiosa e, especialmente, a liberdade de converter e fazer proselitismo.

Cristo

Jesus Cristo é o único homem verdadeiramente bem-aventurado do Salmo 1, e o único e verdadeiro filho vitorioso do Salmo 2. O Salmo 2 também nos ajuda a reconhecer o título "Filho de Deus" nos Evangelhos como um título de reinado e necessariamente um título de divindade.

O cristão individual

O cristão é chamado ao arrependimento e à fé e a uma vida que avança em caminhar na verdade. Em última análise, essa verdade é a verdade de Jesus Cristo e não a mera obediência à lei. Reconhecer, portanto, que Cristo é o homem bem-aventurado nos impede de pregar um sermão meramente moralista sobre o Salmo 1.

A igreja

A igreja é precisamente a comunidade daqueles que encontraram refúgio em Cristo e que agora andam nele. Nós nos reconhecemos como a expressão visível de seu reino na terra, e nossa esperança e energia coletivas estão concentradas em dar testemunho em palavras e ações sobre o dia em que seu reino vem em glória. Essa passagem também fala da necessidade da disciplina na igreja, que exclui os impenitentes da assembleia em antecipação ao último dia. Como Pedro diz, "a ocasião de começar o juízo pela casa de Deus é chegada" (1Pe 4.17).

A taxonomia pastoral

Como o Salmo 1 está falando sobre como encontrar bênção, existe uma oportunidade real de explorar o modo como todos somos tentados a buscar a bênção por meio do amor do mundo, em vez de mediante a fidelidade a Cristo. Este salmo nos desafia, portanto, em nossas definições da boa vida, prosperidade e aprovação. Por outro lado, ambos os salmos nos desafiam a examinar, reconhecer e arrepender-nos de nossa zombaria e desprezo por Deus e seus caminhos.

Marcos 1.14, 15

O ponto principal

A mensagem que Jesus pregou (e por implicação viria a cumprir) é que o reino de Deus começou para todos os que se arrependem e creem em sua mensagem. O reino de Deus aqui, portanto, não é um lugar (um território), mas um reinado, no qual as bênçãos de Deus na salvação são derramadas sobre o seu povo. É literalmente a vida do céu invadindo esta vida na terra.

O enredo bíblico

O reino de Deus — iniciado em Gênesis 1, mas frustrado pelo pecado em Gênesis 3, retratado na nação de Israel e prometido nos profetas —

encontra sua inauguração na pregação de Jesus e na resposta de todas as nações em arrependimento e fé. Hoje esse reino é oculto e espiritual. Mas um dia o reino será consumado em novos céus e nova terra. Este texto, portanto, aparece como um eixo, fazendo a transição do reino tipológico de Israel para o verdadeiro reino espiritual de Cristo.

Não cristãos e cosmovisões

Não é em Paulo que encontramos afirmações supostamente intolerantes e unilaterais sobre o cristianismo. Antes, a exclusividade de Cristo encontra sua primeira articulação nos lábios de Jesus. De outro ângulo, a pregação de Jesus sobre o reino de Deus desafia todos os esforços utópicos humanos. Somente ele pode e de fato estabelecerá o paraíso, e a entrada nele é por meio do arrependimento e da fé, e não da política ou economia. Fundamentalmente, este texto insiste que preguemos o imperativo de se arrepender e crer, assim como Cristo proclamou.

Sociedade

De acordo com Jesus, há uma distinção nítida entre igreja e estado, entre os reinos deste mundo e o reino de Deus (Mt 26.52-56; Jo 18.36). Isso significa que os cristãos não devem se importar com o que acontece aqui e que podem rejeitar a política terrena? De modo algum. Entre a inauguração e a consumação do reino de Deus, a autoridade política terrena é legítima e necessária para o bem comum (Rm 13). No entanto, essa autoridade também é temporária e limitada. Não colocamos nossa última esperança, nem damos nossa lealdade final ao estado político (cf. At 4.19, 20).

Cristo

O que está implícito neste primeiro anúncio, mas que se torna claro depois da crucificação e ressurreição, é que o próprio Jesus é o objeto de nosso arrependimento e fé. Ironicamente, aquele que anuncia o reino é também aquele que assegura a nossa inclusão nele por sua morte e que o inaugura por sua ressurreição. Esse reino, como já observamos, é menos um lugar do que um governo, e a inclusão nele não é por etnia, mas por submissão a seu governo.

O cristão individual e a igreja

Tendo nos arrependido e crido, foi-nos confiada a mesma mensagem de reconciliação com Deus por meio do arrependimento e da fé em Cristo (2Co 5.16-21). Nós também vivemos na esperança pela consumação do reino. O que é notavelmente ausente do restante do Novo Testamento é qualquer indicação ou mandato que devemos construir ou trazer o reino. Devemos proclamar e convidar os outros a entrarem nele através de Cristo. Mas é Cristo, não a igreja, quem traz o reino de Deus. O Novo Testamento fala do reino de algumas maneiras que indicam continuidade com esta existência (por exemplo, Rm 8.20, 21). Mas a maioria de suas referências indica descontinuidade radical (por exemplo, 1Co 15; 2Pe 3.10-13). Isso ressalta a natureza radical do que Deus está fazendo e fará quando Cristo retornar.

A taxonomia pastoral

Naturalmente, a distinção fundamental a ser considerada é a distinção entre cristão e não cristão. Mas, mesmo assim, não devemos ignorar o fato de que parte do evangelho, como Jesus o proclamou, é nossa resposta, e essa resposta inclui arrependimento e fé. Na cultura americana, como em muitas outras, décadas de evangelismo orientado para decisões repentinas, de fácil crença, produziram massas de cristãos nominais que presumem que seu lar é o céu, quando na verdade pode não ser. Este texto oferece uma oportunidade para explicar o que é verdadeiro arrependimento e, assim, esclarecer o que significa ser um cristão genuíno.

CONCLUSÃO

Comecei este capítulo dizendo que a teologia bíblica era como uma ferramenta que não precisa de um lugar na prateleira, uma vez que você quase nunca deixa de usá-la. Como vimos em nossos estudos de caso, é a teologia bíblica que nos permite pregar a Cristo tanto a partir das leis alimentares levíticas quanto do Evangelho de Marcos. Ela nos permite reconhecer e pregar toda a Bíblia por aquilo que é: a Escritura *cristã*. Ela nos impede de moralizar o Antigo Testamento, e ao mesmo tempo dá o devido peso ao significado de todo texto do Antigo Testamento em seu contexto original. Ela nos encoraja a conectar constantemente cada passagem que pregamos ao que Deus fez no passado e ao que ele prometeu fazer no futuro. Ela nos fornece uma cosmovisão, um enredo que desafia as histórias dominantes em nossa própria cultura. Ela nos impede de pregar apenas sobre nossos próprios temas preferidos. E o mais importante, concentra o ponto principal de cada passagem dentro do grande enredo da Escritura, a história das ações de Deus para redimir um povo para si mesmo, por meio do julgamento de seu Filho, para o louvor de sua graça gloriosa.

Então, se o lugar da teologia bíblica não é em uma prateleira, onde é? É no seu cinto de trabalho, no seu coração, nos seus lábios; ela deve cercar seus pensamentos e colorir sua visão. Toda vez que você abre a boca para falar sobre as Escrituras, toda vez que você se senta diante do computador para escrever sobre isso, a teologia bíblica deve ser a lente que focaliza seus pensamentos e molda suas palavras. Pois a teologia bíblica, neste sentido, nada mais é do que uma compreensão da história do que Deus fez por nós em Cristo, aplicado às nossas vidas hoje.

Neste ponto, alguns de vocês podem estar se sentindo sobrecarregados. Gostam do que estou dizendo, mas não conseguem se imaginar fazendo isso sozinhos. Vou falar sobre isso mais no próximo capítulo, mas basta dizer que quanto mais você começa a pensar na Bíblia dessa maneira, mais natural se torna. Separe tempo toda semana para respirar o ar da teologia bíblica. Nos seus momentos de quietude, não leia apenas o plano diário ou o texto que você está preparando para pregar. Leia amplamente nas Escrituras, e sempre com uma visão de como a passagem que você está lendo se encaixa no todo, como ela nos prepara para Cristo, como ela está levando à consumação do reino de Deus.

Deveria ser nossa ambição não falar das Escrituras a menos que estejamos falando nestes termos, pois é assim que as Escrituras compreendem a si mesmas. E nas Escrituras temos as palavras de vida, as únicas palavras que alimentam as ovelhas de Cristo e trazem vida aos mortos.

CAPÍTULO 12

TEOLOGIA BÍBLICA E A IGREJA LOCAL

No capítulo anterior, consideramos como a teologia bíblica impacta nossa abordagem de ensino e pregação de textos específicos das Escrituras. Pensamos sobre como ir de um texto particular para as tramas bíblico-teológicas mais abrangentes que percorrem esse texto, de modo a, quando pregarmos o texto, o conectarmos ao restante da Bíblia e o aplicarmos apropriadamente ao nosso próprio contexto.

No entanto, ainda que a teologia bíblica seja crucial para a pregação e o ensino fiel, não é aí que a sua importância termina. Creio que é justo dizer que tudo na vida e ministério da igreja local é afetado por um uso adequado da teologia bíblica.

INTRODUÇÃO: O QUE MAIS A TEOLOGIA BÍBLICA TEM A VER COM A IGREJA?

Deixe-me dar alguns exemplos de onde a teologia bíblica tem sido útil para mim em situações práticas do ministério.

No meu primeiro ano de ministério pastoral, participei do funeral de um membro da igreja sem minha Bíblia e não estava preparado para falar. Isso deveria ter sido tranquilo, já que a família havia providenciado para que outro ministro conduzisse o culto. No entanto, no último minuto, a família me pediu para falar também. Não havia Bíblias, apenas o livro de liturgia do outro ministro, que ele gentilmente me emprestou. Eu encontrei ali a passagem de João 14.2, 3, que fala de Jesus indo preparar um lar para nós. Não tive tempo para me preparar antes de falar. Mas ser capaz de colocar as palavras de Jesus no contexto mais amplo da narrativa das Escrituras me permitiu pregar um sermão fúnebre naquela tarde. Eu pude falar da história da promessa de Deus de trazer seu povo para o seu lugar sob seu governo, e de Jesus como o único que pode nos levar até lá, por meio do evangelho. Em vez de um típico evangelho americano anabolizado, eu consegui rapidamente usar uma imagem incomum e dar sentido a ela de uma maneira que pregasse a Cristo.

Eu faço muitos casamentos. Ocasionalmente, um casal pergunta se pode escrever seus próprios votos. O argumento geralmente é algo como: "Queremos votos que reflitam nosso relacionamento e amor único; não queremos os votos que todo mundo usa". Eu não sou uma pessoa muito melosa, então minha reação é dizer "não", mas sem nenhuma boa razão, além de eu não gostar de votos de casamento melosos. Mas, mesmo assim, alguma coisa sobre esses pedidos sempre pareceu estranha.

Quando comecei a refletir sobre esse pedido e o significado do casamento, a teologia bíblica me ajudou a entender por que era mais do que o meu gosto que me deixava incomodado com esses pedidos. Embora seja verdade que cada casamento é único e especial, também é verdade que o que a Bíblia enfatiza sobre o casamento é o que é comum a todos os casamentos. Todos são mantidos no mesmo padrão, todos são estruturados de acordo com a mesma aliança. E, portanto, é correto que todos essencialmente façam os mesmos votos.

Por que a ênfase no que é comum? Porque, como a teologia bíblica do casamento mostra, o casamento não é, finalmente, sobre o amor único entre um homem e uma mulher; é sobre o caso de amor entre Cristo e a igreja. Todo casamento aponta para esse casamento final. E, quer o casal perceba ou não, seu casamento toma seu significado e importância desse outro casamento. Agora, eu não sou um rabugento. Às vezes eu deixo casais escreverem seus próprios votos. Mas eu sempre peço que eles também usem os votos tradicionais, porque o que é finalmente importante sobre seus votos e o restante de seu casamento não é o que o torna único, mas o que o torna semelhante a todos os outros. Dar ênfase primária ao que é único, ironicamente, é tornar Cristo e a igreja secundários, sugerindo que um ídolo *pode* estar se escondendo por trás desses votos personalizados.

Aqui está mais um exemplo. Vários anos atrás, quando nossa igreja começou a crescer, as pessoas começaram a perguntar quando passaríamos a ter vários cultos. É claro que hoje em dia, a questão não é ter múltiplos cultos; isso já é considerado normal. A questão atual é sobre vários locais. Mas, quer estejamos falando sobre cultos ou locais, a resposta da nossa igreja foi e é a mesma. Não. Somos uma igreja local e isso significa uma assembleia única. Múltiplos cultos ou locais significam múltiplas reuniões, o que significa múltiplas igrejas. Afinal, a palavra grega para igreja significa "assembleia", isto é, aqueles que se reúnem em um mesmo lugar ao mesmo tempo.

Então esse é apenas um argumento baseado em uma palavra? Sim e não.

Sim, é um argumento baseado em uma palavra, pelo menos em parte. Quando Jesus e os apóstolos escolheram palavras sob a inspiração do Espírito para descrever a reunião local de cristãos, eles escolheram uma palavra secular que significava assembleia. Mas há mais do que isso.

A ideia de assembleia faz sua primeira aparição não no Novo Testamento, mas no Antigo. Israel era a assembleia de Deus, que ele convocou aos pés do Monte Sinai e com quem fez sua aliança (Dt 4.10). A partir de então, enquanto o povo se reunia em suas várias aldeias para receber instrução dos levitas, a nação se reunia apenas três vezes por ano para adorar a Deus em assembleia sagrada no tabernáculo e depois no templo em Jerusalém. Olhando para frente, então, a carta aos Hebreus chama a Jerusalém celestial, Monte Sião, a "igreja dos primogênitos" (Hb 12.22, 23). Esta é a assembleia final da Nova Aliança, mas a Escritura nos diz que as nossas assembleias locais estão de fato participando daquela assembleia celestial unida "com todos os que em todo lugar invocam o nome de nosso Senhor Jesus Cristo" (1Co 1.2).

Certamente, não é coincidência que Jesus tenha chamado seu povo de "assembleia" e não de "sinagogas". Assim como há um só corpo, uma só noiva, um só pão, um só rebanho e uma só videira, também há uma só assembleia. Como os teólogos há muito notaram, a igreja local não é a igreja inteira, mas ela é a igreja completa. Tudo o que a igreja universal é, a igreja local representa em um microcosmos.[85]

A unidade desta assembleia funciona de muitas maneiras práticas. Eles devem suportar uns aos outros (Ef 4.2). Devem esperar uns pelos outros e celebrar juntos a Ceia do Senhor (1Co 11.33). Eles devem compartilhar com os outros da assembleia que estão em necessidade (At 4.32-35). Eles devem lutar juntos pela fé (Fp 1.27).

Assim, quando construímos uma "teologia bíblica" da assembleia, aprendemos muito mais do que aprendemos em um estudo básico da palavra grega. Aprendemos, de fato, que uma igreja local é designada por Cristo para ser uma imagem localizada em tempo real da igreja que ele comprou com seu sangue, aquela assembleia única que ele finalmente convocará no último dia. Se for esse o caso, não teremos vários locais ou cultos. Precisamos encontrar outra solução para o maravilhoso problema do crescimento.

Esses são apenas alguns exemplos breves de perguntas reais que tentamos responder em minha igreja com as ferramentas da teologia bíblica.

---

[85] Para uma breve mas excelente discussão da ideia bíblica de assembleia, ver Edmund Clowney, *A igreja* (São Paulo: Cultura Cristã, 2007), p. 28-29.

O que eu quero fazer agora é considerar o que a teologia bíblica tem a dizer sobre esferas inteiras do ministério. Como veremos, a teologia bíblica às vezes ajuda a nos proteger contra erros em nossa abordagem do ministério. Em outros casos, a teologia bíblica ajuda a estabelecer limites e objetivos apropriados para nossa vida e a trabalhar juntos como uma igreja. Vamos analisar alguns exemplos. Quando eu terminar, de modo algum terei esgotado a aplicação da teologia bíblica à igreja. Mas, espero, terei demonstrado o que quero dizer sobre a praticidade e a utilidade da teologia bíblica para o ministério, e você estará em uma condição melhor para aplicá-la às situações e oportunidades que você enfrenta em sua igreja.

ESTUDOS DE CASO

Vamos ver como a teologia bíblica molda nosso pensamento em quatro áreas diferentes: aconselhamento, missões, cuidado com os pobres e relações entre igreja e estado.

Aconselhamento

Quer pensemos sobre isso ou não, esteja na descrição de nosso cargo ou não, todos nós nos envolvemos em aconselhamento. Um amigo compartilha um problema conosco e pede conselhos. Um cristão mais jovem que estamos orientando nos pede conselhos sobre o que ele deve fazer com sua vida. Um amigo casado precisa de encorajamento por causa de dificuldades em seu casamento. Um membro da igreja confessa que ele luta contra um vício. Sua filha adolescente está preocupada em ser aceita na escola. Bom ou ruim, preciso ou impreciso, bíblico ou secular, o que você diz em seguida é "aconselhamento".

Como você decide o que dizer em situações como essas e inúmeras outras? Bem, se você quiser uma resposta mais longa, adquira o excelente material divulgado pela Christian Counseling and Educational

Foundation (CCEF).[86] Mas a resposta curta é: depende basicamente do que você acha que são os seres humanos, qual é o problema deles, e como a Bíblia fala sobre isso.

Em muitas dessas situações, a tentação é tratar a pessoa como a soma de seus pensamentos ou de seus comportamentos. Nós diagnosticamos seu problema como um pensamento errado ou um comportamento errado. Para a cura, nós nos voltamos para a Bíblia como um livro de respostas para mostrá-los como pensar ou agir corretamente. O resultado é uma abordagem de textos-prova para diagnóstico e prescrição, e geralmente resulta em uma espécie de versão cristianizada de terapia comportamental ou cognitiva. O conselho básico aqui é: "Você simplesmente precisa aprender, pelo poder do Espírito, a pensar ou agir de maneira diferente".

Mas é isso que uma teologia bíblica do ser humano e do problema humano nos leva a fazer? De maneira alguma. Uma antropologia bíblica começa com os seres humanos criados à imagem de Deus para adorar a Deus, refletindo sua glória por meio de suas vidas (Gn 1.26-28). Portanto, não somos finalmente definidos nem por nosso comportamento nem por nossos pensamentos. Pelo contrário, somos definidos por quem adoramos. Somos fundamentalmente adoradores, e nossa identidade é definida pelo que ou quem estamos refletindo.

Essa imagem foi distorcida e manchada na queda, de modo que agora nós, livre e habitualmente, adoramos a criatura em lugar do Criador, e nossa criatura favorita a ser adorada somos nós mesmos (Rm 1). Portanto, nosso problema não é fundamentalmente comportamental, embora se mostre em nosso comportamento. Nosso problema não é fundamentalmente mental, embora se mostre em nosso pensamento.

---

86 Por exemplo, Paul Tripp, *Instrumentos nas mãos do redentor: pessoas que precisam ser transformadas ajudando pessoas que precisam de transformação* (São Bernardo do Campo: Nutra, 2018) e Timothy Lane e Paul Tripp, *Como as pessoas mudam* (São Paulo: Cultura Cristã, 2008) [N. E.: A Editora Fiel publicou uma coleção de livretos do CCEF com temas específicos de aconselhamento

Nosso problema é fundamentalmente religioso. Nosso problema é idolatria — adoração desordenada.

Além do mais, a teologia bíblica nos ajuda a ver que, embora Adão e todos os seus descendentes sejam criados *imago Dei*, à imagem de Deus, esse ato de criação foi modelado na imagem não criada de Deus, Jesus Cristo (Cl 1.15ss). Lucas se refere a Adão como o filho de Deus (Lc 3.37), mas Jesus é o verdadeiro Filho de Deus, a verdadeira imagem de Deus em toda a sua plenitude. Assim, nosso objetivo não é ser mais bem ajustado em nosso pensamento ou comportamento. Nosso objetivo e, de fato, o objetivo de toda a criação (cf. Rm 8.19), é sermos conformados à imagem de Cristo, algo realizado somente pelo Espírito por meio do poder regenerador de Deus no evangelho (Rm 8.29; 2Co 3.16-19). Por meio do evangelho, o Espírito nos une a Cristo, para que a vida que vivemos seja sua vida (Rm 8.9-11; Gl 2.20; Fp 1.21). Um dia, a obra santificadora do Espírito em nós será completa. Naquele dia, quando Cristo voltar ou formos para ele, seremos glorificados. Nós o veremos como ele é, porque finalmente seremos como ele (1Jo 3.2). Esta, pelo menos em linhas gerais, é uma teologia bíblica da imagem de Deus no homem. Não diz tudo que um teólogo sistemático diria sobre antropologia teológica, como o problema da culpa de Adão. Mas dá a trajetória da história à luz do problema de corrupção de Adão. Ela nos diz de onde viemos, onde estamos e para onde estamos indo, se estamos em Cristo. E começa a estabelecer alguns parâmetros para o que significa ser humano.

Então, o que isso significa para o aconselhamento? Para começar, o aconselhamento informado pela teologia bíblica não se satisfaz simplesmente com correção de comportamentos ou ideias. Não se satisfaz porque sabe que esse não é o problema na raiz, nem será a solução final. Em vez disso, o aconselhamento bíblico visa o coração, a sede da adoração. Ele sabe que a boca fala do que o coração está cheio (Mt 12.34). Tal aconselhamento não se contenta com uma mudança de comportamento que apenas mascara o verdadeiro problema de um coração que adora ídolos. Também entende que a mudança duradoura de comportamento e pensamento só virá quando mudarmos o objeto de nossa adoração.

Como acontece uma mudança de adoração, que por sua vez causa uma mudança no pensamento, na fala e no comportamento? Não vem da terapia. Não vem da análise. Só vem do alto, quando o Espírito regenera e restaura o coração (Jo 3). E o meio que o Espírito usa é o evangelho, recebido por meio do arrependimento e da fé. Paulo descreve essa mudança na vida dos tessalonicenses como um abandono dos ídolos e um retorno a Deus, para servir a Deus e esperar pelo retorno de Jesus (1Ts 1.9, 10).

- Sua mudança envolveu a conversão, ou arrependimento.
- Envolveu fé, pois eles receberam e confiaram na mensagem.
- Resultou em uma mudança de amores, pois eles agora servem a Deus.
- E resultou em uma reorientação de suas esperanças, pois esperavam o retorno de Cristo e o resgate do juízo vindouro de Deus.

De acordo com Paulo, e consistente com a nossa compreensão da natureza humana, a verdadeira mudança acontece por meio do evangelho, recebendo e descansando no que Cristo realizou na cruz, e vivendo à luz disso. A verdadeira mudança envolve passar da idolatria para a adoração ao verdadeiro Deus. Mudança real significa se arrepender do pecado e depositar fé na graça de Deus, oferecida em Jesus Cristo. E isso se aplica tanto ao cristão quanto ao não cristão. O cristão preso em ações pecaminosas, crenças destrutivas ou comportamento viciante é alguém que adora ídolos. Tanto quanto no início da vida cristã, no meio e até o final dessa vida, o evangelho nos chama a nos afastarmos da nossa idolatria, ao mesmo tempo em que oferece a esperança de nos tornarmos como Cristo quando ele retornar.

Infelizmente, muito aconselhamento cristão tornou-se influenciado por uma cultura terapêutica e trata a necessidade humana fundamental como sendo plenitude ou felicidade. Como resultado, o evangelho é alterado para atender a essas necessidades recém-definidas. B. B. Warfield, o teólogo de Princeton do século XIX, resumiu bem essa conexão quando disse:

> O fato é que as visões que os homens possuem da expiação são em largamente determinadas por seus sentimentos fundamentais de necessidade — aquilo do qual os homens mais desejam ser salvos. E desde o início três tipos bem marcados de pensamento sobre este assunto são identificáveis, correspondendo a três necessidades fundamentais da natureza humana conforme ela se desdobra neste mundo de limitações. Os homens são oprimidos pela ignorância, pela miséria ou pelo pecado em que se sentem afundados; e, olhando para Cristo para livrá-los do mal sob o qual eles atuam particularmente, eles estão aptos a conceber sua obra como consistindo predominantemente na revelação do conhecimento divino, ou na inauguração de um reino de felicidade, ou na libertação da maldição do pecado.[87]

O aconselhamento bíblico se recusa a propor objetivos falsos e temporários, como uma vida mais fácil ou mais agradável agora, ou truques e dicas para um melhor comportamento. Em vez disso, ele mantém a meta de santificação e glorificação, nossa transformação na própria imagem de Cristo. Seu método é, portanto, o evangelho, porque Cristo é o objetivo.

Missões

Ultimamente tem havido muito alarde sobre a necessidade de a igreja ser missional. Ser missional não é o mesmo que estar comprometido com

---
87 B. B. Warfield, "Modern Theories of the Atonement," in *Works*, IX (Baker, 1932; reimp. 2003), p. 283.

missões ou ter um foco em missões. Ser missional é uma maneira de pensar sobre a igreja e como ela se relaciona com o mundo. Uma igreja missional entende que a igreja não sai em missão ou envia pessoas para fazer missões. Antes, a igreja é a missão de Deus no mundo, a fim de curar o mundo e reconciliar as pessoas com Deus. Como resultado, a igreja não é tanto encarregada de uma mensagem, mas é chamada a encarnar uma pessoa. Nossa função primária não é principalmente proclamar a obra de Jesus na cruz para o mundo. Mais do que isso, queremos tornar as palavras, ações e a vida de Jesus visíveis em todos os cantos da nossa cidade.[88]

De onde as pessoas tiraram essa compreensão da igreja e seu chamado em relação ao mundo? Para ser honesto, ela surgiu de uma tentativa de pensar sobre a missão e a igreja a partir da perspectiva da teologia bíblica.[89] O que esses teólogos missionais notaram é que Deus é um Deus missionário. Ele se muda para o nosso bairro. Ele se encarna em nosso mundo. Porque ele faz isso? Ele faz isso para nos redimir e para estabelecer o seu reino. Das caminhadas à tarde no jardim do Éden, ao tabernáculo no meio do acampamento israelita, à encarnação de Jesus Cristo e às palavras finais do Apocalipse, Deus sempre procurou estar com o seu povo, estar no meio deles. É uma imagem da intimidade, uma imagem do relacionamento, e parece estar no coração do que significa o céu (Ap 21.3, 4; 22.3-5). Embora o pecado tenha separado o homem de Deus, ele não desencorajou o caráter missional de Deus. De fato, como a história da redenção parece mostrar, o pecado humano tornou essa orientação missional de Deus ainda mais imperativa.

A igreja, portanto, é enviada como Deus enviou a Cristo — enviada ao mundo para tornar conhecida sua presença redentora (Jo 17.18). Aqui está o paradigma da igreja missional. Como Cristo foi enviado,

---

[88] Por exemplo, veja Darrell L. Guder (ed.), *Missional Church: A vision for the sending of the church in North America* (Grand Rapids, MI: Eerdmans, 1998), p. 1–17.

[89] Veja especialmente Christopher J. H. Wright, *A missão de Deus: desvendando a grande narrativa da Bíblia* (São Paulo: Vida Nova, 2014).

assim também nós, seu corpo, também somos enviados. Como Cristo encarnou a presença salvadora de Deus, nós encarnamos a presença redentora de Cristo. Nós nos sacrificamos em nosso serviço, no engajamento com a cultura ao nosso redor com misericórdia e boas ações.

Como devemos considerar a agenda missional? A teologia bíblica deve nos levar a abandonar nosso programa de missões e montar centros de assistência e clínicas de saúde? Deveríamos estar mais focados em "espaços comuns" como a cafeteria ou a academia local, onde podemos "ir e ser" cristãos no meio do mundo, em vez de construir prédios maiores para que mais pessoas possam "vir e ouvir" a mensagem do cristianismo no meio da igreja?

Penso que não há dúvida de que devemos ir e ser sal e luz no mundo (Mt 5.13-16). Também penso que não há dúvida de que Deus é um Deus missionário; ele não espera que o encontremos (como se pudéssemos). Em vez disso, ele se muda para o nosso bairro e nos encontra. A linguagem de João 1 é rica em conexões bíblico-teológicas, entre as quais a imagem de Cristo vindo e "tabernaculando" em nosso meio (Jo 1.14). Um grande componente das boas novas é que "nisto consiste o amor: não em que nós tenhamos amado a Deus, mas em que ele nos amou e enviou o seu Filho" (1Jo 4.10). Mas a questão sobre o que a igreja deveria ser e como deveria pensar sobre a missão não é exatamente o mesmo que reconhecer que a encarnação é o cumprimento da atividade missionária de Deus no Antigo Testamento.

Para começar, uma teologia bíblica da igreja e sua missão inclui temas que os defensores missionais deixam de fora ou menosprezam, temas como o chamado da igreja para ser separada e distinta do mundo a fim de mostrar a sabedoria e a santidade de Deus. Isso é claramente visto no chamado de Israel, como vimos no último capítulo com as leis levíticas, um chamado que é retomado e intensificado na vida da igreja. Paulo (1Co; 2Co), João (1Jo 2) e Pedro (1Pe 1) estão empenhados em definir a igreja em termos de sua santidade e distinção do mundo. É enfaticamente não se conformar ao mundo ou aos seus desejos. Portanto, o ministério encarnacional, o que quer que signifique positivamente, não significa acomodar-se ao mundo.

Segundo, a igreja, como Israel, recebe uma identidade comunitária e até representativa. Israel é chamado filho de Deus e nós somos chamados de corpo de Cristo. Mas mais uma vez, essa não é toda a história. A igreja também recebe uma missão específica de Cristo, seu cabeça. É fazer discípulos, é pregar o evangelho e é ensinar os discípulos a obedecer a tudo o que Jesus nos ordenou (Mt 28.18-20). Repetidamente, as Escrituras enfatizam a mensagem que a igreja deve proclamar.

Longe de ser um ponto de diferenciação entre Cristo e seu corpo, a reflexão mais detida mostra que isso é consistente com a ênfase do próprio Jesus. Repetidamente, Jesus procurou manter suas curas milagrosas e exorcismos discretos. Ele ordenava as pessoas a não contar a ninguém o que ele havia feito. E quando as multidões se tornavam grandes demais, clamando por seu toque de cura, ele partia para ir a outro lugar. Por que Jesus fazia isso? Ele tinha o poder de curar a todos; porque não curou? Por que ele saía justamente quando a oportunidade de demonstrar o poder de cura de Deus em uma escala realmente grande aparecia? Jesus nos diz por quê. Em Marcos 1.38, em resposta a perguntas similares dos discípulos, ele diz: "Vamos a outros lugares, às povoações vizinhas, a fim de que eu pregue também ali, pois para isso é que eu vim".

Jesus não veio principalmente para fazer boas ações. Ele não veio para curar e exorcizar demônios, ou para demonstrar a vida redentora do reino. Não, Jesus veio principalmente para pregar. É o que ele diz. Por que pregar? Ele veio pregar porque a tarefa que ele recebeu de Deus foi realizar a redenção por meio de sua morte expiatória na cruz. Mas essa morte fica tragicamente emudecida — aquela obra salvadora inacessível a outros — sem a mensagem do evangelho que ele pregou e confiou aos seus discípulos. Essa boa notícia explicava o que a sua morte havia realizado e como pecadores como nós poderiam se beneficiar disso por meio do arrependimento e da fé. Jesus veio para morrer. Mas ele não veio apenas para morrer. Ele veio pregar primeiro, para que pudéssemos entender e nos beneficiar de sua morte.

Parte do padrão que surge, portanto, é que enquanto Israel e a igreja apontam, prefiguram, e até mesmo repetem e ampliam alguns aspectos do ministério de Cristo, outros aspectos de seu ministério permanecem exclusivos dele. A igreja não morre pelos pecados do mundo. Não é oferecida para a cura das nações. Não inaugura o reino de Deus. Estes são ministérios dados exclusivamente ao Filho.

Então, o que a igreja faz? Ela testemunha do Filho. Ela proclama sua mensagem. Ela faz discípulos. E ela exibe em si a vida do reino. Como um posto avançado do céu, é um farol e uma exibição da obra única que o Filho está realizando dentro dela.

Como Jesus, a igreja é enviada ao mundo para proclamar essa mensagem que dá vida e inaugura o reino. Então, devemos ser missionais? Em um sentido, sim. Devemos ser sal e luz no mundo em palavras e ações. Mas isso significa que devemos parar de enviar missionários? Isso significa que devemos parar de nos concentrar na proclamação pública das boas novas para nos concentrarmos em encarnar a vida do reino de Deus em nossas comunidades? De maneira alguma. Isso significaria não apenas desobedecer ao comando explícito de Cristo, que é o cabeça do corpo, mas também significaria apagar a distinção entre o tipo e o antítipo, a imagem e a coisa real.

Além disso, trocar "missões" por "missional" seria perder outra trama da história bíblica, a história na qual os reinos deste mundo não são apenas abençoados pela presença do reino de Deus, mas realmente se tornam o reino do nosso Senhor e Cristo. Por causa do pecado, as nações foram divididas em Babel. Em Cristo, elas já foram figuradamente reunidas no Pentecostes, quando o evangelho sai para todas as nações. Mas o final da história não é realizado por meio do ministério de misericórdia da igreja. Não, o fim da história é quando os eleitos de todas as nações são final e eternamente feitos um em novos céus e uma nova terra. Naquele dia, todas as nações da terra serão abençoadas por meio de Abraão, porque uma "grande multidão que ninguém podia enumerar, de todas as nações, tribos, povos e línguas" estará diante do trono em vestes brancas lavadas no sangue do Cordeiro (Ap 7). A igreja proclama a mensagem inaugural do reino, mas o próprio rei a consumará.

Mais ainda, como esta história deixa claro, o propósito de Deus não é finalmente missão, mas adoração. Como Piper apontou, "as missões existem porque não há adoração".[90] Portanto, a igreja é enviada em missão, mas a igreja existe para adorar. Definir a igreja pela missão é, em última instância, reorientar Deus para *longe* de si mesmo e *em função* do mundo. Na verdade, é exatamente o oposto. Deus veio ao mundo porque fundamentalmente ele está comprometido consigo mesmo e com a exibição de sua glória. Conclusão: como uma estratégia para o evangelismo, a igreja missional tem muitas coisas úteis para nos ensinar. Mas, como crítica das missões e como definição da igreja, o conceito missional é inadequado e enganoso.

Cuidado com os pobres

Periodicamente na história da igreja, surge o clamor de que o evangelho é mais bem ilustrado do que proclamado, ou que não pode ser pregado com integridade a menos que seja também demonstrado de maneira prática. Muitas vezes, essa preocupação tem se concentrado nos pobres e na principal responsabilidade da igreja em aliviar essa pobreza.

Para defender o cuidado com os pobres como uma responsabilidade primária da igreja local, os escritores recorrem a versículos-chave

---

[90] John Piper, *Alegrem-se os povos: A Supremacia de Deus nas Missões* (São Paulo: Cultura Cristã, 2012), p. 35.

no Novo Testamento, o exemplo do Israel do Antigo Testamento, e a visão bíblica da Nova Criação. No Novo Testamento, lemos o mandamento de Jesus: "Assim brilhe também a vossa luz diante dos homens, para que vejam as vossas boas obras e glorifiquem a vosso Pai que está nos céus" (Mt 5.16). No contexto maior do Sermão da Montanha, é difícil negar que a misericórdia para com os pobres era pelo menos parte do que Jesus tinha em mente quando se referiu a boas obras. Os primeiros cristãos praticavam claramente uma generosidade radical em relação aos pobres (cf. At 4.32-37), e Tiago parece quase encorajar um viés em relação aos pobres, ou pelo menos condena qualquer preconceito contra eles (Tg 2.1-9).

No Antigo Testamento, vemos o povo de Deus especificamente ordenado a mostrar misericórdia para com os pobres. Isso resultou em mecanismos institucionalizados e estruturais para aliviar a pobreza (para alguns exemplos, compare a prática da rebusca, Levíticos 19.9, 10, os parentes resgatadores, Rute 3, e o casamento de levirato, Deuteronômio 25.5-10). O contexto dessas instituições era a sua própria história de terem sido pobres e oprimidos no Egito. Assim como Deus os amou e os resgatou da pobreza, eles deviam tratar o pobre, a viúva, o órfão e o estrangeiro com misericórdia e respeito (Dt 10.16-19; 24.18-22)

Olhando para o futuro, os profetas descreveram a nova criação como caracterizada pela abundância e alegria (Is 65 e 66) e pelo Messias que introduziria nesta nova era com boas novas para os pobres (Is 61).

Em conjunto, essas passagens parecem fornecer uma teologia bíblica da igreja como o surgimento da vida da nova era e o cumprimento das promessas de Deus a Israel, encarregada de demonstrar a vinda do reino por meio de atos de misericórdia para com os pobres em suas comunidades.

Isso parece atraente para muitos, mas na verdade eu penso que a teologia bíblica pinta um quadro um pouco mais complexo.

TEOLOGIA BÍBLICA PRÁTICA

Para começar, a questão não é: "os cristãos devem cuidar dos pobres?". A resposta para essa pergunta é clara, quer pensemos em termos da grande história das Escrituras ou das especificidades de como essa história envolve nossas vidas individuais. Os cristãos devem ser pessoas que exibem o amor e a misericórdia de Deus a todos com quem entram em contato, e isso inclui os pobres.

A questão é: a igreja, como instituição local, tem uma obrigação especial de cuidar dos pobres?

Por um lado, uma teologia bíblica da igreja entende que há continuidade e descontinuidade entre o povo de Deus do Antigo e do Novo Testamento. Israel era uma nação política, completa com fronteiras internacionalmente reconhecidas, termos de cidadania e, portanto, responsabilidades cívicas para com esses cidadãos. A igreja, por outro lado, está espalhada por todo o mundo como estrangeiros e peregrinos, membros de muitas nações, mas cuja cidadania é, em última instância, no céu (Fp 3.20). O reino de Israel era terreno e político, mas fomos trazidos a um reino que é espiritual e celestial (Jo 18.36).

Além disso, no grande panorama da história, vemos que Israel não foi concebido para ser um modelo para a cristandade, como uma ordem política cristã. Pelo contrário, a experiência de Israel na Terra Prometida é um tipo que aponta para o céu (Hb 4). E assim, é no céu que vemos a perfeita realização das leis de Israel, um reino no qual não há mais choro, tristeza ou dor, incluindo aquelas causadas pela privação material, porque todas essas causas de tristeza foram removidas (Ap 21.1-4; cf. Mt 26.11).

Reconhecer essa distinção entre Israel, a igreja local e o céu ajuda a compreender várias coisas. Primeiro, vemos por que o cuidado pelos pobres dentro da igreja local é ordenado e exemplificado no Novo Testamento (At 4 e 6; Rm 15.25-27; 1Co 16; 2Co 8 e 9). Como uma colônia do céu, quando as pessoas olham para dentro da igreja local, elas devem ver algo diferente do mundo ao seu redor. Segundo, entendemos por que a igreja local nunca é ordenada a comprometer algo como seu orçamento para aliviar a pobreza no mundo. Os cristãos, sim, são ordenados a isso (por exemplo, Gl 6.10). Mas na medida em que existe um "orçamento da igreja", ele existe principalmente para preparar *os santos* para o trabalho do ministério, o qual, por sua vez, os envolverá no cuidado pessoal dos pobres. Terceiro, entendemos como a Grande Comissão, o chamado para proclamar o evangelho, é de fato a principal missão que a igreja local recebeu em relação aos pobres. É por meio do evangelho, e não de uma conta bancária, que os pobres são verdadeiramente resgatados de sua miséria.

Pode a igreja, institucionalmente considerada, gastar seu orçamento em atos de misericórdia social? Sim, como um ato de misericórdia e um meio providencial de apresentar o evangelho. Ela precisa? Não. O que a igreja *precisa fazer* para ser uma igreja é fazer discípulos, batizá-los e ensiná-los tudo o que Cristo ordenou. O que ela deve fazer é proclamar boas novas aos pobres por meio da mensagem de reconciliação com Deus por meio da morte e ressurreição de Jesus Cristo. Considerando que cuidar dos pobres *pode*, em muitas circunstâncias, ser usado para fazer discípulos e apresentar o evangelho, a igreja pode avaliar suas várias mordomias e escolher responsavelmente cuidar dos pobres fora da assembleia. Eu digo "escolher", porque uma igreja que se apropria de cuidar dos pobres por meio de seu orçamento deve ser cautelosa. Não pode perder de vista a sua primeira prioridade, nem dar aos seus membros uma desculpa para evitar a responsabilidade pessoal de amar seus vizinhos. Outras instituições neste mundo alimentarão os pobres com pão e sopa. Mas nenhuma outra instituição neste mundo dará aos ricos e pobres o pão da vida e a água viva que resulta em nunca mais ter fome ou sede (Jo 4.6).

Relações Igreja-Estado
Não há questão mais incômoda na história da igreja do que a questão da relação entre a igreja e o Estado. Da cristandade medieval e da união da igreja

e Estado sob uma única coroa, às reivindicações dos papas medievais de exercerem a autoridade temporal e não apenas espiritual sobre os cristãos em todas as esferas da vida, às guerras culturais de hoje com um eleitorado politizado dividido em parte em linhas religiosas, a temores sobre o Islã e sua recusa em organizar o Estado em torno de linhas seculares, a temores de que cristãos fundamentalistas possam fazer uma recusa semelhante caso cheguem ao poder nos Estados Unidos — a questão da relação entre autoridade política e espiritual continua causando conflitos e medo.

Que tais medos sejam próprios dos cristãos é ainda mais surpreendente, dada a resposta sábia de Jesus, quando as autoridades apresentaram a ele uma formulação clássica do problema: devemos pagar impostos a César? Segurando uma moeda romana, estampada com a imagem do imperador, Jesus respondeu: "Dai, pois, a César o que é de César e a Deus o que é de Deus" (Mt 22.21). Problema resolvido, certo?

Bem, o que fazemos com o exemplo de Israel? Não vemos aí uma união de autoridade espiritual e civil? E o que dizer da cosmovisão moral abrangente do cristianismo, que declara não apenas o senhorio universal de Cristo, mas a sacralidade da vida humana e o caráter moral do universo em que vivemos? Essas verdades não argumentam em favor da obrigação de buscar um Estado explicitamente cristão?

A resposta de algumas maneiras está relacionada à discussão que acabamos de ter e, portanto, será mais breve que os exemplos anteriores. Precisamos prestar atenção em todo o enredo, e não apenas às partes que apelam para nossa própria agenda ou predisposição. O reino de Deus é o objetivo da criação. Israel não era um protótipo, mas um tipo, uma imagem que apontava para a realidade. Quando o reino é inaugurado na verdade, é pequeno, até mesmo invisível (Mc 4.30-32). Desta forma, o antítipo se assemelha ao tipo, Israel, sobre quem Deus afirmou que não era nem a nação maior nem a mais forte quando ele a escolheu (Dt 7.7). Mas há maneiras importantes em que o reino não é como o tipo que o prefigurou. O reino de Deus inaugurado é um reino espiritual, definido não por fronteiras políticas, mas pelo governo espiritual, o reino salvífico de Deus.

Como a igreja se relaciona com essa história do reino? A igreja é chamada para ser uma testemunha desse reinado salvador, mas ela não é idêntica ao próprio reino, pois há muitos incluídos no reino que não fazem parte da igreja (por exemplo, santos do Antigo Testamento e anjos eleitos). Antes, a igreja aguarda com esperança do retorno do rei, quando ele estabelecerá seu reino visivelmente e com poder. Enquanto isso, nossa vida no reino é escondida, obscurecida e velada, assim como Cristo, o Rei, estava em sua encarnação. A autoridade política terrena é estabelecida por Deus, temporária e limitada, mas mesmo assim legítima (Rm 13). Esferas separadas de autoridade e responsabilidade foram estabelecidas por Deus até o retorno do rei. Durante esse tempo entre suas vindas, a autoridade espiritual está investida na pregação da Palavra do Rei. Mas como Abraão, que tinha as promessas, mas apenas vislumbrou o reino de Israel, a igreja também vive como estrangeiros e peregrinos neste mundo. Nós temos a promessa e aguardamos a vinda do reino em sua glória. Mas nós não seremos peregrinos para sempre. O dia virá quando Cristo voltará, e toda a autoridade será submetida a Cristo e ele será publicamente declarado Rei e Senhor (Ap 11).

Por um lado, portanto, a igreja precisa resistir à tentação de concretizar demais sua escatologia. Não cabe a nós decidir quando a nossa peregrinação como forasteiros acabou, como se a criação de um estado cristão pudesse realizar isso de qualquer maneira. Por outro lado, a igreja não deve viver como se esse mundo não importasse. Nossas boas ações devem ser evidentes para todos. Mas nossa missão, finalmente, não é a renovação da cultura; é a redenção das almas. Nossa guerra não é a guerra cultural, mas uma guerra contra as forças espirituais do mal nas regiões celestiais. E nossa esperança não está nas alavancas políticas do poder, mas no soberano Rei dos reis e Senhor dos senhores, que mesmo hoje reina à direita de Deus. Enquanto isso, "não temos aqui cidade permanente, mas buscamos a que há de vir" (Hb 13.14).

CONCLUSÃO

Eu dei alguns exemplos de como a teologia bíblica molda nossa abordagem a categorias inteiras de ministério. Você pode discordar de algumas das minhas conclusões e aplicações. O que eu espero que você veja, no entanto, é que não podemos sequer começar a abordar tópicos como esses, e muitos outros, sem teologia bíblica.

Daqui em diante, é realmente com você. O que a teologia bíblica tem a dizer sobre sua abordagem ao ministério infantil e à educação cristã em geral? Como ela afeta a maneira como você pensa sobre a música na igreja? O que ela significa para a maneira como você ensina sobre carreira e vocação? Como ela afetará seus planos para renovar ou expandir seu prédio? Se o que eu disse sobre teologia bíblica é verdade, e estou convencido de que é, então ela tem algo de útil para dizer a todas essas áreas. A teologia bíblica é a teologia em ação no ministério de sua igreja.

EPÍLOGO

Quando você colocar este livro de lado em alguns instantes, provavelmente não vai repensar toda uma esfera de ministério. Em vez disso, você provavelmente vai entrar em uma reunião para falar sobre o orçamento do próximo ano ou planejar o culto do próximo domingo. Ou você vai almoçar com um novo membro que quer se envolver, ou um velho diácono que está preocupado com algumas das mudanças que você fez recentemente. Nessa reunião ou nesse almoço, você precisará tomar decisões concretas e propostas práticas. Você precisará de perspectiva e discernimento. Acima de tudo, você precisa de visão, um senso claro de para aonde Deus está guiando sua igreja ou ministério e como o assunto em questão, grande ou pequeno, se encaixa.

É aqui que a teologia bíblica realmente vale a pena, mas não como as ferramentas mais práticas. Ela não dá a você um método ou um programa. Não descreve dez passos para construir uma igreja maior e melhor. Não diz a você como colocar as pessoas certas no grupo e tirar as pessoas erradas. Em vez disso, ela oferece a você algo ainda melhor.

Ela lhe dá visão — visão teológica, para ser preciso.

Como vimos, a teologia bíblica, em ambos os sentidos da palavra, não apenas fornece a história da Bíblia, mas também coloca sua história no contexto da história de Deus. Ela mergulha você em sua história, o que acaba sendo mais do que uma história sobre a história antiga e futura.

É uma história sobre o agora. Como Richard Lints disse tão bem, quando entendemos a teologia bíblica dessa maneira, descobrimos que "as Escrituras são [...] as principais intérpretes da era moderna".[91] A teologia bíblica nas formas que discutimos aqui produz visão teológica para o ministério hoje.

Com tal visão, estamos em posição de fazer o trabalho prático da teologia, o trabalho de aplicar a verdade da história de Deus aos detalhes de nossas vidas e das vidas daqueles a quem ministramos.

Isso inclui pessoas como o amigo de meu colega presbítero, cuja história começou este livro. Ele fora erroneamente ensinado que Deuteronômio 28 significava que Deus providenciaria sua melhor vida agora, definida como uma vida de abundância material, se ele apenas tivesse fé. Agora que você leu este livro, como você responderia a ele? Espero que você não pegue sua Bíblia e cite 1 Pedro 4.12 para ele, como se duelos de textos-prova resolvessem o assunto.

Em vez disso, espero que você veja que o que aconteceu não é simplesmente a leitura errada de um versículo, mas uma compreensão errada de toda a história da Bíblia e, portanto, uma má interpretação da história de sua própria vida. Antes que ele possa aplicar corretamente Deuteronômio 28 e 1 Pedro 4, sua visão de mundo precisa ser reordenada e sua visão teológica reorientada. Ele precisa entender que a figura de Deuteronômio 28 não passava de um desenho animado em comparação com o que Deus planejou para o seu povo nos novos céus e nova terra. Ele precisa entender que Deus realmente quer sua melhor vida, mas que em um mundo caído, a glória vem somente por meio do sofrimento e a vida vem somente por meio da morte. Ele precisa saber que a riqueza que Deus pretende dar a ele não é, finalmente, a riqueza deste mundo, mas a riqueza da comunhão ininterrupta com o próprio Deus por meio da

---

91 Richard Lints, *The fabric of theology: A prolegomenon to evangelical theology* (Grand Rapids, MI: Eerdmans, 1993), p. 312.

união com Cristo. Ele precisa saber que o valor dessa herança é demonstrado por meio de nossa fé no curso de nossas atuais peregrinações pelo deserto. Este é o trabalho da teologia bíblica e da teologia sistemática que surge dela. E isso, de fato, foi o que meu colega disse a ele.

Mas ele não apenas ensinou seu amigo a manter os olhos focados em Cristo, independentemente de suas circunstâncias. Ele manteve seus próprios olhos focados nele também. Como a vida desse presbítero também está sendo moldada pela história bíblica, ele entendeu que seu verdadeiro tesouro, sua herança final e, portanto, sua última esperança está no céu e não na terra. E assim, não ligado à história mentirosa deste mundo de que riqueza significa segurança, ele generosamente cavou de seu próprio tesouro terreno para ajudar seu amigo desempregado.

Esta é a visão que precisamos para o ministério, mas não a conseguimos toda de uma vez, e não vem da leitura de apenas um livro. A visão de que estou falando surge da leitura repetida, atenta e paciente de toda a Bíblia. Vai significar fazer algumas mudanças na forma como você lê e estuda a Escritura, no tempo que você reserva para meditação e reflexão, e na quantidade de tempo que você reserva para a preparação do sermão. Isso significará mudar seus hábitos mentais quando confrontado com problemas e desafios no ministério. Antes de procurar uma solução pragmática, você vai insistir em colocar as coisas em um contexto teológico. Como já pensamos anteriormente, a teologia bíblica como disciplina é uma maneira de ler a Bíblia, uma estratégia hermenêutica que se recusa a transformar a história de Deus no livrinho de respostas da vida, mas a reconhece como a grande história que dá sentido às nossas histórias. Isso significa que a visão de que precisamos não vem de sessões de *brainstorming* ou de processos metodológicos, mas de um hábito fervoroso da mente que se recusa a entender o Hoje segundo os termos das narrativas culturais — as narrativas de progresso, etnia e acumulação, para citar algumas. Em vez disso, o Hoje é definido à luz da história bíblica.

TEOLOGIA BÍBLICA PRÁTICA

Essa história define cada vez mais quem somos, de onde viemos e para onde estamos indo. Como resultado, essa história nos diz o que deveríamos estar fazendo e pensando e sentindo hoje.

Da próxima vez que você for a uma reunião de planejamento ou almoço de discipulado, espero que você pegue sua Bíblia; não para uma devocional de abertura ou para o texto-prova perfeito, mas para a visão que você precisa para orientar a si e seu ministério no trabalho que Deus está fazendo neste mundo através de Cristo. Como eu disse, essa visão não vem de uma vez só. Mas pela graça de Deus ela realmente vem e muda tudo.

A teologia bíblica é uma teologia realmente útil. A teologia bíblica é a teologia em ação. Então, pegue sua Bíblia e vamos começar a trabalhar.

PARA LEITURA ADICIONAL

Além dos livros recomendados na Introdução, os livros a seguir ajudarão você a explorar ainda mais os temas dos capítulos selecionados.[92]

CAPÍTULO 1

Nigel Beynon e Andrew Sach, *Dig deeper: tools to unearth the Bible's treasure* (Wheaton, IL: Crossway, 2010).

D. A. Carson, *Os perigos da interpretação bíblica* (São Paulo: Vida Nova, 2008). Mostra várias maneiras pelas quais é possível interpretar errado o texto e dá algumas dicas úteis para evitar esses erros.

Gordon D. Fee e Douglas Stuart, *Entendes o que lês?*, 3ª ed. (São Paulo: Vida Nova, 2011). Embora discorde fortemente das posições igualitárias que os autores adotam neste livro, não há uma introdução melhor e mais acessível à exegese da Bíblia disponível hoje.

CAPÍTULO 2

Graeme Goldsworthy, *Introdução à teologia bíblica: o desenvolvimento do evangelho em toda a Escritura* (São Paulo: Vida Nova, 2018). Este livro adota a abordagem do Evangelho e do Reino e a aplica em todo o cânon.

---

[92] As edições em português estão indicadas, quando disponíveis [N. do T.].

O. Palmer Robertson, *O Cristo dos pactos*, 2ª ed. (São Paulo: Cultura Cristã, 2019). Embora discorde de algumas de suas conclusões pedobatistas, não conheço melhor introdução à teologia da aliança em geral.

CAPÍTULO 3

David L. Baker, *Two testaments, one Bible: A study of the theological relationship between the Old and New Testaments*, ed. rev. (Downers Grove, IL: InterVarsity Press, 1991). Uma introdução abrangente.

Edmund P. Clowney, *The unfolding mystery: discovering Christ in the Old Testament* (Philipsburg, NJ: P&R, 1991). Fornece instruções claras e práticas para pastores e professores.

CAPÍTULO 4

Richard Lints, *The fabric of theology: a prolegomenon to evangelical theology* (Grand Rapids, MI: Eerdmans, 1993). Entre outras coisas, este livro defende uma relação mais explícita entre teologia bíblica e sistemática.

David Wells, *Coragem para ser protestante: amantes da verdade, marqueteiros e emergentes no mundo pós-moderno* (São Paulo: Cultura Cristã, 2011). Defende que a verdade doutrinária é essencial para a fidelidade evangélica.

CAPÍTULO 5

John Frame, *Salvation belongs to the Lord: an introduction to Systematic Theology* (Phillipsburg, NJ: P&R, 2006). Demonstra claramente as várias perspectivas do conhecimento doutrinário. Um pouco técnico, mas vale o esforço.

Richard Lints, *The fabric of theology: a prolegomenon to evangelical theology* (Grand Rapids, MI: Eerdmans, 1993). Sua abordagem da trajetória da reflexão teológica já vale o livro.

CAPÍTULOS 6 A 10

Alguns outros exemplos de teologia bíblica tanto no nível pastoral quanto acadêmico:

G. K. Beale, *The temple and the church's mission: a biblical theology of the dwelling place of God. New studies in biblical theology* (Downers Grove, IL: InterVarsity Press, 2004).

James M. Hamilton, *The center of biblical theology: The glory of God in salvation through judgment* (Wheaton, IL: Crossway, 2010).

Vaughn Roberts, *Life's big questions: six major themes traced through the Bible* (Londres: Inter-Varsity, 2004).

CAPÍTULO 11

Edmund P. Clowney, *The unfolding mystery: discovering Christ in the Old Testament* (Philipsburg, NJ: P&R, 1991).

Graeme Goldsworthy, *Pregando toda a Bíblia como escritura cristã* (São José dos Campos: Fiel, 2016). Cobre parte do mesmo que terreno deste livro, mas dedica a segunda metade à aplicação prática da pregação de todos os gêneros.

CAPÍTULO 12

Aconselhamento:

David Powlison, *Uma nova visão: o aconselhamento e a condição humana através das lentes da Escritura* (São Paulo: Cultura Cristã, 2010). Uma excelente introdução à reflexão sobre o aconselhamento à luz da estrutura da Bíblia.

Missões:

J. H. Bavinck, *An introduction to the science of Missions* (Phillipsburg, NJ: P&R, 1992). Reúne as abordagens de estilo "venha e veja" e "vá e conte" da Bíblia através das lentes do Pentecostes.

FIEL
MINISTÉRIO

O Ministério Fiel visa apoiar a igreja de Deus, fornecendo conteúdo fiel às Escrituras através de conferências, cursos teológicos, literatura, ministério Adote um Pastor e conteúdo online gratuito.

Disponibilizamos em nosso site centenas de recursos, como vídeos de pregações e conferências, artigos, e-books, audiolivros, blog e muito mais. Lá também é possível assinar nosso informativo e se tornar parte da comunidade Fiel, recebendo acesso a esses e outros materiais, além de promoções exclusivas.

Visite nosso site

www.ministeriofiel.com.br

VOLTEMOS AO EVANGELHO

O Voltemos ao Evangelho é um site cristão centrado no evangelho de Jesus Cristo. Acreditamos que a igreja precisa urgentemente voltar a estar ancorada na Bíblia Sagrada, fundamentada na sã doutrina, saturada das boas novas, engajada na Grande Comissão e voltada para a glória de Deus.

Desde 2008, o ministério tem se dedicado a disponibilizar gratuitamente material doutrinário e evangelístico. Hoje provemos mais de 4.000 recursos, como estudos bíblicos, devocionais diários e reflexões cristãs; vídeos, podcasts e cursos teológicos; pregações, sermões e mensagens evangélicas; imagens, quadrinhos e infográficos de pregadores e pastores como Augustus Nicodemus, Franklin Ferreira, Hernandes Dias Lopes, John Piper, Paul Washer, R. C. Sproul e muitos outros.

Visite nosso blog:

www.voltemosaoevangelho.com

IX 9Marcas

Sua igreja é saudável? O Ministério *9Marcas* existe para equipar líderes de igreja com uma visão bíblica e com recursos práticos a fim de refletirem a glória de Deus às nações através de igrejas saudáveis.

Para alcançar tal objetivo, focamos em nove marcas que demonstram a saúde de uma igreja, mas que são normalmente ignoradas. Buscamos promover um entendimento bíblico sobre: (1) Pregação Expositiva, (2) Teologia Bíblica, (3) Evangelho, (4) Conversão, (5) Evangelismo, (6) Membresia de Igreja, (7) Disciplina Eclesiástica, (8) Discipulado e (9) Liderança de Igreja.

Visite nossa página

www.pt.9marks.org

LEIA TAMBÉM

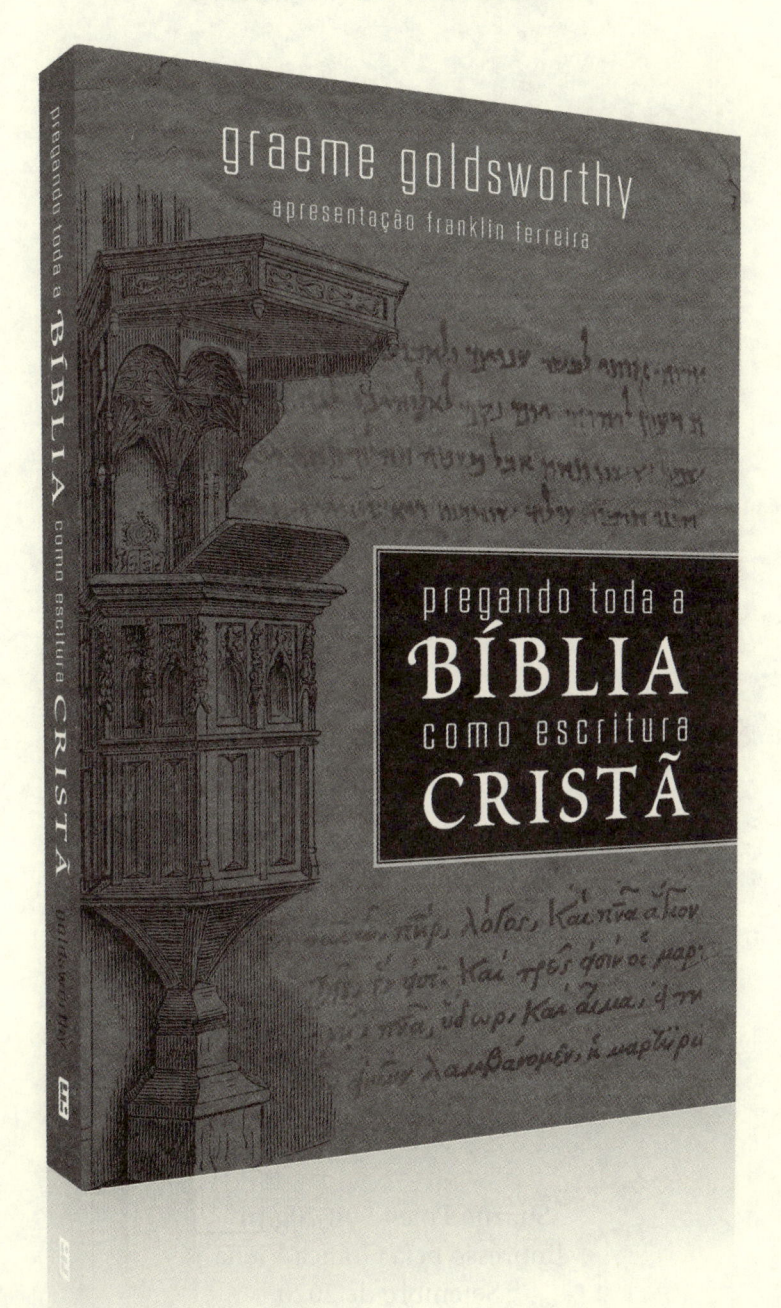

pregando toda a BÍBLIA como escritura CRISTÃ

graeme goldsworthy
apresentação franklin ferreira

Suzano Polén Soft 70g/m²
Impresso pela Gráfica Viena
Setembro de 2020